国家出版基金项目
NATIONAL PUBLICATION FOUNDATION

中国中药资源大典

中国中药资源大典

资源大典

湖南卷

5

黄璐琦 / 总主编

张水寒　刘　浩 / 湖南卷主编

肖深根　张水寒　陈阳峰 / 主　编

北京科学技术出版社

图书在版编目（CIP）数据

中国中药资源大典. 湖南卷. 5 / 肖深根, 张水寒, 陈阳峰主编. -- 北京 ： 北京科学技术出版社, 2024. 6.
ISBN 978-7-5714-3952-1

Ⅰ. R281.4

中国国家版本馆CIP数据核字第20245BR015号

责任编辑：侍　伟　李兆弟　尤竞爽　王治华　吕　慧　庞璐璐　刘　雪
责任校对：贾　荣
图文制作：樊润琴
责任印制：李　茗
出 版 人：曾庆宇
出版发行：北京科学技术出版社
社　　　址：北京西直门南大街16号
邮政编码：100035
电　　　话：0086-10-66135495（总编室）　　0086-10-66113227（发行部）
网　　　址：www.bkydw.cn
印　　　刷：北京博海升彩色印刷有限公司
开　　　本：889 mm×1 194 mm　　　1/16
字　　　数：937千字
印　　　张：42.25
版　　　次：2024年6月第1版
印　　　次：2024年6月第1次印刷
审 图 号：GS京（2023）1758号
ISBN 978-7-5714-3952-1

定　　价：490.00元

《中国中药资源大典·湖南卷》

编写委员会

总　主　编　黄璐琦

顾　　　问　邵湘宁　郭子华　肖文明　蔡光先　谭达全　秦裕辉　葛金文

主　　　编　张水寒　刘　浩

技术牵头单位　湖南省中医药研究院

普查队依托单位　（按拼音排序）

安化县中医医院	安仁县中医医院
安乡县中医医院	保靖县中医院
茶陵县中医医院	长沙市中医医院
长沙县中医医院	常德市第二中医医院
常德市第一中医医院	常宁市中医医院
郴州市中医医院	辰溪县中医医院
城步苗族自治县中医医院	慈利县中医医院
道县中医医院	东安县中医医院
洞口县中医医院	凤凰县民族中医院
古丈县中医医院	桂东县中医医院
桂阳县中医医院	汉寿县中医医院
赫山区中医医院	衡东县中医医院
衡南县中医医院	衡山县中医医院
衡阳市中医医院	衡阳市中医正骨医院
衡阳县中医医院	洪江市第一中医医院
湖南省直中医医院	湖南医药学院
湖湘中医肿瘤医院	华容县中医医院
花垣县民族中医院	会同县中医医院

嘉禾县中医医院	江华瑶族自治县民族中医医院
江永县中医院	津市市中医医院
靖州苗族侗族自治县中医医院	蓝山县中医医院
耒阳市中医医院	冷水江市中医医院
澧县中医医院	醴陵市中医院
涟源市中医医院	临澧县中医医院
临武县中医医院	临湘市中医医院
零陵区中医医院	浏阳市中医医院
龙山县中医院	隆回县中医医院
娄底市中医医院	泸溪县民族中医院
渌口区淦田镇中心卫生院	麻阳苗族自治县中医医院
汨罗市中医医院	南县中医医院
宁乡市中医医院	宁远县中医医院
平江县中医医院	祁东县中医医院
祁阳市中医医院	汝城县中医医院
桑植县民族中医院	邵东市中医医院
邵阳市中西医结合医院	邵阳市中医医院
邵阳县中医医院	韶山市人民医院
石门县中医医院	双峰县中医医院
双牌县中医医院	绥宁县中医医院
桃江县中医医院	桃源县中医医院
通道侗族自治县民族中医医院	望城区人民医院
武冈市中医医院	湘潭市中医医院
湘潭县中医医院	湘乡市中医医院
湘阴县中医医院	新化县中医医院
新晃侗族自治县中医医院	新宁县中医医院
新邵县中医医院	新田县中医医院

溆浦县中医医院	炎陵县中医医院
宜章县中医医院	益阳市中医医院
永顺县中医院	永兴县中医医院
永州市中医医院	攸县中医院
沅江市中医医院	沅陵县中医医院
岳阳市中医医院	岳阳县中医医院
云溪区中医医院	张家界市中医医院
芷江侗族自治县中医医院	资兴市中医医院

主编简介

>> 张水寒

二级研究员，博士研究生导师。享受国务院政府特殊津贴专家、享受湖南省政府特殊津贴专家、湖南省卫生健康高层次人才医学学科领军人才，入选国家"百千万人才工程"，并被授予"有突出贡献中青年专家"荣誉称号。主要从事中药资源、中药制剂及中药质量标准方面的研究。

近10年来，主持和参与"重大新药创制"、国家自然科学基金、"十二五"国家科技支撑计划等20余项课题。获得新药证书12项、药物临床批件22项、国家发明专利13项。发表学术论文200余篇，其中以第一作者和通讯作者发表SCI论文30余篇，编写专著7部。获得国家科学技术进步奖二等奖1项、省部级奖励5项。

2011年以来，担任湖南省第四次全国中药资源普查技术总负责人、湖南省中药资源动态监测省级中心主任，主持建立"技术分层、突出量化、严把质控"的中药资源普查组织管理与技术保障模式；开展重点品种研究示范，大力推动普查成果转化、应用。

主编简介

>> 刘　浩

　　副研究员。湖南省中医药研究院中药资源研究所中药资源与鉴定研究室主任。主要从事中药资源、中药鉴定与本草学研究。

　　历任湖南省中药资源普查工作领导小组办公室成员、专家委员会委员、专家委员会办公室副主任，负责湖南省第四次全国中药资源普查组织管理与技术保障工作的具体实施，采集、鉴定普查标本近10万号，参与建成湖南省中药资源数据库、药用植物标本馆，熟悉湖南省中药资源基本情况及道地药材传承与发展的情况，编制省级、县级中药材产业发展规划10余份。2014年起任湖南省中药资源动态监测省级中心秘书，参与建成"一个中心，三个监测站，百个监测点"的湖南省中药资源动态监测与技术服务体系。

序 言

　　中药资源是中医药事业和产业发展的重要物质基础。随着中医药事业和产业蓬勃发展，社会各界对中药资源的需求量逐渐增加。为摸清中药资源家底，科学制定中药资源保护和产业发展政策措施，国家中医药管理局组织实施了第四次全国中药资源普查，对促进中药资源可持续利用、助力健康中国行动的实施和区域社会经济发展做出了重要贡献。

　　湖南地处云贵高原向江南丘陵、南岭山脉向江汉平原过渡的地带，属大陆性亚热带季风湿润气候区，独特的地理环境孕育了丰富的中药资源。锦绣潇湘，物华天宝，人杰地灵。湖南省作为首批6个中药资源普查试点省区之一，由湖南省中医药研究院作为技术牵头单位，组织全省技术人员队伍，出色地完成了湖南第四次中药资源普查工作任务。

　　张水寒和刘浩两位"伙计"基于湖南中药资源普查获得的第一手调查资料，系统整理分析、总结普查成果，牵头主编了《中国中药资源大典·湖南卷》。该书既有湖南自然社会概况、中药资源种类等总体情况介绍，又有湖南特色中药资源的历史源流与生产现状阐述，还对4 196种中药资源的基本情况进行详细介绍。该书可作为认识和了解湖南中药资源的工具书，具有重要的学术价值和应用价值。希望该书的出版，能助力湖南中药产业高质量发展，为中药资源的可持续发展、优化中药产业布局、促进学术交流和科学研究起到积极推动作用。

付梓之际，欣然为序。

中国工程院院士

中国中医科学院院长

第四次全国中药资源普查技术指导专家组组长

2024 年 4 月

前　言

　　湖南地处云贵高原向江南丘陵过渡、南岭山脉向江汉平原过渡的中亚热带，位于东经 108° 47′ ~ 114° 15′、北纬 24° 38′ ~ 30° 08′。东以幕阜、武功诸山系与江西交界，西以云贵高原东缘连贵州，西北以武陵山脉毗邻重庆，南枕南岭与广东、广西相邻，北以滨湖平原与湖北接壤，形成了东、南、西三面环山，中部丘岗起伏，北部湖盆平原展开的马蹄形地形。湖南有半高山、低山、丘陵、岗地和平原等多种地貌类型，其中山地面积占全省总面积的 51.22％。湖南位于长江以南的东亚季风区，加之离海洋较远，形成了气候温暖、四季分明、热量充足、雨水集中、春温多变、夏秋多旱、严寒期短、暑热期长、雨热同期的亚热带季风湿润气候。湖南为华东、华中、华南、滇黔桂 4 个植物区系的过渡地带，其境内植物具有较明显的东西、南北过渡性。地带性植被为常绿阔叶林，地带性土壤为红壤。湖南亚热带季风的大气候与复杂地势地貌的小环境，共同孕育了丰富的中药资源。

　　湖南历史文化悠久，是华夏文明的重要发祥地之一。道县玉蟾岩遗址出土了世界上现存最早的人工栽培稻标本，距今 1.2 万年。澧县城头山古文化遗址被称为"中国最早的城市"，距今约 6 000 年。宋代罗泌《路史》载炎帝"崩，葬长沙茶乡之尾……唐世尝奉祀焉"。《古今图书集成·衡州府古迹考》载："炎帝神农氏陵，在酃之康乐乡。""康乐乡"即今株洲市炎陵县鹿原镇。长沙马王堆汉墓出土的 16 部医书涉及方剂学、脉学、经络学等多门学科，代表了我国先秦时期的医药成就，其中《五十二病方》是我国现存最早的方书。

湖南中药资源的研究与应用历史悠久。马王堆汉墓出土的药材有桂皮、花椒、干姜、藁本、佩兰、辛夷、牡蛎、朱砂等，出土医书中的中药名共406个。《新唐书·地理志》载："岳州巴陵郡贡鳖甲，潭州长沙郡贡木瓜，永州零陵郡贡零陵香、石蜜、石燕，道州江华郡贡零陵香、犀角，辰州泸溪郡贡光明砂、犀角、水银、黄连、黄牙……锦州卢阳郡贡光明丹砂、犀角、水银。"唐代柳宗元《捕蛇者说》云："永州之野产异蛇，黑质而白章。"此即常用中药蕲蛇。宋代苏颂等编撰的《本草图经》，实际上是继《新修本草》后本草史上第二次全国药物普查的成果，集中反映了宋代实际的药物出产与使用情况，该书收载了当时湖南境内8州的28幅药图，包括辰州丹砂、道州石钟乳、道州滑石、道州石南、永州石燕、衡州菖蒲、衡州玄参、衡州栝楼、衡州地榆、衡州百部、衡州马鞭草、衡州五加皮、衡州乌药、澧州莎草、邵州苦参、邵州天麻、邵州乌头、鼎州茅根、鼎州连翘、鼎州地芙蓉、鼎州水麻、岳州假苏、岳州薄荷等。清代吴其濬所著《植物名实图考》收载的湖南药用植物达267种。明清之际，湖南各府县广泛修著地方志，并在"物产"中记载本地所产药材，如清道光《宝庆府志》（1849）与光绪《邵阳县志》（1876）均记载："百合，邵阳出者特大而肥美。"清末《邵阳县乡土志》（1907）载："玉竹参一名葳蕤，又名女萎，近谷皮洞多产此。"并载邵阳常见中药材尚有黄精、香附子、金樱子、栀子、金银花、桑白皮、厚朴、丹皮、天花粉、天南星、何首乌、前胡、桔梗、牛膝、五倍子、络石藤、吴茱萸、木通、车前草、香薷、木鳖子等。

中华人民共和国成立以来，党和政府高度重视中医药的传承与发展。湖南先后开展了4次全省范围的中药资源调查工作，掌握了全省中药资源的种类、分布、产量与民间药用情况的本底资料。20世纪50年代末，湖南开展了"群众性的中医采风运动"，全省献方达数十万个，湖南中医药研究所（1957年创办，1962年更名为湖南省中医药研究所，1984年更名为湖南省中医药研究院）组织专家对献方进行了研究，为各地挖掘使用中药资源奠定了坚实的基础。20世纪60—70年代，湖南开始兴起中草药群众运动。为了更好地开展中草药群众运动，湖南省中医药研究所对基层医疗工作者、赤脚医生、老药农、老草医与地方卫生局、药品检验所、医药公司提供的大量标本和资料进行了整理与鉴定，系统地梳理了这一时期湖南中药资源的种类和应用情况。1962年，湖南省中医药研究所出版了《湖南药物志（第一辑）》，该书收载药用植物417种。1972年，《湖南药物志（第二辑）》出版，收载药用植物406种。1979年，《湖南药物志（第三辑）》出版，收载药用植物341种。20世纪80年代，湖南第三次中药资源普查正式开始，此次普查共采集植物、动物、矿物标本298 785份，拍摄照片13 457张，调查到全省中药资源种类2 384种，其中植物药2 077种，动物药256种，矿物药51种；全国重点调查的363种药材中，湖南产241种；测算全省植物药蕴藏量107.8万t，动物药蕴藏量1 306t，矿物药蕴藏量1 147万t；共收集单验方25 355个，经各地（州、市）筛选汇编的有8 000多个，经名老中医严格审查选用的有2 400余个，这2 400余个单验方编成了《湖南省中草药民间单验方选编》。

2011年，第四次全国中药资源普查试点工作启动。湖南作为首批6个试点省区之一率先启动普查工作，历时11年，先后分6批，进行了全省122个县级行政区域的中药资源普查工作。湖南本次普查共调查代表区域550个，代表区域总面积149 101.03 km²；调查样地4 598个，样方套22 904个；采集腊叶标本116 443号、药材样品10 204份、种质资源5 913份；调查传统知识1 252份；拍摄照片1 519 340张；计算蕴藏量的种类584种；调查栽培品种160种、市场流通中药材479种；调查数据约210万条。本次普查全面掌握了湖南中药资源种类与分布、重点品种的资源量、中药材市场流通等信息，为湖南中医药事业、产业发展提供了科学依据。

湖南第四次中药资源普查为适应时代发展需求，创新应用了大量现代技术，提高了工作效率，保障了数据的完整性、一致性、准确性和实用性。通过引入空间信息技术与分层抽样方法设置的调查区域与样地更具代表性，从而使资源蕴藏量的估算更加科学。野外调查中应用GPS、数码相机、信息采集软件等获取经度、纬度、海拔等信息化数据，搭建了信息化工作平台。湖南在约210万条数据的基础上建成了湖南省中药资源数据库，实现了全省中药资源数据的长久保存、可视查询、成果转化和共享服务。本书中的基原图片、资源分布等内容充分利用了数据库的查询、统计功能，湖南省最新中药资源区划也利用了普查数据，全省被划分为湘西北武陵山中药资源区、湘西南雪峰山中药资源区、湘南南岭北部中药资源区、湘中湘东丘陵中药资源区、洞庭湖及环湖丘岗中药资源区5个中药资源分区。

编著一套图文并茂、系统全面反映湖南中药资源家底的著作是普查工作的重要组成部分。2021 年，湖南第四次中药资源普查进入收尾阶段，我们组织专家对《中国中药资源大典·湖南卷》的编写体例、资源名录、图片整理及分工安排进行了多轮讨论，最后形成了编写工作方案。野外工作得到的一手数据，是我们编著本书的关键素材，书中的图片来源于野外拍摄，分布信息来源于凭证标本的采集地点，资源蕴藏量信息来源于实际调查，因此，本书充分体现了湖南第四次中药资源普查的全方位成果。

第四次全国中药资源普查技术指导专家组组长黄璐琦院士多次带领普查专家组莅临湖南指导普查工作。湖南省委、省政府高度重视中药资源普查工作；湖南省中医药管理局作为普查组织实施单位，构建了符合湖南实际情况的普查组织模式；湖南省中医药研究院作为技术牵头单位，组织成立了专家委员会，指导全省普查工作。在各方的共同努力下，湖南顺利完成了第四次中药资源普查工作。我们向支持普查工作的社会各界表示由衷的感谢，向奋战在普查一线的"伙计们"致以诚挚的敬意！

普查的大量数据是我们编著本书的优势，同时也为整理图片、撰写文稿带来了巨大的挑战，加之编者学术水平有限，书中难免存在资料取舍失当及错漏之处，敬请有关专家、学者批评指正。

编　者

2024 年 4 月

凡 例

（1）本书共 14 册，分为上、中、下篇。上篇综述了湖南自然社会概况、中药资源调查历史、第四次中药资源普查情况、中药资源分布；中篇论述了 34 种湖南道地、大宗中药资源；下篇共收录中药资源 4 196 种，其中药用菌类资源 36 种、药用植物资源 3 799 种、药用动物资源 315 种、药用矿物资源 46 种。另外，附录中收录药用资源 305 种。

（2）分类系统。菌类参考 Index Fungorum 最新的分类学研究成果。蕨类植物采用秦仁昌分类系统（1978）。裸子植物采用郑万钧分类系统（1978）。被子植物采用恩格勒系统（1964）。

（3）本书下篇主要介绍各中药资源，以中药资源名为条目名，下设药材名、形态特征、生境分布、资源情况、采收加工、药材性状、功能主治、用法用量及附注等，其中采收加工、药材性状、用法用量为非必要项，资料不详者项目从略。各项目编写原则简述如下。

1）条目名。该项记述中药资源物种及其科属的中文名、拉丁学名。其中蕨类植物、裸子植物、被子植物的名称主要参考《中国植物志》，藻类、动物、矿物的名称主要参考《中华本草》。

2）药材名。该项记述中药资源的药材名、药用部位与药材别名。凡《中华人民共和国药典》等法定标准收载者，原则上采用法定药材名；法定标准未收载者，主要参考《中华本草》《全国中草药名鉴》《中国中药资源志要》。药材别名记载湖南各地乡村中医、草医及民间习惯用名。

3）形态特征。该项简要描述中药资源的形态特征，突出鉴别特征。主要参考《中国植物志》，并结合普查实际所获取的信息进行描述。

4）生境分布。该项记述中药资源在湖南的生存环境与分布区域。生存环境主要源于凭证标本的生境，并参考相关志书的描述。分布区域源于凭证标本的采集地，以"地市级行政区划（县级行政区划）"的形式进行描述。在湖南五大中药资源分区中皆有分布且凭证标本超过20号者，记述为"湖南各地均有分布"。

5）资源情况。该项记述中药资源的蕴藏量情况，用丰富、较丰富、一般、较少、稀少来表示；并用"野生"或"栽培"记述药材的主要来源。

6）采收加工。该项记述药材的采收时间与加工方法。

7）药材性状。该项主要记述药材的性状特征、品质评价等内容。

8）功能主治。该项记述药材的性味、毒性、归经、功能和主治。

9）附注。该项记述中药资源最新的分类学地位与接受名的变动情况；记述《中华人民共和国药典》与地方标准收载的物种学名；描述物种的濒危等级、其他医药相关用途，以及本草、地方志书中的资源方面的记载情况等。

（4）附录。以名录形式收载中篇、下篇没有收载的湖南分布的中药资源。

被子植物

防己科 Menispermaceae 木防己属 Cocculus

樟叶木防己
Cocculus laurifolius DC.

药材名

樟叶木防己（药用部位：根）。

形态特征

直立灌木或小乔木，很少呈藤状，高通常为
1 ～ 5 m，有时可达 8 m。枝有条纹，嫩枝
稍有棱角，无毛。叶薄革质，椭圆形、卵形
或长椭圆形至披针状长椭圆形，稀倒披针
形，长 4 ～ 15 cm，宽 1.5 ～ 5 cm，先端
渐尖，基部楔形或短尖，两面无毛，光亮，
掌状脉 3，侧生的 1 对掌状脉伸达叶片中部
以上，连同网状小脉在两面稍凸起；叶柄
长通常不超过 1 cm。聚伞花序或聚伞圆锥
花序腋生，长 1 ～ 5 cm，近无毛；雄花萼
片 6，外轮萼片近椭圆形，长 0.8 ～ 1 mm，
内轮萼片卵状椭圆形至阔椭圆状圆形，长约
1.3 mm，花瓣 6，深 2 裂者倒心形，很小，
基部不内折，长 0.2 ～ 0.4 mm，雄蕊 6，长
约 1 mm；雌花萼片和花瓣与雄花相似，退
化雄蕊 6，极小，心皮 3，无毛。核果近圆
球形，稍扁，长 6 ～ 7 mm；果核骨质，
背部有不规则的小横肋状皱纹。花期春、
夏季，果期秋季。

| 生境分布 | 生于山脚林缘或灌丛阴处。分布于湖南常德（澧县）、郴州（永兴、临武）、永州（东安、道县、江永）等。

| 资源情况 | 野生资源稀少。药材来源于野生。

| 采收加工 | 春季或冬季采挖，除去泥土和须根，洗净，切片，晒干。

| 功能主治 | 苦、辛，凉。散瘀消肿，祛风止痛，消食止渴。用于脘腹疼痛，小便频数，风湿腰腿痛，跌打肿痛，头痛，疝气。

| 用法用量 | 内服煎汤，3 ~ 10 g。

防己科 Menispermaceae 木防己属 Cocculus

木防己
Cocculus orbiculatus (L.) DC.

药材名

木防己（药用部位：根。别名：清风藤、白木香、钻龙骨）、木防己花（药用部位：花）。

形态特征

木质藤本。小枝被绒毛或疏柔毛，有时近无毛，有条纹。叶片纸质至近革质，形状变异极大，线状披针形至阔卵状圆形、狭椭圆形至近圆形或倒披针形至倒心形，有时呈卵状心形，先端短尖或钝而有小凸尖，长通常为 3 ~ 8 cm，很少超过 10 cm，宽不等；叶柄长 1 ~ 3 cm，稀长超过 5 cm，被稍密的白色柔毛。聚伞花序少花，腋生，或排成多花，狭窄聚伞圆锥花序顶生或腋生，长 10 cm 或更长，被柔毛；雄花小苞片 2 或 1，长约 0.5 mm，紧贴花萼，被柔毛，萼片 6，雄蕊 6；雌花萼片和花瓣与雄花相同，退化雄蕊 6，极小，心皮 6，无毛。核果近球形，红色至紫红色，直径 7 ~ 8 mm，果核骨质，直径 5 ~ 6 mm，背部有小横肋状雕纹。

生境分布

生于灌丛、村边、林缘等。湖南有广泛分布。

| **资源情况** | 野生资源丰富。药材来源于野生。

| **采收加工** | 木防己：春、秋季采挖，以秋季采挖者质量为好。挖取根部，除去芦头，洗净，晒干。

木防己花：5 ~ 6 月采摘，鲜用或阴干、晒干。

| **药材性状** | 木防己：本品圆柱形或扭曲，具连珠状突起，长 10 ~ 20 cm，直径 1 ~ 2.5 cm。表面黑褐色，有弯曲的纵沟和少数根痕。质硬，断面黄白色，有放射状纹理和小孔。气微，味微苦。

| **功能主治** | 木防己：祛风除湿，通经活络，解毒消肿。用于风湿痹痛，水肿，小便淋痛，闭经，跌打损伤，咽喉肿痛，湿疹，毒蛇咬伤。

木防己花：解毒化痰。用于慢性骨髓炎。

| **用法用量** | 木防己：内服煎汤，5 ~ 10 g。外用适量，煎汤熏洗；或捣敷；或磨浓汁涂敷。

木防己花：内服煎汤，5 ~ 10 g，鲜品用量加倍；或炖鸡食。

防己科 Menispermaceae 轮环藤属 Cyclea

粉叶轮环藤 *Cyclea hypoglauca* (Schauer) Diels

| 药 材 名 |

百解藤（药用部位：根、藤茎。别名：金线风、山豆根）。

| 形态特征 |

藤本。老茎木质，小枝纤细，除叶腋有簇毛外其余部位无毛。叶纸质，阔卵状三角形至卵形，长 2.5 ~ 7 cm，宽 1.5 ~ 4.5 cm 或稍过之，先端渐尖，基部平截至圆形，全缘而稍反卷，两面无毛或下面被稀疏而长的白毛，掌状脉 5 ~ 7，纤细，网脉不明显；叶柄纤细，长 1.5 ~ 4 cm，盾状着生。花序腋生；雄花序为间断的穗状花序，花序轴常不分枝，有时基部有短小分枝，纤细而无毛，苞片小，披针形，雄花萼片 4 或 5，分离，倒卵形或倒卵状楔形，长 1 ~ 1.2 mm，花瓣 4 ~ 5，通常合生成杯状，较少分离，高 0.5 ~ 1（~ 1.5）mm，聚药雄蕊长 1 ~ 1.2 mm，稍伸出；雌花序较粗壮，为总状花序，花序轴明显弯曲，长达 10 cm，雌花萼片 2，近圆形，直径约 0.8 mm，花瓣 2，不等大，大花瓣与萼片近等长，子房无毛。核果红色，无毛，果核长约 3.5 mm，背部中肋两侧各有 3 列小瘤状突起，有时围绕胎座迹的 1 列突起不明显。

| 生境分布 | 生于林缘和山地灌丛边。分布于湖南郴州（北湖、苏仙、临武）、永州（零陵）等。 |

| 资源情况 | 野生资源稀少。药材来源于野生。 |

| 采收加工 | 全年均可采收，除去须根和枝叶，洗净，晒干。 |

| 药材性状 | 本品根圆柱形，略弯曲，直径 0.5 ~ 3 cm，表面暗褐色，凹凸不平，有弯曲的纵沟、横裂纹和少数支根痕。质硬，断面灰白色，有放射状纹理和小孔。气微，味苦。 |

| 功能主治 | 苦，寒。清热解毒，祛风止痛，利水通淋。用于风热感冒，咳嗽，咽喉肿痛，白喉，风火牙痛，肠炎，痢疾，尿路感染，尿路结石，风湿痹痛，毒蛇咬伤。 |

| 用法用量 | 内服煎汤，10 ~ 30 g。 |

防己科 Menispermaceae 轮环藤属 Cyclea

轮环藤 *Cyclea racemosa* Oliv.

药 材 名

小清藤香（药用部位：根。别名：青藤）。

形态特征

藤本。老茎木质化，枝纤细，有条纹，被柔毛或近无毛。叶盾状或近盾状，纸质，卵状三角形或三角状圆形，长 4 ~ 9 cm 或稍过之，宽 3.5 ~ 8 cm，先端短尖至尾状渐尖，基部近平截至心形，全缘，上面被疏柔毛或近无毛，下面通常被密柔毛，有时被疏柔毛，掌状脉 9 ~ 11，向下的 4 ~ 5 掌状脉纤细，有时不明显，连同网状小脉在下面凸起；叶柄较纤细，比叶片短或与之近等长，被柔毛。聚伞圆锥花序狭窄，为总状花序，花密，长 3 ~ 10 cm 或稍过之。核果扁球形，疏被刚毛，果核直径 3.5 ~ 4 mm，背部中肋两侧各有 3 行圆锥状小凸体，胎座迹球形。花期 4 ~ 5 月，果期 8 月。

生境分布

生于林缘。湖南有广泛分布。

资源情况

野生资源较丰富。药材来源于野生。

| 采收加工 | 秋季采挖，鲜用或晒干。

| 药材性状 | 本品长条状，略弯曲，直径 0.5 ～ 3 cm。表面淡棕色至棕色，有纵纹及凸起的支根痕，弯曲处有横向裂纹。质坚，断面有放射状纹理。气微，味苦。

| 功能主治 | 苦，寒。理气止痛，除湿解毒。用于胸脘胀痛，腹痛吐泻，风湿痹痛，咽喉肿痛，毒蛇咬伤，外伤出血。

| 用法用量 | 内服煎汤，6 ～ 15 g；或研末，1.5 ～ 3 g。外用适量，捣敷。

防己科 Menispermaceae 轮环藤属 Cyclea

四川轮环藤 *Cyclea sutchuenensis* Gagnep.

| 药 材 名 |

良藤（药用部位：根。别名：隔山消）。

| 形态特征 |

草质或老茎稍木质的藤本，除苞片有时被毛外其余部位无毛。小枝纤细，有条纹。叶薄革质或纸质，披针形或卵形，长 5 ~ 15 cm，宽 2 ~ 5.5 cm，先端短尖或尾状渐尖，基部圆形，全缘，干时常呈褐色，掌状脉 3 ~ 5，在下面凸起，网状脉明显；叶柄长 2 ~ 6 cm，在距叶片基部 1 ~ 5 mm 处盾状着生。花序腋生，通常为总状花序，有时为穗状花序，长达 20 cm，花序轴常弯曲，干时呈黑色，总花梗短，雄花序较纤弱，苞片菱状卵形或菱状披针形，长 1 ~ 1.5 mm 或稍过之，无毛或被须毛；雄花萼片 4，仅基部合生，质稍厚，椭圆形或卵状长圆形，长约 2.5 mm，头钝，花瓣 4，通常合生，较少分离，长 0.4 ~ 0.6 mm，聚药雄蕊长约 1.5 mm，有花药 4；雌花萼片 2，其中 1 萼片近圆形，边内卷，直径约 1.8 mm，另 1 萼片对折，长 2 ~ 2.1 mm，花瓣 2，极小，长不及 1 mm，贴生在萼片的基部，心皮无毛。核果红色，果核长约 7 mm，背部两侧各有 3 行小瘤状突起。花期夏季，果期秋季。

| **生境分布** | 生于林中、林缘和灌丛中。分布于湖南永州（双牌）、怀化（辰溪、洪江）、湘西州（古丈、永顺）等。

| **资源情况** | 野生资源一般。药材来源于野生。

| **采收加工** | 秋、冬季采挖，除去须根，洗净，晒干或鲜用。

| **功能主治** | 苦，寒。清热解毒，散瘀止痛，利尿通淋。用于外感风热，咳嗽，咽喉肿痛，湿热泻痢，牙痛，跌打损伤，小便淋涩。

| **用法用量** | 内服煎汤，6 ~ 9 g。

防己科 Menispermaceae 秤钩风属 Diploclisia

秤钩风
Diploclisia affinis (Oliv.) Diels

药 材 名

秤钩风（药用部位：根、茎。别名：追骨风、过山龙）。

形态特征

木质藤本，长 7 ~ 8 m。当年生枝草黄色，有条纹，老枝红褐色或黑褐色，有许多纵裂的皮孔，均无毛；腋芽 2，叠生。叶革质，三角状扁圆形或菱状扁圆形，有时近菱形或阔卵形，长 3.5 ~ 9 cm 或稍过之，宽度通常稍大于长度，先端短尖或钝而具小凸尖，基部近平截至浅心形，有时近圆形或骤短尖，边缘具明显或不明显的波状圆齿，掌状脉 5，最外侧的 1 对掌状脉几不分枝，连同网脉在两面均凸起；叶柄与叶片近等长或较叶片长，在叶片的基部或近基部处着生。聚伞花序腋生，有 3 至多花，总梗直，长 2 ~ 4 cm；雄花萼片椭圆形至阔卵圆形，长 2.5 ~ 3 mm，外轮宽约 1.5 mm，内轮宽 2 ~ 2.5 mm，花瓣卵状菱形，长 1.5 ~ 2 mm，基部两侧反折，呈耳状，抱着花丝，雄蕊长 2 ~ 2.5 mm；雌花未见。核果红色，倒卵圆形，长 8 ~ 10 mm，宽约 7 mm。花期 4 ~ 5 月，果期 7 ~ 9 月。

| 生境分布 | 生于林缘或疏林中。分布于湖南邵阳（邵阳）、郴州（桂阳、永兴、临武、桂东）、永州（道县）、娄底（冷水江）等。 |

| 资源情况 | 野生资源稀少。药材来源于野生。 |

| 采收加工 | 全年均可采收，以秋季采收为佳。挖取根部或割取老茎，除去泥土，晒干或鲜用。 |

| 药材性状 | 本品根呈不规则圆柱形，直径 1 ～ 6 cm；表面灰棕色至深棕色，有不规则沟纹和横裂纹，皮孔明显；质硬，不易折断，断面散布多数小孔，有 2 ～ 7 轮偏心性环纹和放射状纹理；气微，味微苦。茎圆柱形，长 10 ～ 30 cm；表面灰棕色，有不规则沟纹、裂纹和枝痕；质硬，不易折断，断面有 2 ～ 7 轮偏心性环纹及放射状纹理；气微，味微苦。 |

| 功能主治 | 苦，凉。祛风湿，活血，利尿。用于风湿关节痛，跌打损伤，小便不利等。 |

| 用法用量 | 内服煎汤，9 ～ 15 g。外用适量，鲜品捣敷。 |

防己科 Menispermaceae 秤钩风属 Diploclisia

苍白秤钩风 *Diploclisia glaucescens* (Bl.) Diels

| 药 材 名 |

苍白秤钩风（药用部位：藤茎。别名：土防风、蛇总管）。

| 形态特征 |

木质大藤本。茎长 20 余米或更长，直径 10 余厘米。枝、叶和秤钩风极相似，但只有 1 腋芽。叶柄基生或盾状着生，通常比叶片长很多；叶片厚革质，下面常有白霜。圆锥花序狭而长，常几个至多个簇生于老茎和老枝上，多少下垂，长 10 ~ 30 cm 或更长；花淡黄色，微香；雄花萼片长 2 ~ 2.5 mm，外轮椭圆形，内轮阔椭圆形或阔椭圆状倒卵形，均有黑色网状斑纹，花瓣倒卵形或菱形，长 1 ~ 1.5 mm，先端短尖或头凹，雄蕊长约 2 mm；雌花萼片和花瓣与雄花相似，但花瓣先端明显 2 裂，退化雄蕊线形，心皮长 1.5 ~ 2 mm。核果黄红色，长圆状狭倒卵圆形，下部微弯，长 1.3 ~ 2（~ 3）mm。花期 4 月，果期 8 月。

| 生境分布 |

生于林中。分布于湖南邵阳（洞口）、湘潭（湘乡）、张家界（慈利）、郴州（安仁）、怀化（沅陵）等。

| 资源情况 | 野生资源稀少。药材来源于野生。

| 采收加工 | 全年均可采收，晒干或鲜用。

| 药材性状 | 本品茎扁圆柱形，略弯曲，直径 1 ～ 6 cm 或更粗。表面灰棕色或深棕色，粗糙，有纵裂纹和短横裂纹，节处具大小不等的疣状突起。质硬，断面灰黄色，具细密的放射状纹理和众多小孔，有 2 ～ 9 轮或更多偏心性环纹，髓细小。气微，味微苦。

| 功能主治 | 微苦，寒。祛风除湿，清热解毒。用于风湿骨痛，咽喉肿痛，胆囊炎，尿路感染，毒蛇咬伤。

| 用法用量 | 内服煎汤，15 ～ 30 g。外用鲜品适量，捣敷。

防己科 Menispermaceae 细圆藤属 Pericampylus

细圆藤 *Pericampylus glaucus* (Lam.) Merr.

| 药 材 名 | 黑风散（药用部位：藤茎、叶。别名：广藤、小广藤）。

| 形态特征 | 木质藤本，长达 10 余米或更长。小枝通常被灰黄色绒毛，有条纹，常长而下垂，老枝无毛。叶纸质至薄革质，多数呈三角状卵形至三角状圆形，少数呈卵状椭圆形，长 3.5 ~ 8 cm，很少超过 10 cm，先端钝或圆，稀短尖，有小凸尖，基部近平截至心形，稀阔楔尖，边缘有圆齿或近全缘，两面被绒毛或上面被疏柔毛至近无毛，稀两面近无毛，掌状脉通常 5，稀 3，网状小脉较明显；叶柄长 3 ~ 7 cm，被绒毛，通常生于叶片基部，稀盾状着生。聚伞花序伞房状，长 2 ~ 10 cm，被绒毛；雄花萼片背面多少被毛，最外轮萼片狭，长 0.5 mm，中轮萼片倒披针形，长 1 ~ 1.5 mm，内轮萼片稍阔，花瓣

6，楔形或匙形，长 0.5 ~ 0.7 mm，边缘内卷，雄蕊 6，花丝分离，聚合上升，或不同程度地黏合，长 0.75 mm；雌花萼片和花瓣与雄花相似，退化雄蕊 6，子房长 0.5 ~ 0.7 mm，柱头 2 裂。核果红色或紫色，果核直径 5 ~ 6 mm。花期 4 ~ 6 月，果期 9 ~ 10 月。

| **生境分布** | 生于林中、林缘和灌丛中。湖南有广泛分布。

| **资源情况** | 野生资源较丰富。药材来源于野生。

| **采收加工** | 全年均可采收，晒干或鲜用。

| **药材性状** | 本品茎、叶缠绕成束。茎细圆柱形，直径 2 ~ 4 mm；表面黄棕色至灰棕色，具细纵棱，节部有分枝痕；幼茎被白色绒毛；质脆，断面不平，木部黄白色，髓部白色或中空，皮部往往撕裂；气微，味苦。叶多破碎或折叠；完整叶三角状卵形至阔卵形，上面棕绿色，下面灰绿色，被白色绒毛，掌状脉多为 5，在两面均突出，在下面较明显；叶柄近盾状着生，被白色绒毛。纸质，易碎。气微，味苦。

| **功能主治** | 苦，凉。清热解毒，息风止痉，祛风除湿。用于咽喉肿痛，惊风抽搐，风湿痹痛，跌打损伤。

| **用法用量** | 内服煎汤，9 ~ 15 g。外用鲜叶适量，捣敷。

防己科 Menispermaceae 风龙属 Sinomenium

风龙 *Sinomenium acutum* (Thunb.) Rehd. et Wils.

| 药 材 名 |

青风藤（药用部位：藤茎。别名：滇防己）。

| 形态特征 |

木质大藤本，长可达 20 余米。茎灰褐色，有不规则裂纹；小枝圆柱形，有直线纹，被柔毛或近无毛。叶纸质至革质，心状圆形或卵圆形，长 7 ~ 15 cm，宽 5 ~ 10 cm，先端尖或急尖，基部心形或近截形，全缘或 3 ~ 7 角状浅裂，上面绿色，下面灰绿色，嫩叶被绒毛，老叶无毛或仅下面被柔毛，掌状脉通常 5；叶柄长 5 ~ 15 cm。圆锥花序腋生，大型，有毛；花小，淡黄绿色，单性异株，花瓣 6，长 0.7 ~ 1 mm；萼片 6，2 轮，背面被柔毛，雄蕊 9 ~ 12；雌花的不育雄株丝状，心皮 3。花期夏季，果期秋季。

| 生境分布 |

生于林中、林缘、沟边或灌丛中。湖南各地均有分布。

| 资源情况 |

野生资源较丰富。药材来源于野生。

| 采收加工 | 6 ～ 7 月割取，除去细茎枝和叶，晒干或用水润透。 |

| 药材性状 | 本品茎圆柱形，稍弯曲，细茎弯绕成束，直径 0.5 ～ 2 cm，表面绿棕色至灰棕色，具纵皱纹、细横裂纹和皮孔，节处稍膨大，有凸起的分枝痕和叶痕。细茎质脆，稍硬，较易折断，断面木部灰棕色，呈裂片状；粗茎质硬，断面棕色，木部具放射状纹理，并有多数小孔，中心有细小髓，黄白色。气微，味微苦。 |

| 功能主治 | 辛，平。祛风通络，除湿止痛。用于风湿痹痛，历节风，脚气肿痛。 |

| 用法用量 | 内服煎汤，9 ～ 15 g；或浸酒；或熬膏。外用适量，煎汤洗。 |

防己科 Menispermaceae 风龙属 Sinomenium

毛青藤 Sinomenium acutum (Thunb.) Rehd. et Wils. var. cinereum Rehd. et Wils.

药材名

青风藤（药用部位：藤茎。别名：滇防己）。

形态特征

木质大藤本，长可达 20 余米。茎灰褐色，有不规则裂纹；小枝圆柱形，有直线纹，被柔毛或近无毛。叶纸质至革质，心状圆形或卵圆形，长 7 ~ 15 cm，宽 5 ~ 10 cm，先端尖或急尖，基部心形或近截形，全缘或 3 ~ 7 角状浅裂，叶上表面被短绒毛，下表面灰白色，绒毛较上表面更密，掌状脉通常 5；叶柄长 5 ~ 15 cm。圆锥花序腋生，大型，有毛；花小，淡黄绿色，单性异株，花瓣 6，长 0.7 ~ 1 mm；萼片 6，2 轮，背面被柔毛；雄蕊 9 ~ 12；雌花的不育雄株丝状，心皮 3。花期夏季，果期秋季。

生境分布

生于林中、林缘、沟边或灌丛中。分布于湖南株洲（渌口）、益阳（桃江）等。

资源情况

野生资源稀少。药材来源于野生。

| **采收加工** | 6 ~ 7 月割取，除去细茎枝和叶，晒干或用水润透。 |

| **药材性状** | 本品茎圆柱形，稍弯曲，细茎弯绕成束，直径 0.5 ~ 2 cm，表面绿棕色至灰棕色，具纵皱纹、细横裂纹和皮孔，节处稍膨大，有凸起的分枝痕和叶痕。细茎质脆，稍硬，较易折断，断面木部灰棕色，呈裂片状；粗茎质硬，断面棕色，木部具放射状纹理，并有多数小孔，中心有细小髓，黄白色。气微，味微苦。 |

| **功能主治** | 辛，平。祛风通络，除湿止痛。用于风湿痹痛，历节风，脚气肿痛。 |

| **用法用量** | 内服煎汤，9 ~ 15 g；或浸酒；或熬膏。外用适量，煎汤洗。 |

金线吊乌龟 *Stephania cepharantha* Hayata

药材名

白药子（药用部位：块根。别名：山乌龟）。

形态特征

草质、落叶、无毛藤本，高 1 ~ 2 m 或过之。块根团块状或近圆锥状，有时形状不规则，褐色，生有许多凸起的皮孔。小枝紫红色，纤细。叶纸质，三角状扁圆形至近圆形，长 2 ~ 6 cm，宽 2.5 ~ 6.5 cm，先端具小凸尖，基部圆或近平截，全缘或呈浅波状，掌状脉 7 ~ 9，向下的掌状脉纤细；叶柄长 1.5 ~ 7 cm，纤细。雌、雄花序均为头状花序，具盘状花托，雄花序总梗丝状，常于腋生、具小型叶的小枝上呈总状排列，雌花序总梗粗壮，单个腋生；雄花萼片通常 6，稀 8（偶 4），匙形或近楔形，长 1 ~ 1.5 mm，花瓣 3 或 4（稀 6），近圆形或阔倒卵形，长约 0.5 mm，聚药雄蕊极短；雌花萼片 1，偶为 2 ~ 3（~ 5），长约 0.8 mm 或过之，花瓣 2（~ 4），肉质，比萼片小。核果阔倒卵圆形，长约 6.5 mm，成熟时呈红色，果核背部两侧各有小横肋状雕纹 10 ~ 12，胎座迹通常不穿孔。花期 4 ~ 5 月，果期 6 ~ 7 月。

| 生境分布 | 生于林缘、石灰岩地区的石缝等。湖南各地均有分布。

| 资源情况 | 野生资源丰富。药材来源于野生。

| 采收加工 | 全年或秋末冬初采挖，洗净，晒干或鲜用。

| 药材性状 | 本品呈不规则团块或短圆柱形，直径 2 ~ 9 cm，其下常有几个略短且呈圆柱形的根相连，稍弯曲，有缢缩的横沟，根的先端有根茎残基。商品多为横切或纵切的不规则块片，直径 2 ~ 7 cm，厚 0.2 ~ 1.5 cm；表面棕色或暗褐色，有皱纹及须根痕，切面粉性足，类白色或灰白色，可见筋脉纹，呈点状或条状排列；

质硬脆，易折断，断面粉性。气微，味苦。

| **功能主治** | 苦，凉。清热解毒，祛风止痛，凉血止血。用于咽喉肿痛，热毒，风湿痹痛，腹痛，吐血，外伤出血。

| **用法用量** | 内服煎汤，9 ~ 15 g。外用适量，捣敷或研末敷。

| **附　　注** | 本种的拉丁学名在 FOC 中被修订为 *Stephania cephalantha* Hayata。

防己科 Menispermaceae **千金藤属** *Stephania*

血散薯
Stephania dielsiana Y. C. Wu

| 药 材 名 | 血散薯（药用部位：块根。别名：金不换）。

| 形态特征 | 草质、落叶藤本，长 2 ～ 3 m。枝、叶含红色液汁。块根硕大，露于地面，褐色，表面有凸起的皮孔。枝稍粗壮，常呈紫红色，无毛。叶纸质，三角状圆形，长 5 ～ 15 cm，宽 4.5 ～ 14 cm，先端有凸尖，基部微圆至近平截，两面无毛，掌状脉 8 ～ 10，其中向上和平伸的掌状脉 5 ～ 6，网脉纤细，均呈紫色；叶柄与叶片近等长或较叶片稍长。复伞形聚伞花序腋生或生于腋生且具小型叶的短枝上；雄花序 1 ～ 3 回伞状分枝，小聚伞花序有梗，常数个聚于伞梗的末端，雄花萼片 6，倒卵形至倒披针形，长约 1.5 mm，内轮稍阔，均有紫色条纹，花瓣 3，肉质，贝壳状，长约 1.2 mm，常呈紫色或带橙黄色；雌花

序近头状，小聚伞花序几无梗，雌花萼片 1，花瓣 2，萼片与花瓣均较雄花小。核果红色，倒卵圆形，甚扁，长约 7 mm，果核背部两侧各有 2 列钩状小刺，每列有钩状小刺 18 ~ 20，胎座迹穿孔。花期夏初。

| **生境分布** | 生于林中、林缘或溪边多石砾的地方。分布于湖南张家界（武陵源）等。

| **资源情况** | 野生资源稀少。药材来源于野生。

| **采收加工** | 秋、冬季采挖，晒干或鲜用。

| **药材性状** | 本品略呈扁球形或球形，直径 6 ~ 13 cm，先端微凹陷，残留茎基直径 5 ~ 7 cm，表面深棕色，粗糙，有纵向凸起的皮孔，皮孔长 1 ~ 3 mm。商品多为类圆形的横切块片，直径 3 ~ 7 cm，厚 2 ~ 5 mm，略弯曲，切面可见排列成 3 ~ 4 同心环的维管束。气微，味苦。

| **功能主治** | 苦，寒。清热解毒，散瘀止痛。用于上呼吸道感染，咽炎，胃痛，牙痛，神经痛，跌打损伤。

| **用法用量** | 内服煎汤，6 ~ 15 g。外用适量，鲜品捣敷。

防己科 Menispermaceae 千金藤属 Stephania

江南地不容 *Stephania excentrica* Lo

| 药 材 名 | 江南地不容（药用部位：块根。别名：金线吊乌龟）。

| 形态特征 | 草质缠绕藤本，全株无毛。块根短棒状、纺锤状或团块状。枝褐色，有直纹。叶纸质，三角形或三角状圆形，长、宽通常为 5 ~ 10 cm，稀达 13 cm，先端钝，具凸尖，基部微凹至浅心形，稀近平截，全缘，偶呈不规则浅波状，向上的掌状脉 3，向下的掌状脉 6 ~ 7，其中 2 掌状脉平伸，在腹面清楚可见，在背面凸起，网脉细密，干时常变为茶褐色；叶柄长可达 14 cm，盾状着生于距叶片基部 1 ~ 2 cm 处。雄花序腋生或生于腋生并具小型叶的短枝上，通常为复伞形聚伞花序，总梗长 2 ~ 5 cm，稍呈肉质，先端有小苞片，伞梗纤细，长 1 ~ 3 cm，小聚伞花序有梗，5 ~ 8 伞状簇生于伞梗的末端；雄

花萼片 6，淡绿色，排成 2 轮。果核近圆球形，直径约 6 mm，背部有 4 列刺状突起，每列有刺状突起 16 ~ 18，刺的先端弯钩状，胎座迹偏侧穿孔。花期 6 月。

| **生境分布** | 生于林缘或林区路旁灌丛中。分布于湖南湘西州（古丈）、张家界（桑植）等。

| **资源情况** | 野生资源稀少。药材来源于野生。

| **采收加工** | 秋、冬季采挖，洗净，晒干。

| **功能主治** | 苦，寒。理气止痛。用于脘腹胀痛。

| **用法用量** | 内服煎汤，3 ~ 9 g。

防己科 Menispermaceae 千金藤属 Stephania

桐叶千金藤

Stephania hernandifolia (Willd.) Walp.

药材名

桐叶千金藤（药用部位：根。别名：毛背千金藤）。

形态特征

藤本。根条状，木质。老茎稍呈木质；枝很长，卧地时在节上生不定根，被柔毛。叶纸质，三角状圆形或近三角形，长4～15 cm，宽4～14 cm，先端钝而具小凸尖或具短尖，基部圆或近平截，上面无毛或近无毛，稍有光泽，下面粉白色，被卷毛状柔毛，掌状脉9～12，向上的掌状脉粗大，连同网脉在两面均凸起，但在下面凸起更明显；叶柄长3～7 cm或稍过之，盾状着生。复伞形聚伞花序通常单生于叶腋，稀2或几个生于腋生短枝上，总梗长1.5～5.5 cm，有2～3回伞形分枝，多个小聚伞花序在末回分枝先端密集成头状，小聚伞花序梗和花梗极短。核果倒卵状球形，红色，果核长5～6 mm，背部有2行高耸的小横肋状雕纹，每行有雕纹10，小横肋中部近断裂，两端凸，胎座迹穿孔。花期夏季，果期秋、冬季。

生境分布

生于疏林、灌丛和石山等。分布于湖南永州

（道县）等。

| **资源情况** | 野生资源稀少。药材来源于野生。

| **采收加工** | 秋、冬季采挖，洗净，切段，晒干。

| **功能主治** | 苦，寒。清热解毒，祛风湿，止痛。用于咽喉肿痛，疟腮，风湿痹痛，痢疾，头痛，胃痛，劳伤疼痛。

| **用法用量** | 内服煎汤，3 ~ 6 g。外用适量，研末调敷；或煎汤洗。

| **附　　注** | 本种的拉丁学名在 FOC 中被修订为 *Stephania japonica* var. *discolor* (Blume) Forman。

防己科 Menispermaceae 千金藤属 Stephania

千金藤 Stephania japonica (Thunb.) Miers

| 药 材 名 | 千金藤（药用部位：茎叶、根。别名：公老鼠藤、野桃草、爆竹消）。

| 形态特征 | 木质藤本，全株无毛。根条状，褐黄色。小枝纤细，有直线纹。叶纸质或坚纸质，三角状圆形或三角状阔卵形，长 6 ~ 15 cm，长度与宽度近相等或长度略小于宽度，先端有小凸尖，基部通常微圆，下面粉白色，掌状脉 10 ~ 11，在下面凸起；叶柄长 3 ~ 12 cm，盾状着生。复伞形聚伞花序腋生，通常有伞梗 4 ~ 8，小聚伞花序近无柄，密集成头状；花近无梗；雄花萼片 6 或 8，膜质，倒卵状椭圆形至匙形，长 1.2 ~ 1.5 mm，无毛，花瓣 3 或 4，黄色，稍呈肉质，阔倒卵形，长 0.8 ~ 1 mm，聚药雄蕊长 0.5 ~ 1 mm，伸出或不伸出；雌花萼片和花瓣各 3 ~ 4，形状和大小与雄花的萼片和花瓣近似；心皮卵状。

果实倒卵形至近圆形，长约 8 mm，成熟时呈红色，果核背部有 2 行小横肋状雕纹，每行有雕纹 8 ~ 10，小横肋常断裂，胎座迹不穿孔或偶有 1 小孔。

| **生境分布** | 生于村边或旷野灌丛中。湖南各地均有分布。

| **资源情况** | 野生资源丰富。药材来源于野生。

| **采收加工** | 茎叶，7 ~ 8 月采收，晒干或鲜用。根，9 ~ 10 月采挖，晒干或鲜用。

| **功能主治** | 苦，寒。清热解毒，祛风止痛，利水消肿。用于咽喉肿痛，毒蛇咬伤，风湿痹痛，胃痛，脚气水肿。

| **用法用量** | 内服煎汤，9 ~ 15 g；或研末，每次 1 ~ 1.5 g，每日 2 次。外用适量，研末撒；或鲜品捣敷。

汝兰
Stephania sinica Diels

| 药 材 名 | 汝兰（药用部位：块根。别名：金不换、山乌龟、吊金龟）。

| 形态特征 | 稍肉质落叶藤本，全株无毛。枝肥壮，常中空，有稍粗的直纹。叶干时膜质或近纸质，三角形至三角状近圆形，长 10 ~ 15 cm 或更长，宽常大于长，先端钝，有小凸尖，基部近平截至微圆，很少微凹，边缘浅波状至全缘；掌状脉向上的 5，向下的 4 ~ 5，稍阔而扁，在下面微凸，网脉在下面明显；叶柄长达 30 cm，先端常肥大，干时扭曲，明显盾状着生。复伞形聚伞花序腋生，总梗和伞梗均肉质，无苞片和小苞片；雄花萼片 6，稍肉质，干时透明，近倒卵状长圆形，长 1 ~ 1.3 mm，内轮稍阔花瓣 3，有时 4，为短而阔的倒卵形，里面有 2 大腺体，长约 0.8 mm；聚药雄蕊长 0.7 ~ 0.8 mm。雌花序亦为复伞形聚伞花序，但伞梗较粗短；雌花萼片 1，花瓣 2，里面的腺体有

时不很明显。果序柄长 5 cm 或更长，伞柄长 1 ~ 1.5 cm；果柄肉质，干时黑色；核果的果核长 6 ~ 7 mm，背部两侧各有小横肋状雕纹 15 ~ 18，小横肋中段低凹至断裂，胎座迹不穿孔。花期 6 月，果期 8 ~ 9 月。

| **生境分布** | 生于林中沟谷边。分布于湖南常德（石门）、湘西州（永顺）等。

| **资源情况** | 野生资源稀少。药材来源于野生。

| **采收加工** | 全年均可采收，洗净，切片，晒干或鲜用。

| **药材性状** | 本品呈类球形或不规则块状，直径 10 ~ 40 cm。表面褐色或黑褐色，有不规则的龟裂纹，散生众多小凸点。商品多为横切片或纵切片，厚 0.5 ~ 1 cm；新鲜切面淡黄色至黄色，放置后黄色变深。断面常可见筋脉纹（三生维管束）排列成同心环状，干后略呈点状凸起。气微，味苦。

| **功能主治** | 苦，寒。清热解毒，散瘀止痛。用于感冒，咽痛，腹泻，痢疾，痈疽肿毒，胃痛，头风痛，风湿痹痛，跌打损伤。

| **用法用量** | 内服煎汤，9 ~ 15 g；或研末，每次 0.6 ~ 1 g，每日 3 次。外用适量，捣敷。

防己科 Menispermaceae 千金藤属 Stephania

粉防己

Stephania tetrandra S. Moore

| 药 材 名 | 粉防己（药用部位：块根）。

| 形态特征 | 草质藤本，高 1 ~ 3 m。根肉质，柱状。小枝有直线纹。叶纸质，阔三角形或三角状圆形，长 4 ~ 7 cm，宽 5 ~ 8.5 cm 或更宽，先端凸尖，基部微凹或近平截，两面或仅下面被贴伏短柔毛，掌状脉 9 ~ 10，较纤细，网脉甚密，极明显；叶柄长 3 ~ 7 cm。花序头状，在腋生、长而下垂的枝条上呈总状排列，苞片小或极小；雄花萼片 4 或 5，通常呈倒卵状椭圆形，连爪长约 0.8 mm，有缘毛，花瓣 5，肉质，长 0.6 mm，边缘内折，聚药雄蕊长约 0.8 mm；雌花萼片和花瓣与雄花相似。核果成熟时近球形，红色，果核直径约 5.5 mm，背部鸡冠状隆起，两侧各有小横肋状雕纹约 15。花期夏季，果期秋季。

| 生境分布 | 生于村边、旷野、路边等地的灌丛中。湖南有广泛分布。

| 资源情况 | 野生资源较丰富。药材来源于野生。

| 采收加工 | 秋季采挖，除去芦梢，洗净，切成长条，晒干。

| 药材性状 | 本品呈圆柱形、半圆柱形块状或片状，常弯曲，弯曲处有缢缩的横沟，长3～15 cm，直径2～5 cm。表面灰棕色，有细皱纹，具横向凸起的皮孔。体重，质坚实，断面平坦，灰白色至黄白色，富粉性，有排列稀疏的放射状纹理。气微，味苦。

| 功能主治 | 利水消肿，祛风止痛。用于水肿，小便不利，风湿痹痛，脚气肿痛，高血压。

| 用法用量 | 内服煎汤，6～10 g。

防己科 Menispermaceae 青牛胆属 Tinospora

金果榄 *Tinospora capillipes* Gagnep.

| 药 材 名 |

金果榄（药用部位：块根）。

| 形态特征 |

草质藤本。具连珠状块根，膨大部分常为不规则球形，黄色。枝纤细，有条纹，常被柔毛。叶纸质至薄革质，披针状箭形或披针状戟形，稀为卵状或椭圆状箭形，长7～15 cm，有时长可达20 cm，宽2.4～5 cm，先端渐尖或尾状，基部弯缺常很深，后裂片圆、钝或短尖，常向后伸，有时向内弯以至2裂片重叠，很少向外伸展，通常仅脉上被短硬毛，有时上面或两面近无毛，掌状脉5，连同网脉在下面凸起；叶柄长2.5～5 cm或更长，有条纹，被柔毛或近无毛。花序腋生，常数个或多个簇生，聚伞花序或分枝成疏花的圆锥状花序，长2～10 cm，有时长可达15 cm或更长；总梗、分枝和花梗均呈丝状；小苞片2，紧贴花萼；内萼片椭圆形、阔椭圆形或椭圆状倒卵形，长2～3 mm。核果红色，近球形，果核近半球形，宽6～8 mm。花期春季，果期秋季。

| 生境分布 |

常散生于林下、林缘及草地。分布于湖南

邵阳（武冈）、张家界（慈利）、永州（双牌）、怀化（新晃、沅陵）、娄底（新化）、湘西州（凤凰）等。

| **资源情况** | 野生资源较丰富。药材来源于野生。

| **采收加工** | 9 ～ 11 月采挖，洗净，晒干。

| **药材性状** | 本品呈不规则长纺锤形或团块状，大小不等，长 5 ～ 10 cm，直径 3 ～ 6 cm。表面黄棕色或淡棕色，皱缩不平，有不规则深皱纹，两端往往可见细根残基。质坚硬，击破面黄白色，粉性。气无，味苦。

| **功能主治** | 清热解毒，消肿止痛。用于咽喉肿痛，口舌糜烂，白喉，热咳失音，脘腹疼痛，毒蛇咬伤。

| **用法用量** | 内服煎汤，3 ～ 9 g；或研末，每次 1 ～ 2 g。外用适量，捣敷；或研末吹喉。

防己科 Menispermaceae 青牛胆属 Tinospora

青牛胆 *Tinospora sagittata* (Oliv.) Gagnep.

| 药 材 名 |

青牛胆（药用部位：块根）。

| 形态特征 |

草质藤本。具连珠状块根，膨大部分常为不规则球形，黄色。枝纤细，有条纹，常被柔毛。叶纸质至薄革质，通常为披针状箭形或披针状戟形，稀为卵状或椭圆状箭形，长 7 ~ 15 cm，有时长可达 20 cm，宽 2.4 ~ 5 cm，先端渐尖或尾状，基部弯缺深，后裂片圆、钝或短尖，常向后伸，有时向内弯以至 2 裂片重叠，极少向外伸展，通常仅脉上被短硬毛，有时上面或两面近无毛，掌状脉 5，连同网脉在下面凸起；叶柄长 2.5 ~ 5 cm 或更长，有条纹，被柔毛或近无毛。花序腋生，常数个或多个簇生，聚伞花序或分枝成疏花的圆锥状花序，长 2 ~ 10 cm，有时长可达 15 cm 或更长，总梗、分枝和花梗均呈丝状，小苞片 2，紧贴花萼。核果红色，近球形，果核近半球形，宽 6 ~ 8 mm。花期 4 月，果期秋季。

| 生境分布 |

常散生于林下、林缘及草地。湖南有广泛分布。

| **资源情况** | 野生资源较丰富。药材来源于野生。 |

| **采收加工** | 9 ~ 11 月采挖，洗净，晒干。 |

| **药材性状** | 本品呈不规则长纺锤形或团块状，大小不等，长 5 ~ 10 cm，直径 3 ~ 6 cm。表面黄棕色或淡棕色，皱缩不平，有不规则深皱纹，两端往往可见细根残基。质坚硬，击破面黄白色，粉性。气无，味苦。 |

| **功能主治** | 清热解毒，消肿止痛。用于咽喉肿痛，口舌糜烂，白喉，热咳失音，脘腹疼痛，毒蛇咬伤。 |

| **用法用量** | 内服煎汤，3 ~ 9 g；或研末，每次 1 ~ 2 g。外用适量，捣敷；或研末吹喉。 |

睡莲科 Nymphaeaceae 莼菜属 Brasenia

莼菜
Brasenia schreberi J. F. Gmel.

| 药 材 名 | 莼菜（药用部位：茎叶）。

| 形态特征 | 多年生水生草本。根茎具叶及匍匐枝，匍匐枝在节部生根，并生具叶枝条及其他匍匐枝。叶椭圆状矩圆形，长 5 ~ 16 cm，宽 3 ~ 10 cm，下面蓝绿色，两面无毛，从叶脉处皱缩；叶柄长 25 ~ 40 cm，与花梗均被柔毛。花直径 1 ~ 2 cm，暗紫色；花梗长 6 ~ 10 cm；萼片及花瓣条形，长 1 ~ 1.5 cm，先端圆钝；花药条形，长约 4 mm；心皮条形，具微柔毛。坚果矩圆状卵形，有 3 或更多成熟心皮；种子 1 ~ 2，卵形。花期 6 月，果期 10 ~ 11 月。

| 生境分布 | 生于池塘、河湖或沼泽。分布于湖南湘潭（湘潭）、怀化（通道）等。

| **资源情况** | 野生资源稀少。药材来源于野生。

| **采收加工** | 5 ~ 7 月采收，鲜用或晒干。

| **药材性状** | 本品茎细，长可超过 1 m。叶互生，叶柄细长；叶片卵形至盾状椭圆形，长 5 ~ 15 cm，宽 3 ~ 10 cm，全缘，上表面绿色，下表面暗紫色，叶脉放射状。花梗由叶腋抽出，梗长约 10 cm，有柔毛。

| **功能主治** | 利水消肿，清热解毒。用于湿热痢疾，黄疸，水肿，小便不利。

| **用法用量** | 内服煎汤，15 ~ 30 g。外用适量，捣敷。

| **附　　注** | 在《国家重点保护野生植物名录》中，本种被列为国家二级重点保护野生植物。

睡莲科 Nymphaeaceae 芡属 Euryale

芡实

Euryale ferox Salisb. ex Konig et Sims

| 药 材 名 | 芡实（药用部位：种子）。

| 形态特征 | 一年生大型水生草本。沉水叶箭形或椭圆状肾形，长 4 ~ 10 cm，两面无刺，叶柄无刺；浮水叶革质，椭圆状肾形至圆形，直径 10 ~ 130 cm，盾状，有或无弯缺，全缘，下面带紫色，有短柔毛，两面在叶脉分枝处有锐刺；叶柄及花梗粗壮，长可达 25 cm，皆有硬刺。花长约 5 cm；萼片披针形，长 1 ~ 1.5 cm，内面紫色，外面密生稍弯硬刺；花瓣矩圆状披针形或披针形，长 1.5 ~ 2 cm，紫红色，数轮排列，向内渐变成雄蕊；无花柱，柱头红色，为凹入的柱头盘。浆果球形，直径 3 ~ 5 cm，污紫红色，外面密生硬刺；种子球形，直径超过 10 mm，黑色。花期 7 ~ 8 月，果期 8 ~ 9 月。

生境分布	生于池塘、湖沼中。分布于湖南衡阳（衡南）、邵阳（隆回）、岳阳（湘阴、汨罗）、郴州（汝城、安仁）等。
资源情况	野生资源稀少。药材来源于野生。
采收加工	9 ~ 10 月采收，洗净，阴干。
药材性状	本品种仁类圆球形，直径 5 ~ 8 mm，有的破碎成块。完整者表面有红棕色或暗紫色的内种皮，可见不规则的脉状网纹，一端约 1/3 为黄白色。胚小，位于淡黄色一端的圆形凹窝内。质坚硬，断面白色，粉性。气无，味淡。
功能主治	固肾涩精，补脾止泻。用于遗精，白浊，带下，尿失禁。
用法用量	内服煎汤，15 ~ 30 g；或入丸、散剂。
附注	在《湖南省地方重点保护野生植物名录》中，本种被列为重点保护野生植物。

睡莲科 Nymphaeaceae 莲属 Nelumbo

莲
Nelumbo nucifera Gaertn.

| 药 材 名 | 莲子（药用部位：种子）、莲子心（药用部位：种子中的幼叶及胚根）、莲房（药用部位：花托）、莲须（药用部位：雄蕊）、荷叶（药用部位：叶）、藕节（药用部位：根茎节部）、莲花（药用部位：花蕾）、荷梗（药用部位：叶柄）、荷蒂（药用部位：叶基部）、鲜藕（药用部位：根茎）。

| 形态特征 | 多年生水生草本。根茎横生，肥厚，节间膨大，内有多数纵行通气孔洞，外生须状不定根。节上生叶，露出水面；叶柄着生于叶背中央，粗壮，圆柱形，多刺；叶片圆形，直径 25 ～ 90 cm，全缘或稍呈波状，上面粉绿色，下面叶脉从中央射出，有 1 ～ 2 回叉状分枝。花单生于花梗先端，花梗与叶柄等长或较叶柄稍长；花直径 10 ～ 20 cm，芳香，红色、粉红色或白色；花瓣椭圆形或倒卵形，

长 5 ~ 10 cm，宽 3 ~ 5 cm；雄蕊多数，花药条形，花丝细长，着生于花托之下；心皮多数，埋藏于膨大的花托内，子房椭圆形，花柱极短。花托倒锥形，有小孔 20 ~ 30，每孔内含果实 1；坚果椭圆形或卵形，果皮革质，坚硬，成熟时黑褐色；种子卵形或椭圆形，长 1.2 ~ 1.8 cm，种皮红色或白色。花期 6 ~ 8 月，果期 8 ~ 10 月。

| **生境分布** | 生于池塘、湖泊或水田。湖南各地均有分布。

| **资源情况** | 野生资源丰富。栽培资源丰富。药材来源于野生和栽培。

| **采收加工** | 莲子：秋季果实成熟时采割莲房，取出果实，除去果皮，干燥，或除去莲子心后干燥。

莲子心：采收果实时取出种子中的幼叶及胚根，晒干。

莲房：秋季果实成熟时采收，除去果实，晒干。

莲须：夏季花开时选晴天采收，盖纸晒干或阴干。

荷叶：夏、秋季采收，晒至七八成干时除去叶柄，折成半圆形或折扇形，干燥。

藕节：秋、冬季采挖根茎（藕），切取节部，洗净，晒干，除去须根。

莲花：夏季采收，干燥或鲜用。

荷梗：6 ~ 9 月采收荷叶时剪下叶柄，晒干。

荷蒂：采收荷叶时剪下叶基部，干燥。

鲜藕：秋、冬季采挖，洗净，鲜用。

| 药材性状 | **莲子**：本品略呈椭圆形或类球形，长 1.2 ～ 1.7 cm，直径 0.8 ～ 1.4 cm；表面红棕色，有细纵纹和较宽的脉纹，一端中心呈乳头状凸起，棕褐色，多有裂口，其周边略下陷；质硬。种皮薄，不易剥离。子叶 2，黄白色，肥厚，有空隙，具绿色莲子心或底部具一小孔而不具莲子心。气微，味甘、微涩。

莲子心：本品略呈细圆柱形，长 1 ～ 1.4 cm，直径约 0.2 cm。幼叶绿色，一长一短，卷成箭形，先端向下反折，两幼叶间可见细小胚芽。胚根圆柱形，长约 3 mm，黄白色。质脆，易折断，断面有数个小孔。气微，味苦。

莲房：本品呈倒圆锥状或漏斗状，多撕裂，直径 5 ～ 8 cm，高 4.5 ～ 6 cm。表面灰棕色至紫棕色，具细纵纹和皱纹，顶面有多数圆形孔穴，基部有花梗残基。质疏松，破碎面海绵样，棕色。气微，味微涩。

莲须：本品呈线形。花药扭转，纵裂，长 1.2 ～ 1.5 cm，直径约 0.1 cm，淡黄色或棕黄色。花丝纤细，稍弯曲，长 1.5 ～ 1.8 cm，淡紫色。气微香，味涩。

荷叶：本品呈半圆形或折扇形，展开后呈圆形，全缘或稍呈波状，直径 20 ～ 50 cm。上表面深绿色或黄绿色，较粗糙，下表面淡灰棕色，较光滑，有自中心向四周射出的粗脉 21 ～ 22，中心有凸起的叶柄残基。质脆，易破碎。稍有清香气，味微苦。

藕节：本品呈短圆柱形，中部稍膨大，长 2 ～ 4 cm，直径约 2 cm。表面灰黄色至灰棕色，有残存的须根和须根痕，偶见呈暗红棕色的鳞叶残基，两端有残留的藕，表面皱缩且有纵纹。质硬，断面有多数类圆形的孔。气微，味微甘、涩。

莲花：本品呈圆锥形，长 2.5~4 cm，直径约 3 cm，表面灰棕色。花瓣多层，呈螺旋状排列，散落的花瓣呈卵圆形或椭圆形，皱缩或折叠，表面灰黄棕色，有多数纵脉纹，基部略厚，光滑且柔软，中心为幼小的莲蓬，莲蓬呈圆锥形，先端圆面平坦，有小孔 5 ～ 30，孔内有干缩的幼果 1，基部渐狭，周围着生多数雄蕊。花梗圆柱形，具皱缩的纵沟纹，表面紫黑色，具短刺，断面具大型孔腔数个。微有香气，味苦、涩。

荷梗：本品近圆柱形，长 20~50 cm，直径 8~15 mm。表面淡棕黄色，具深浅不等的纵沟及多数短小的刺状突起。质轻，易折断，折断时有粉尘飞出，断面淡粉白色，可见数个大小不等的孔道（气隙）。气微弱，味淡。

荷蒂：本品呈圆碟状，直径 6 ～ 7 cm。上表面黄绿色至褐绿色，微带蜡质粉霜，叶脉由中央向外辐射状散出；下表面灰绿色至淡黄绿色，叶脉突出，中央有长约 1 cm 的叶柄同基部相连。质轻而脆。气微，味微涩。

鲜藕：本品呈圆柱形，中间有节。表面黄白色或雪白色。断面丝状，中间有多数圆孔。体重而脆。味甘。

| 功能主治 | **莲子：** 甘、涩，平。归脾、肾、心经。补脾止泻，止带，益肾涩精，养心安神。用于脾虚泄泻，带下，遗精，心悸失眠。

莲子心： 苦，寒。归心、肾经。清心安神，交通心肾，涩精止血。用于热入心包，神昏谵语，心肾不交，失眠遗精，血热吐血。

莲花： 苦、甘，平。归肝、胃经。止血，祛湿，消风。用于跌伤呕血。

莲房： 苦、涩，温。归肝经。化瘀止血。用于崩漏，尿血，痔疮出血，产后瘀阻，恶露不尽。

莲须： 甘、涩，平。归心、肾经。固肾涩精。用于遗精滑精，带下，尿频。

荷叶： 苦，平。归肝、脾、胃经。清暑化湿，升发清阳，凉血止血。用于暑热烦渴，暑湿泄泻，脾虚泄泻，血热吐衄，便血崩漏。

藕节： 甘、涩，平。归肝、肺、胃经。收敛止血，化瘀。用于吐血，咯血，衄血，尿血，崩漏。

莲花： 苦、甘，平。归肝、胃经。止血，祛湿，消风。用于跌打损伤，呕血，血淋，崩漏下血，天疱湿疮，疥疮瘙痒。

荷梗： 清热解暑，通气行水。用于暑湿胸闷，泄泻，痢疾，带下。

荷蒂： 苦，平。归肾、大肠经。清暑祛湿，和血安胎。用于血痢，泄泻，妊娠胎动不安。

鲜藕： 消瘀，止血，清热解表。用于吐血，衄血，咯血，血淋，尿血，便血，血痢，血崩，小儿瘟毒内热，痘疹不出。

| 用法用量 | **莲子：** 内服煎汤，6 ~ 15 g；或煮粥。

莲子心： 内服煎汤，2 ~ 5 g；或代茶饮。

莲房： 内服煎汤，5 ~ 10 g。

莲须： 内服煎汤，3 ~ 5 g；或代茶饮。

荷叶： 内服煎汤，3 ~ 10 g；或代茶饮。

藕节： 内服煎汤，9 ~ 15 g。

莲花： 内服煎汤，6 ~ 9 g；或研末，1 ~ 1.5 g。外用适量，鲜品贴敷。

荷梗： 内服煎汤，9 ~ 15 g。

荷蒂： 内服煎汤，5 ~ 10 g。

鲜藕： 内服适量，鲜食或榨汁。

萍蓬草 *Nuphar pumila* (Hoffm.) DC.

| 药 材 名 | 萍蓬草子（药用部位：种子）。

| 形态特征 | 多年生水生草本。根茎直径 2 ~ 3 cm。叶纸质，通常呈宽卵形或卵形，少数呈椭圆形，长 6 ~ 17 cm，宽 6 ~ 12 cm，先端圆钝，基部具弯缺，心形，裂片远离，圆钝，上面光亮，无毛，下面密生柔毛，侧脉羽状，几次二叉分枝；叶柄长 20 ~ 50 cm，被柔毛。花直径 3 ~ 4 cm；花梗长 40 ~ 50 cm，被柔毛；萼片黄色，外面中央绿色，矩圆形或椭圆形，长 1 ~ 2 cm；花瓣窄楔形，长 5 ~ 7 mm，先端微凹；柱头盘常 10 浅裂，淡黄色或带红色。浆果卵形，长约 3 cm；种子矩圆形，长 5 mm，褐色。花期 5 ~ 7 月，果期 7 ~ 9 月。

| 生境分布 | 生于池塘或河边。分布于湖南长沙（望城）、衡阳（珠晖、雁峰、

石鼓、衡阳、衡南、衡山）、郴州（北湖、苏仙、宜章）、永州（祁阳、双牌）等。

| 资源情况 | 野生资源一般。药材来源于野生。

| 采收加工 | 秋季果实成熟时采收。

| 功能主治 | 健脾胃，活血调经。用于脾虚食少，月经不调。

| 用法用量 | 内服煎汤，9 ~ 15 g。

| 附　　注 | 本种的拉丁学名在 FOC 中被修订为 *Nuphar pumila* (Timm) de Candolle。在《湖南省地方重点保护野生植物名录》中，本种被列为重点保护野生植物。

睡莲科 Nymphaeaceae 萍蓬草属 Nuphar

中华萍蓬草 *Nuphar sinensis* Hand.-Mazz.

| 药 材 名 | 萍蓬草根（药用部位：根茎）。

| 形态特征 | 多年生水生草本。叶纸质，心状卵形，长 8.5 ~ 15 cm，基部弯缺约占叶片全长的 1/3，裂片开展，下面边缘密生柔毛，有的部分近无毛；叶柄长约 40 cm，基部有膜质翅，具长柔毛。花直径 5 ~ 6 cm；萼片矩圆形或倒卵形，长 2 cm；花瓣宽条形，长 7 mm，先端微缺；柱头盘 13 裂，离生且远离，超出柱头边缘。浆果直径 2 cm；种子卵形，长约 3 mm，浅褐色。花果期 5 ~ 9 月。

| 生境分布 | 生于池塘或河边。分布于湖南衡阳（祁东）、株洲（石峰）、邵阳（绥宁）、郴州（汝城）、永州（双牌）、岳阳（平江）等。

| **资源情况** | 野生资源稀少。药材来源于野生。

| **采收加工** | 秋季采挖。

| **功能主治** | 健脾胃，活血调经。用于脾虚食少，月经不调。

| **用法用量** | 内服煎汤，9 ～ 15 g。

白睡莲 *Nymphaea alba* L.

| 药 材 名 | 白睡莲（药用部位：根茎、花）。

| 形态特征 | 多年水生草本。根茎匍匐。叶纸质，近圆形，直径 10 ~ 25 cm，基部具深弯缺，裂片尖锐，近平行或开展，全缘或波状，两面无毛，有小点；叶柄长达 50 cm。花直径 10 ~ 20 cm，芳香；花梗与叶柄几等长；萼片披针形，长 3 ~ 5 cm，脱落或花期后腐烂；花瓣 20 ~ 25，白色，卵状矩圆形，长 3 ~ 5.5 cm，外轮比萼片稍长；花托圆柱形；花药先端不延长，花粉粒皱缩，具乳突；柱头具 14 ~ 20 辐射线，扁平。浆果扁平至半球形，长 2.5 ~ 3 cm；种子椭圆形，长 2 ~ 3 cm。花期 6 ~ 8 月，果期 8 ~ 10 月。

生境分布	生于池沼中。分布于湖南长沙（长沙）、邵阳（大祥）、常德（安乡）、娄底（娄星）等。
资源情况	野生资源稀少。药材来源于野生。
功能主治	止泻。用于腹泻。

睡莲科 Nymphaeaceae 睡莲属 Nymphaea

睡莲
Nymphaea tetragona Georgi

| 药 材 名 | 睡莲（药用部位：花）。

| 形态特征 | 多年生水生草本。根茎短粗。叶纸质，心状卵形或卵状椭圆形，长5～12 cm，宽3.5～9 cm，基部具深弯缺，弯缺长约占叶片全长的1/3，裂片急尖，稍开展或几重合，全缘，上面光亮，下面带红色或紫色，两面皆无毛，具小点；叶柄长达60 cm。花直径3～5 cm；花梗细长；花萼基部四棱形，萼片革质，宽披针形或窄卵形，长2～3.5 cm，宿存；花瓣白色，宽披针形、长圆形或倒卵形，长2～2.5 cm，内轮不变成雄蕊；雄蕊比花瓣短，花药条形，长3～5 mm；柱头具5～8辐射线。浆果球形，直径2～2.5 cm，为宿存萼片包裹；种子椭圆形，长2～3 mm，黑色。花期6～8月，果期8～10月。

| **生境分布** | 生于池沼中。湖南有广泛分布。

| **资源情况** | 野生资源较丰富。药材来源于野生。

| **采收加工** | 夏季采收，洗净，晒干。

| **药材性状** | 本品较大，直径 4 ~ 5 cm，白色。萼片 4，基部呈四方形。花瓣 8 ~ 17。雄蕊多数，花药黄色；花柱 4 ~ 8 裂，柱头广瓣形，茶匙状，呈放射状排列。

| **功能主治** | 消暑，解酒，定惊。用于中暑，醉酒烦渴，小儿惊风。

| **用法用量** | 内服煎汤，6 ~ 9 g。

睡莲科 Nymphaeaceae 金鱼藻属 *Ceratophyllum*

金鱼藻
Ceratophyllum demersum L.

| 药 材 名 |　金鱼藻（药用部位：全草。别名：藻、细草、软草）。

| 形态特征 |　多年生沉水草本。茎长 40 ~ 150 cm，平滑，具分枝。叶 4 ~ 12 轮生，1 ~ 2 次二叉状分歧，裂片丝状或丝状条形，长 1.5 ~ 2 cm，宽 0.1 ~ 0.5 mm，先端白色，软骨质，边缘仅一侧有数细齿。花直径约 2 mm；苞片 9 ~ 12，条形，长 1.5 ~ 2 mm，浅绿色，透明，先端有 3 齿及紫色毛；雄蕊 10 ~ 16，微密集；子房卵形，花柱钻状。坚果宽椭圆形，长 4 ~ 5 mm，宽约 2 mm，黑色，平滑，边缘无翅，有 3 刺，顶生刺（宿存花柱）长 8 ~ 10 mm，先端具钩，基部 2 刺向下斜伸，长 4 ~ 7 mm，先端渐细，呈刺状。花期 6 ~ 7 月，果期 8 ~ 10 月。

| 生境分布 | 生于池塘、河沟。分布于湖南株洲（攸县、茶陵）、邵阳（邵阳）、常德（安乡）、益阳（南县）、永州（江永）、湘西州（古丈）、衡阳（衡东）等。

| 资源情况 | 野生资源稀少。药材来源于野生。

| 采收加工 | 全年均可采收，晒干。

| 药材性状 | 本品呈不规则丝团状，全体绿褐色。茎细柔，长短不一，长达 60 cm，具分枝。叶轮生，每轮 6 ~ 8 叶，叶片常破碎，1 ~ 2 回 2 歧分叉，裂片线条形，边缘仅一侧具有刺状小齿。有时可见暗红色小花，花腋生，总苞片钻状。小坚果宽椭圆形，平滑，边缘无翅，有 3 长刺。

| 功能主治 | 凉血止血，清热利水。用于血热吐血、咯血，热淋涩痛。

| 用法用量 | 内服煎汤，3 ~ 6 g。

三白草科 Saururaceae 裸蒴属 Gymnotheca

裸蒴 *Gymnotheca chinensis* Decne.

| **药 材 名** | 百步还魂（药用部位：全草或叶）。

| **形态特征** | 无毛草本。茎纤细，匍匐，长 30 ～ 65 cm，节上生根。叶纸质，无腺点，叶片肾状心形，长 3 ～ 6.5 cm，宽 4 ～ 7.5 cm，先端阔短尖或圆，基部具 2 耳，全缘或有不明显的细圆齿，叶脉 5 ～ 7，均自基部发出，有时最外侧 1 对叶脉纤细或不显著；叶柄与叶片近等长；托叶膜质，与叶柄边缘合生，长 1.5 ～ 2 cm，基部扩大，抱茎，叶鞘长为叶柄长的 1/3。花序单生，长 3.5 ～ 6.5 cm；总花梗与花序等长或较花序略短；花序轴压扁，两侧具阔棱或几呈翅状；苞片倒披针形，长约 3 mm，有时最下面的 1 苞片略大而近舌状；花药长圆形，纵裂，花丝与花药近等长或较花药稍长，基部较宽；子房长

倒卵形，花柱线形，外卷。果实未见。花期 4 ～ 11 月。

| **生境分布** | 生于水旁或林谷中。分布于湖南怀化（麻阳）、湘西州（吉首、花垣、古丈、永顺、保靖）等。

| **资源情况** | 野生资源稀少。药材来源于野生。

| **采收加工** | 夏、秋季采收，洗净，晒干。

| **功能主治** | 消食，利水，活血，解毒。用于食积腹胀，痢疾，水肿，小便不利，带下，跌打损伤，蜈蚣咬伤。

| **用法用量** | 内服煎汤，6 ～ 30 g。外用适量，捣敷。

蕺菜 *Houttuynia cordata* Thunb.

| 药 材 名 | 鱼腥草（药用部位：带根全草）。

| 形态特征 | 腥臭草本，高 30 ~ 60 cm。茎下部伏地，节上轮生小根，上部直立，无毛或节上被毛，有时带紫红色。叶薄纸质，有腺点，背面腺点尤多，卵形或阔卵形，长 4 ~ 10 cm，宽 2.5 ~ 6 cm，先端短渐尖，基部心形，有时除叶脉被毛外其余部位均无毛，背面常呈紫红色；叶脉 5 ~ 7，全部基出或最内 1 对在离基约 5 mm 处从中脉发出，如为 7 脉，则最外 1 对极纤细或不明显；叶柄长 1 ~ 3.5 cm，无毛；托叶膜质，长 1 ~ 2.5 cm，先端钝，下部与叶柄合生而成长 8 ~ 20 mm 的鞘，且常有缘毛，基部扩大，略抱茎。花序长约 2 cm，宽 5 ~ 6 mm；总花梗长 1.5 ~ 3 cm，无毛；总苞片长圆形或

倒卵形，长 10 ～ 15 mm，宽 5 ～ 7 mm，先端钝圆；雄蕊长于子房，花丝长为花药的 3 倍。蒴果长 2 ～ 3 mm，先端有宿存的花柱。花期 4 ～ 7 月。

| 生境分布 | 生于沟边、溪边或林下湿地。湖南各地均有分布。

| 资源情况 | 野生资源丰富。药材来源于野生。

| 采收加工 | 夏、秋季采收，洗净，晒干或鲜用。

| 药材性状 | 本品茎扁圆形，皱缩而弯曲，长 20 ～ 30 cm；表面黄棕色，具纵棱，节明显，下部节处有须根残存；质脆，易折断。叶互生，多皱缩，展平后呈心形，长 3 ～ 5 cm，宽 3 ～ 4.5 cm，上面暗绿色或黄绿色，下面绿褐色或灰棕色；叶柄细长，基部与托叶合成鞘状。穗状花序顶生。搓碎后有鱼腥气，味微涩。

| 功能主治 | 清热解毒，排脓消痈，利尿通淋。用于肺痈吐脓，痰热喘咳，热痢，热淋。

| 用法用量 | 内服煎汤，15 ～ 25 g；或鲜品捣汁，用量加倍。外用适量，捣敷；或煎汤熏洗。

三白草科 Saururaceae 三白草属 Saururus

三白草
Saururus chinensis (Lour.) Baill.

| 药 材 名 | 三白草（药用部位：地上部分）。

| 形态特征 | 湿生草本，高 1 m 或更高。茎粗壮，有纵长粗棱和沟槽，下部伏地，常呈白色，上部直立，绿色。叶纸质，密生腺点，阔卵形至卵状披针形，长 10 ~ 20 cm，宽 5 ~ 10 cm，先端短尖或渐尖，基部心形或斜心形，两面均无毛，上部叶较小，茎先端的 2 ~ 3 叶在花期常为白色，呈花瓣状；叶脉 5 ~ 7，均自基部发出，如为 7 脉，则最外侧 1 对叶脉纤细，斜升 2 ~ 2.5 cm 后弯拱网结，网状脉明显；叶柄长 1 ~ 3 cm，无毛，基部与托叶合生成鞘状，略抱茎。花序白色，长 12 ~ 20 cm；总花梗长 3 ~ 4.5 cm，无毛，但花序轴密被短柔毛；苞片近匙形，上部圆形，无毛或有疏缘毛，下部线形，被柔毛，且

贴生于花梗上；雄蕊 6，花药长圆形，纵裂，花丝比花药略长。果实近球形，直径约 3 mm，表面具较多疣状突起。花期 4 ~ 6 月。

| **生境分布** | 生于沟边、池塘边或溪旁。湖南各地均有分布。

| **资源情况** | 野生资源丰富。药材来源于野生。

| **采收加工** | 全年均可采收，以夏季采收为佳，洗净，晒干或鲜用。

| **药材性状** | 本品茎圆柱形，有 4 纵沟，其中 1 纵沟较宽，断面黄色，纤维性，中空。叶多皱缩，互生，展平后叶片呈卵形或卵状披针形，长 4 ~ 15 cm，宽 2 ~ 10 cm，先端尖，基部心形，全缘，基出脉 5；叶柄较长，有纵皱纹。有时可见棕褐色总状花序或果序。蒴果近球形。气微，味淡。

| **功能主治** | 清热利水，解毒消肿。用于热淋，血淋，水肿，脚气，黄疸，带下，湿疹，蛇咬伤。

| **用法用量** | 内服煎汤，10 ~ 30 g，鲜品加倍。外用适量，鲜品捣敷。

胡椒科 Piperaceae 草胡椒属 Peperomia

石蝉草 *Peperomia dindygulensis* Miq.

| 药 材 名 | 石蝉草（药用部位：全草）。

| 形态特征 | 肉质草本，高 20 ～ 30 cm。茎上部直立，下部匍匐，密被短柔毛。叶纸质，对生或 3 ～ 4 叶轮生，有腺点，倒卵形或倒披针形，稀近圆形，长 2.5 ～ 4 cm，宽 1 ～ 2.5 cm，先端钝或圆，基部楔形，两面均被短柔毛；叶脉 3 ～ 5，基出，如为 5 脉，则最外侧 1 对叶脉不明显；叶柄长 5 ～ 12 mm，密被短柔毛。穗状花序单生或簇生，顶生或腋生，细弱，长约 6 cm，直径 0.5 ～ 0.8 mm；总花梗被毛，花序轴无毛；花密集；苞片近圆形，盾状，有腺点；花药长圆形，花丝极短；子房倒卵形，先端微凹，柱头具较多乳头状突起，着生于子房先端凹陷处。浆果球形，直径约 0.5 mm。花期 6 ～ 10 月。

| 生境分布 | 生于密林下或阴湿的石缝中。分布于湖南岳阳（湘阴）等。

| 资源情况 | 野生资源稀少。药材来源于野生。

| 采收加工 | 夏、秋季采收，晒干或鲜用。

| 药材性状 | 本品茎肉质，圆柱形，弯曲，多分枝，长短不一，表面紫黑色，有纵皱纹及细小皮孔，具短茸毛，节上有时可见不定根。叶对生或 3 ~ 4 叶轮生，具短柄，叶片多卷缩，展平后呈棱状椭圆形或倒卵形，全缘，长 1 ~ 3 cm，宽 0.5 ~ 1.5 cm，先端钝圆，膜质，有腺体，叶脉 5，两面有细茸毛。气微，味淡。

| 功能主治 | 清热解毒，化瘀散结，利水消肿。用于肺热咳喘，麻疹，烫火伤，肾炎性水肿，肺结核，支气管炎。

| 用法用量 | 内服煎汤，10 ~ 30 g，鲜品加倍。

| 附 注 | 本种的拉丁学名在 FOC 中被修订为 *Peperomia blanda* (Jacquin) Kunth。

胡椒科 Piperaceae 胡椒属 Piper

山蒟
Piper hancei Maxim.

药材名

山蒟（药用部位：茎叶）。

形态特征

攀缘藤本，长数米至 10 余米，除花序轴和苞片柄被毛外，其余部位均无毛。茎、枝具细纵纹，节上生根。叶纸质或近革质，卵状披针形或椭圆形，稀披针形，长 6 ~ 12 cm，宽 2.5 ~ 4.5 cm，先端短尖或渐尖，基部渐狭或楔形，有时钝，大小相等或略不等；叶脉 5 ~ 7，最上面 1 对叶脉互生，在离基 1 ~ 3 cm 处从中脉发出，弯拱上升几达叶片顶部，如为 7 脉，则最外侧 1 对叶脉细弱，网状脉通常明显；叶柄长 5 ~ 12 mm；叶鞘长约为叶柄之半。花单性，雌雄异株，聚集成与叶对生的穗状花序；雄花序长 6 ~ 10 cm，直径约 2 mm，总花梗与叶柄等长或较叶柄略长，花序轴被毛，苞片近圆形，直径约 0.8 mm，近无柄或具短柄，盾状，向轴面和柄上被柔毛，雄蕊 2，花丝短；雌花序长约 3 cm，于果期延长，苞片与雄花序相同，但柄略长，子房近球形，离生，柱头 4，稀 3。浆果球形，黄色，直径 2.5 ~ 3 mm。花期 3 ~ 8 月。

| 生境分布 | 生于山地溪涧边、密林或疏林中，攀缘于树上或石上。湖南有广泛分布。

| 资源情况 | 野生资源较少。药材来源于野生。

| 采收加工 | 秋季采收，切段，鲜用或晒干。

| 药材性状 | 本品茎圆柱形，细长，直径 1 ~ 3 mm；表面灰褐色，有纵纹，节膨大，有不定根，节间长 2 ~ 10 cm；质脆，易断，断面皮部灰褐色，较薄，木部灰白色，有许多小孔。叶多皱缩，有的破碎，完整叶片展平后呈狭椭圆形或卵状披针形，长 4 ~ 12 cm，宽 2 ~ 4.5 cm，先端渐尖，基部近楔形，常偏斜，上表面墨绿色，下表面灰绿色，质脆。气清香，味辛辣。

| 功能主治 | 祛风除湿，活血消肿，行气止痛，化痰止咳。用于风寒湿痹，胃痛，痛经，跌打损伤，疝气疼痛。

| 用法用量 | 内服煎汤，9 ~ 15 g，鲜品加倍。外用适量，煎汤洗；或鲜品捣敷。

毛山蒟 *Piper martinii* C. DC.

| 药 材 名 | 石蒟（药用部位：枝叶）。

| 形态特征 | 攀缘藤本。枝通常被微硬毛，有纵棱，干时常呈黑色。叶纸质，无明显腺点，卵状披针形或狭椭圆形，下部叶稀卵形，长 5 ～ 14 cm，宽 2 ～ 5 cm，先端渐尖，基部短狭，稍不等，腹面无毛，背面被微硬毛，毛有时脱落，叶脉 7，最上面 1 对叶脉互生或近对生，在离基 1 ～ 1.5 cm 处从中脉发出，余者均基出，最外侧 1 对叶脉细弱而短；叶柄长 1 ～ 2 cm，被微硬毛；叶鞘长为叶柄长的 1/4 ～ 1/3。花单性，雌雄异株，聚集成与叶对生的穗状花序；雄花序通常远长于叶片，有时长可达叶片的 2 倍，总花梗被毛，长为叶柄的 2.5 ～ 3 倍，花序轴被疏毛，苞片圆形，近无柄，盾状，直径 1 ～ 1.2 mm，雄蕊 3，

花药肾形，2裂，比花丝略短；雌花序长1.5～3 cm，于果期可延长至6 cm；总花梗远长于叶柄，长2～4.2 cm，被毛，苞片和花序轴与雄花序无异，苞片柄在果期不延长，被疏毛，子房离生，先端尖，柱头3～4，线形。浆果幼时先端锥尖，成熟时近球形，直径约3 mm，无毛，有疣状突起。花期2～6月。

| 生境分布 | 生于海拔350～1 250 m的密林、疏林中或溪涧边，攀缘于树上或石上。分布于湖南湘西州（永顺）等。

| 资源情况 | 野生资源稀少。药材来源于野生。

| 采收加工 | 夏、秋季采收，鲜用或晒干。

| 药材性状 | 本品茎枝扁圆柱形，表面黑褐色，有纵棱，常具稀疏硬毛，节膨大，有不定根；体轻，质脆，断面黄白色，木部有多数小孔，中心有灰褐色的髓。叶多皱缩，青绿色，展平后呈卵状披针形或狭椭圆形，长4～12 cm，宽1.5～4 cm，叶背有稀疏茸毛，叶脉7，最上面1对叶脉从中脉发出；叶柄长1～2 cm，有硬毛，具叶鞘。有时可见花序轴带毛的穗状花序，花序长约为叶片的2倍。气香，味辛辣。

| 功能主治 | 祛风除湿，散寒止痛，止咳。用于风湿痹证，腰膝冷痛，跌打肿痛，劳伤久咳。

| 用法用量 | 内服煎汤，6～15 g。外用适量，鲜品捣敷。

胡椒科 Piperaceae 胡椒属 Piper

石南藤 *Piper wallichii* (Miq.) Hand.-Mazz.

| 药 材 名 | 石南藤（药用部位：全株或茎叶）。

| 形态特征 | 攀缘藤本。枝被疏毛或脱落变无毛，干时呈淡黄色，有纵棱。叶硬纸质，干时呈淡黄色，无明显腺点，椭圆形，或向下渐次为狭卵形至卵形，长 7 ~ 14 cm，宽 4 ~ 6.5 cm，先端长渐尖，有小尖头，基部短狭或钝圆，两侧近相等，有时下部的叶微心形，微心形叶凹缺之宽小于叶柄之宽，腹面无毛，背面被长短不一的疏粗毛，叶脉5 ~ 7，最上面 1 对叶脉互生或近对生，在离基 1 ~ 2.5 cm 处从中脉发出，弧形上升至叶片 3/4 处弯拱连接，余者均基出，如为 7 脉，则最外侧 1 对叶脉细弱而短，网状脉明显；叶柄长 1 ~ 2.5 cm，无毛或被疏毛；叶鞘长 8 ~ 10 mm。花单性，雌雄异株，聚集成与叶

对生的穗状花序；雄花序在花期几与叶片等长，稀略长于叶片，总花梗与叶柄近等长或较叶柄略长，无毛或被疏毛，花序轴被毛，苞片圆形，稀倒卵状圆形，边缘不整齐，近无柄或具被毛的短柄，盾状，直径约 1 mm，雄蕊 2 或 3，花药肾形，2 裂，比花丝短；雌花序比叶片短，总花梗远长于叶柄，长 2 ～ 4 cm，花序轴和苞片与雄花序相同，但苞片柄于果期可延长至 2 mm，密被白色长毛，子房离生，柱头 3 ～ 4，稀 5，披针形。浆果球形，直径 3 ～ 3.5 mm，无毛，有疣状突起。花期 5 ～ 6 月。

| 生境分布 | 生于海拔 310 ～ 2 000 m 的林中阴处或湿润地，攀缘于石壁上或树上。湖南各地均有分布。

| **资源情况** | 野生资源一般。药材来源于野生。 |

| **采收加工** | 8 ~ 10 月采收，晒干或鲜用。 |

| **药材性状** | 本品茎扁圆柱形，表面灰褐色或灰棕色，有细纹，节膨大，具不定根，节间长 7 ~ 9 cm，体轻，质脆，横断面呈放射状排列，中心有灰褐色的髓。叶多皱缩，展平后呈卵圆形，上表面灰绿色至灰褐色，下表面灰白色，有明显凸起的叶脉 5。气清香，味辛辣。 |

| **功能主治** | 甘，温。祛风湿，强腰膝，补肾壮阳，止咳平喘，活血止痛。用于风寒湿痹，腰膝酸痛，阳痿，咳嗽气喘，痛经，跌打损伤。 |

| **用法用量** | 内服煎汤，6 ~ 15 g。外用适量，鲜品捣敷。 |

金粟兰科 Chloranthaceae 金粟兰属 Chloranthus

丝穗金粟兰

Chloranthus fortunei (A. Gray) Solms Laub.

| 药 材 名 | 水晶花（药用部位：全草。别名：四块瓦、四对草、银线草）。

| 形态特征 | 多年生草本。高 15 ～ 40 cm，全部无毛。根茎粗短，密生多数细长须根；茎直立，单生或数个丛生，下部节上对生 2 鳞状叶。叶对生，通常 4 叶生于茎上部，纸质，宽椭圆形、长椭圆形或倒卵形，长 5 ～ 11 cm，宽 3 ～ 7 cm，先端短尖，基部宽楔形，边缘有圆锯齿或粗锯齿，齿尖有 1 腺体，近基部全缘，嫩叶背面密生细小腺点，但老叶不明显，侧脉 4 ～ 6 对，网脉明显；叶柄长 1 ～ 1.5 cm；鳞状叶三角形；托叶条裂成钻形。穗状花序单一，由茎顶抽出，连总花梗长 4 ～ 6 cm；苞片倒卵形，通常 2 ～ 3 齿裂；花白色，有香气；雄蕊 3，药隔基部合生，着生于子房上部外侧，中央药隔具一有 2

室的花药，两侧药隔各具一有 1 室的花药，药隔伸长成丝状，直立或斜上，长 1 ~ 1.9 cm，药室在药隔的基部；子房倒卵形，无花柱。核果球形，淡黄绿色，有纵条纹，长约 3 mm，近无柄。花期 4 ~ 5 月，果期 5 ~ 6 月。

| **生境分布** | 生于海拔 170 ~ 340 m 的山坡或低山林下阴湿处和山沟草丛中。分布于湖南长沙（宁乡）、株洲（醴陵）、衡阳（衡阳、衡南、祁东、耒阳、衡东）、邵阳（大祥、邵阳、洞口、新宁、武冈）、岳阳（华容）、常德（桃源）、郴州（北湖、桂阳、永兴、临武）、永州（江永、新田）、怀化（辰溪、会同、芷江、靖州）、娄底（娄星、冷水江）等。

| **资源情况** | 野生资源一般。药材来源于野生。

| **功能主治** | 辛，温；有小毒。祛风理气，活血散瘀。用于风湿痹痛，痢疾，腹泻，胃痛，咳嗽，干血痨，跌打损伤，疮疖肿毒。

金粟兰科 Chloranthaceae 金粟兰属 Chloranthus

宽叶金粟兰

Chloranthus henryi Hemsl.

| 药 材 名 |

四块瓦（药用部位：全草。别名：四大天王、大叶及己、四叶细辛）。

| 形态特征 |

多年生草本。高 40 ~ 65 cm。根茎粗壮，黑褐色，具多数细长的棕色须根；茎直立，单生或数个丛生，有 6 ~ 7 明显的节，节间长 0.5 ~ 3 cm，下部节上生 1 对鳞状叶。叶对生，通常 4 叶生于茎上部，纸质，宽椭圆形、卵状椭圆形或倒卵形，长 9 ~ 18 cm，宽 5 ~ 9 cm，先端渐尖，基部楔形至宽楔形，边缘具锯齿，齿端有 1 腺体，背面中脉、侧脉有鳞屑状毛，叶脉 6 ~ 8 对；叶柄长 0.5 ~ 1.2 cm；鳞状叶卵状三角形，膜质；托叶小，钻形。穗状花序顶生，通常二叉分枝或总状分枝，连总花梗长 10 ~ 16 cm；总花梗长 5 ~ 8 cm；苞片通常宽卵状三角形或近半圆形；花白色；雄蕊 3，基部几分离，仅内侧稍相连，中央药隔长 3 mm，有一具 2 室的花药，两侧药隔稍短，各有一具 1 室的花药，药室在药隔的基部；子房卵形，无花柱，柱头近头状。核果球形，长约 3 mm，具短柄。花期 4 ~ 6 月，果期 7 ~ 8 月。

| 生境分布 | 生于海拔 750 ～ 1 900 m 的山坡林下阴湿地或路边灌丛中。分布于湖南株洲（攸县）、衡阳（祁东）、邵阳（武冈）、张家界（永定、武陵源、慈利）、郴州（宜章、汝城、安仁）、永州（蓝山）、怀化（鹤城、辰溪、芷江、洪江）、娄底（新化）、湘西州（古丈）、常德（石门）、益阳（安化）、长沙（浏阳）等。

| 资源情况 | 野生资源一般。药材来源于野生。

| 功能主治 | 辛，温。祛风除湿，活血化瘀，消肿解毒。用于风寒湿痹，月经不调，跌打损伤，风寒咳嗽，痈疮肿毒。

金粟兰科 Chloranthaceae 金粟兰属 Chloranthus

多穗金粟兰

Chloranthus multistachys S. J. Pei

| 药 材 名 | 四叶细辛（药用部位：根或根皮。别名：四块瓦、对叶七、马尾七）。

| 形态特征 | 多年生草本。高 16 ~ 50 cm。根茎粗壮，生多数细长须根；茎直立，单生，下部节上生 1 对鳞片叶。叶对生，通常 4，坚纸质，椭圆形至宽椭圆形、卵状椭圆形或宽卵形，长 10 ~ 20 cm，宽 6 ~ 11 cm，先端渐尖，基部宽楔形至圆形，边缘具粗锯齿或圆锯齿，齿端有 1 腺体，腹面亮绿色，背面沿叶脉有鳞屑状毛，有时两面具小腺点，侧脉 6 ~ 8 对，网脉明显；叶柄长 8 ~ 20 mm。穗状花序多数，粗壮，顶生和腋生，单一或分枝，连总花梗长 4 ~ 11 cm；苞片宽卵形或近半圆形；花小，白色，排列稀疏；雄蕊 1 ~ 3，着生于子房上部外侧，若为 1 雄蕊则花药卵形，2 室；若为（2 ~ ）3 雄蕊则中

央花药 2 室，而侧生花药 1 室，且侧生花药远比中央花药小，药隔与药室等长或稍长于药室，稀短于药室；子房卵形，无花柱，柱头平截。核果球形，绿色，长 2.5 ~ 3 mm，具长 1 ~ 2 mm 的柄，表面有小腺点。花期 5 ~ 7 月，果期 8 ~ 10 月。

| 生境分布 | 生于海拔 400 ~ 1 650 m 的山坡林下阴湿地和沟谷溪旁草丛中。分布于湖南邵阳（新宁、武冈）、株洲（炎陵）、张家界（桑植、永定）、郴州（宜章）、怀化（新晃、芷江）、湘西州（永顺）等。

| 资源情况 | 野生资源稀少。药材来源于野生。

| 功能主治 | 祛风活血，消肿止痛。用于风湿痹痛，跌打损伤，毒蛇咬伤等。

金粟兰科 Chloranthaceae 金粟兰属 Chloranthus

及己

Chloranthus serratus (Thunb.) Roem. et Schult.

| 药 材 名 | 及己（药用部位：全草。别名：四叶对、四皮风、獐耳细辛）。

| 形态特征 | 多年生草本。高 15 ~ 50 cm。根茎横生，粗短，直径约 3 mm，生多数土黄色须根；茎直立，单生或数个丛生，具明显的节，无毛，下部节上对生 2 鳞状叶。叶对生，4 ~ 6 生于茎上部，纸质，椭圆形、倒卵形或卵状披针形，偶有卵状椭圆形或长圆形，长 7 ~ 15 cm，宽 3 ~ 6 cm，先端渐窄成长尖，基部楔形，边缘具锐而密的锯齿，齿尖有 1 腺体，两面无毛，侧脉 6 ~ 8 对；叶柄长 8 ~ 25 mm；鳞状叶膜质，三角形；托叶小。穗状花序顶生，偶有腋生，单一或 2 ~ 3 分枝；总花梗长 1 ~ 3.5 cm；苞片三角形或近半圆形，通常先端数齿裂；花白色；雄蕊 3，药隔下部合生，着生于子房上部外侧，中

央药隔有一具 2 室的花药，两侧药隔各有一具 1 室的花药，药隔长圆形，3 药隔相抱，中央药隔向内弯，长 2 ～ 3 mm，与侧药隔等长或略长于侧药隔，药室在药隔中部或中部以上；子房卵形，无花柱，柱头粗短。核果近球形或梨形，绿色。花期 4 ～ 5 月，果期 6 ～ 8 月。

| 生境分布 | 生于海拔 280 ～ 1 800 m 的山地林下湿润处和山谷溪边草丛中。湖南各地均有分布。

| 资源情况 | 野生资源较丰富。药材来源于野生。

| 功能主治 | 苦，平；有毒。活血散瘀，祛风消肿，解毒。用于跌打损伤，痈疮肿毒，风湿痹痛。

金粟兰科 Chloranthaceae 金粟兰属 Chloranthus

四川金粟兰
Chloranthus sessilifolius K. F. Wu

| 药 材 名 | 四川金粟兰（药用部位：根及根茎。别名：四块瓦、四大天主、红毛七）。

| 形态特征 | 多年生草本，高 35 ~ 70 cm。根茎粗壮，黄褐色，直径 5 ~ 7 mm，生多数稍粗的须根。茎直立，较粗壮，单生或数个丛生，有 4 ~ 5 明显的节，下部节上对生 2 鳞状叶。叶无柄，对生，4 叶生于茎顶，呈轮生状，纸质，倒卵形或菱形，长 12 ~ 20 cm，宽 7 ~ 12 cm，先端渐窄成长约 2 cm 的尖头，基部楔形，边缘具圆齿或锯齿，齿端有 1 腺体，背面淡绿色，有时带红紫色或仅叶脉带微红色，中脉和侧脉密被皮屑状鳞毛，侧脉 6 ~ 8 对，网脉在两面稍凸起，明显；鳞状叶三角形，膜质，长 7 ~ 13 mm。穗状花序自茎顶抽出，有 2 ~ 4 下垂的分枝，具长总花梗，长 10 ~ 15 cm; 苞片三角形，长约 1.5 mm，

边缘有不整齐的微齿；花白色；雄蕊 3，基部分离、几分离或稍相互覆叠，着生于子房外侧上部，中央雄蕊具一 2 室的花药，药室在药隔的基部，侧生雄蕊各具一 1 室的花药，药室在药隔的基部外缘，药隔长圆形，长 2 ~ 2.5 mm，3 药隔近等长；子房卵形，长约 2 mm，无花柱，柱头截平，边缘有齿突。核果近球形，褐色，长 2.5 mm，具长 1.8 mm 的柄。花期 3 ~ 4 月，果期 6 ~ 7 月。

| 生境分布 | 生于海拔 990 ~ 1 200 m 的山坡林下阴湿处。分布于湖南怀化、邵阳（新宁）、永州（江华）、衡阳（南岳）等。

| 资源情况 | 野生资源稀少。药材来源于野生。

| 功能主治 | 用于跌打损伤。

金粟兰科 Chloranthaceae 草珊瑚属 Sarcandra

草珊瑚
Sarcandra glabra (Thunb.) Nakai

| 药 材 名 | 肿节风（药用部位：全株。别名：九节风、九节茶、接骨莲）。 |

| 形态特征 | 常绿半灌木。高 50 ~ 120 cm。茎与枝均有膨大的节。叶革质，椭圆形、卵形至卵状披针形，长 6 ~ 17 cm，宽 2 ~ 6 cm，先端渐尖，基部尖或楔形，边缘具粗锐锯齿，齿尖有 1 腺体，两面均无毛；叶柄长 0.5 ~ 1.5 cm，基部合生成鞘状；托叶钻形。穗状花序顶生，通常分枝，多少成圆锥花序状，连总花梗长 1.5 ~ 4 cm；苞片三角形；花黄绿色；雄蕊 1，肉质，棒状至圆柱状，花药具 2 室，生于药隔上部两侧，侧向或有时内向；子房球形或卵形，无花柱，柱头近头状。核果球形，直径 3 ~ 4 mm，成熟时亮红色。花期 6 月，果期 8 ~ 10 月。 |

| 生境分布 | 生于海拔 420 ~ 1 500 m 的山坡、沟谷林下阴湿处。湖南各地均有 |

分布。

| **资源情况** | 野生资源较丰富。栽培资源一般。药材来源于野生和栽培。

| **功能主治** | 苦、辛，平；有小毒。清热解毒，通经接骨。用于感冒，流行性乙型脑炎，肺热咳嗽，痢疾，肠痈，疮疡肿毒，风湿关节痛，跌打损伤。

马兜铃科 Aristolochiaceae 马兜铃属 Aristolochia

马兜铃

Aristolochia debilis Sieb. et Zucc.

| 药 材 名 | 青木香（药用部位：根。别名：白青木香、马兜铃根、兜铃根）、天仙藤（药用部位：地上部分）、马兜铃（药用部位：果实）。

| 形态特征 | 草质藤本。根圆柱形，直径 3 ~ 15 mm，外皮黄褐色。茎柔弱，无毛，暗紫色或绿色，有腐肉味。叶纸质，卵状三角形、长圆状卵形或戟形，长 3 ~ 6 cm，基部宽 1.5 ~ 3.5 cm，上部宽 1.5 ~ 2.5 cm，先端钝圆或短渐尖，基部心形，两侧裂片圆形，下垂或稍扩展，长 1 ~ 1.5 cm，两面无毛，基出脉 5 ~ 7，邻近中脉的两侧脉平行向上，略开叉，其余向侧边延伸，各级叶脉在两面均明显；花梗长 1 ~ 1.5 cm，开花后期近先端常稍弯，基部具小苞片；子房圆柱形，长约 10 mm，6 棱；合蕊柱先端 6 裂，稍具乳头状突起，裂片先端

钝，向下延伸成波状圆环。蒴果近球形，先端圆形而微凹，长约 6 cm，直径约
4 cm，具 6 棱，成熟时呈黄绿色，由基部向上沿室间 6 瓣开裂；果柄长 2.5 ~ 5 cm，
常撕裂成 6 条；种子扁平，钝三角形，长、宽均约 4 mm，边缘具白色膜质宽翅。
花期 7 ~ 8 月，果期 9 ~ 10 月。

| **生境分布** | 生于海拔 200 ~ 1 500 m 的山谷、沟边、路旁阴湿处及山坡灌丛中。湖南有广
泛分布。

| **资源情况** | 野生资源较丰富。药材来源于野生。

| 采收加工 | 青木香：10 ～ 11 月茎叶枯萎时采挖，除去须根、泥土，晒干。

天仙藤：夏、秋季采割，除去杂质，晒干。

马兜铃：秋季果实由绿变黄时采收，干燥。

| 药材性状 | 青木香：本品圆柱形或稍扁，略弯曲，长 3 ～ 10 cm，直径 0.5 ～ 1.5 cm。表面黄褐色或灰棕色，有纵皱纹及须根痕。质坚脆，折断面形成层环隐约可见，皮部淡黄色，木射线宽广，乳白色，木质部束淡黄色，呈放射状，导管孔明显。香气特异，味苦。

天仙藤：本品茎呈段状，细长圆柱形，略扭曲，直径 0.1~0.3 cm；表面黄绿色或淡黄褐色，有纵棱及节；切面皮部薄，木部黄白色至淡黄色，具众多细孔，细孔形成数束，中央有髓。叶多皱缩、破碎，完整叶片展平后呈三角状狭卵形或三角状宽卵形，基部心形，暗绿色或淡黄褐色，基生叶叶脉明显；叶柄细长。质脆，易折断。气清香，味淡。

马兜铃：本品呈卵圆形或长圆形，长 3~6 cm，直径 2 ～ 4 cm，先端圆形而微凹，基部有残留的细果柄，具 6 室，每室具多数种子；表面黄绿色、灰绿色或棕褐色，有纵棱线 12，由棱线分出多数横向平行的细脉纹。果皮轻而脆，易裂为 6 瓣，残留果柄易分裂为 6 条，内表面平滑而带光泽，有较密的横向脉纹。种子扁平而薄，钝三角形，长、宽均约 4 mm，边缘有翅，淡棕色。气特异，味微苦。

| 功能主治 | 青木香：辛、苦，寒；有小毒。归肺、胃、肝经。理气止痛，解毒消肿，平肝降气。用于胸胁、脘腹疼痛，疝气疼，肠炎，下痢腹痛，咳嗽，蛇虫咬伤，痈肿疔疮，湿疹，高血压。

天仙藤：苦，温。归肝、脾、肾经。行气活血，利水消肿。用于脘腹刺痛，关节痹痛。

马兜铃：苦，微寒。归肺、大肠经。清肺降气，止咳平喘，清肠消痔。用于肺热喘咳，痰中带血，肠热痔血，痔疮肿痛。

| 用法用量 | 青木香：内服煎汤，3 ～ 9 g；或研末，1.5 ～ 2 g。外用适量，研末调敷；或磨汁涂。

天仙藤：内服煎汤，3 ～ 6 g。

马兜铃：内服煎汤，3 ～ 9 g。

| 附　　注 | 本种各药材含马兜铃酸，可引起肾脏损害等不良反应，孕妇、婴幼儿及肾功能不全者禁用。

马兜铃科 Aristolochiaceae 马兜铃属 Aristolochia

异叶马兜铃 Aristolochia kaemoferi Willd. f. heterophylla (Hemsl.) S. M. Hwang

| 药 材 名 |

汉中防己（药用部位：根茎。别名：防己）。

| 形态特征 |

木质缠绕藤本，长 2 ~ 3 m。茎多分枝，幼枝密生淡褐色短茸毛，老枝疏生短柔毛，有浅纵沟，芽小，密生褐色柔毛。叶卵圆形或卵状心形，长 3 ~ 8 cm，宽 2 ~ 7 cm，先端钝或短尖，基部心形，两侧耳状下垂，全缘，上面绿色，密被茸毛，下面灰绿色，密被褐色绒毛。花单生叶腋；花梗长 3 ~ 4 cm，中部以下包围一长、宽各约 1 cm 的圆形苞片；花被管烟斗状，黄色，外被细硬毛，内面无毛，中部以上弯曲处膨大，长约 2.5 cm，边缘部灰紫色，3 裂，裂片宽卵形，近平展；雄蕊几无花丝，贴生于花柱体上；花柱肉质，先端 6 裂，子房柱状，密被褐色硬毛。蒴果长圆状圆柱形，长 4 ~ 7 cm，室间开裂；种子三角状卵圆形，腹面具凹沟，脐部有毛。花期 5 ~ 6 月，果期 7 ~ 8 月。

| 生境分布 |

生于山坡灌丛中。分布于湖南湘西州（古丈、永顺、凤凰、保靖）、张家界（桑植）等。

| **资源情况** | 野生资源较少。药材来源于野生。

| **采收加工** | 秋季采挖，洗净，切段，粗者纵切为两半，晒干。

| **药材性状** | 本品根圆柱形，略弯曲，长 4 ~ 15 cm，直径 1.5 ~ 3 cm，栓皮多已除去，呈浅棕黄色，残存的栓皮呈灰褐色。质坚硬，不易折断，断面黄白色，粉性，皮部较厚，木部可见放射状车辐纹，从中央向外 2 歧或 3 歧分叉。气微弱，味苦、涩。

| **功能主治** | 苦、辛，寒。祛风止痛，清热利水。用于风湿关节痛，水肿，小便不利，脚气。

| **用法用量** | 内服煎汤，5 ~ 10 g。

马兜铃科 Aristolochiaceae 马兜铃属 Aristolochia

寻骨风
Aristolochia mollissima Hance

| **药 材 名** | 寻骨风（药用部位：全株）。

| **形态特征** | 木质藤本。根细长，圆柱形。嫩枝密被灰白色长绵毛，老枝无毛。叶纸质，卵形或卵状心形，长 3.5 ~ 10 cm，宽 2.5 ~ 8 cm，先端钝圆至短尖，基部心形，基部两侧裂片广展，全缘，上面被糙伏毛，下面密被灰色或白色长绵毛；叶柄长 2 ~ 5 cm，密被白色长绵毛。花单生于叶腋；花梗长 1.5 ~ 3 cm，直立或近先端向下弯，中部或中部以下有小苞片；花被管中部急遽弯曲，下部长 1 ~ 1.5 cm，直径 3 ~ 6 mm；花药长圆形，成对贴生于合蕊柱近基部，并与其裂片对生；合蕊柱先端 3 裂，裂片先端钝圆，边缘向下延伸，并具乳头状突起。蒴果长圆状或椭圆状倒卵形，直径 1.5 ~ 2 cm，具 6 条呈

波状或扭曲的棱或翅，暗褐色，成熟时自先端向下 6 瓣开裂；种子卵状三角形，长约 4 mm，宽约 3 mm，背面平凸状，具皱纹和隆起的边缘，腹面凹入，中间具膜质种脊。花期 4 ~ 6 月，果期 8 ~ 10 月。

| **生境分布** | 生于海拔 100 ~ 850 m 的山坡、草丛、沟边和路旁等。湖南有广泛分布。

| **资源情况** | 野生资源较丰富。药材来源于野生。

| **采收加工** | 开花前采收，除去杂质，洗净，切段，晒干。

| **药材性状** | 本品根茎细长圆柱形，多分枝，直径多数约 2 mm，少数达 4 mm；表面棕黄色，有纵向纹理，节间长 1 ~ 3 cm；质韧而硬，断面黄白色。茎淡绿色，直径 1 ~ 2 mm，密被白色绵毛。叶皱缩卷曲，灰绿色或黄绿色，展平后呈卵状心形，先端钝圆或短尖，全缘。质脆易碎。气微香，味苦、辛。

| **功能主治** | 辛、苦，平。归肝经。祛风除湿，活血通络，止痛。用于风湿痹痛，肢体麻木，筋骨拘挛，脘腹疼痛，跌打肿痛，外伤出血，乳痈。

| **用法用量** | 内服煎汤，10 ~ 20 g；或浸酒。

宝兴马兜铃
Aristolochia moupinensis Franch.

| 药 材 名 | 淮通（药用部位：茎藤、根。别名：淮木通、通马兜铃、理防己）。

| 形态特征 | 木质藤本，长 3 ~ 4 m 或更长。根长圆柱形，土黄色，有不规则纵裂纹。嫩枝和芽密被黄棕色或灰色长柔毛，老枝无毛。茎有纵棱，老茎基部有纵裂、增厚的木栓层。叶膜质或纸质，卵形或卵状心形。花单生或 2 花聚生于叶腋；花梗长 3 ~ 8 cm，花后常伸长，近基部向下弯垂，密被长柔毛，中部以下具小苞片；小苞片卵形，下面密被长柔毛；花被管中部急遽弯曲而略扁，弯曲处至檐部与下部近等长而稍狭，外面疏被黄棕色长柔毛，内面仅近子房处被微柔毛，其余无毛，具纵脉纹；檐部盘状，近圆形，直径 3 ~ 3.5 cm，内面黄色，有紫红色斑点，边缘绿色，具网状脉纹，边缘 3 浅裂，裂片常稍外翻，先端具凸尖；喉部圆形，稍具领状环，直径约 8 mm；花药长圆形，

成对贴生于合蕊柱近基部，并与其裂片对生；子房圆柱形，具6棱，密被长柔毛；合蕊柱先端3裂，裂片先端有时2裂，常钝圆，边缘向下延伸成皱波状。蒴果长圆形，有6棱，棱通常波状弯曲，成熟时自先端向下6瓣开裂；种子长卵形，背面平凸状，具皱纹及隆起的边缘，腹面凹入，中间具膜质种脊，灰褐色。花期5～6月，果期8～10月。

| **生境分布** | 生于海拔2 000 m的林中、沟边或灌丛。分布于湖南张家界（桑植）等。

| **资源情况** | 野生资源稀少。药材来源于野生。

| **采收加工** | 春、秋季采收，切段或剖开，晒干。

| **功能主治** | 苦、辛，寒。归心、膀胱、小肠经。清热利湿，祛风止痛。用于泻痢腹痛，湿热身肿，小便赤涩，尿血，风湿热痹，痛肿恶疮，湿疹，毒蛇咬伤。

马兜铃科 Aristolochiaceae 马兜铃属 Aristolochia

背蛇生

Aristolochia tuberosa C. F. Liang et S. M. Hwang

| 药 材 名 | 白朱砂莲（药用部位：块根。别名：朱砂莲、一点血、毒蛇药）。

| 形态特征 | 草质藤本，全株无毛。块根呈不规则纺锤形，长达 15 cm 或更长，直径达 8 cm，常 2 ～ 3 相连，表皮有不规则皱纹，内面浅黄色或橙黄色。茎干后有纵槽纹。叶膜质，三角状心形，生于茎下部的叶常较大，上部长渐尖，先端钝，基部心形，两侧裂片圆形，扩展或稍内弯，长 2 ～ 2.5 cm，宽 3 ～ 4 cm，上面绿色，有时有白色斑，下面粉绿色；基出脉 5 ～ 7。花单生、2 ～ 3 聚生或排成短的总状花序，腋生或生于小枝基部已落叶腋部；花梗纤细，长约 1.5 cm，近基部有小苞片；小苞片卵形，长、宽均约 5 mm，稍具柄；花被全长约 3.5 cm，基部膨大成球形，直径约 5 mm，向上急遽收狭成 1 长管，管口扩大成漏斗状，檐部一侧极短，向下翻或有时稍 2 裂，另一侧延伸成舌

片；舌片长圆形，长约 2 cm，宽约 4 mm，先端钝或具小凸尖，黄绿色或暗紫色，具 5 脉；花药卵形，贴生于合蕊柱近基部，并单个与其裂片对生；子房圆柱形，长 1 ~ 1.2 cm，具 6 棱；合蕊柱先端 6 裂，裂片基部向下延伸成波状圆环。蒴果倒卵形，长约 3 cm，直径约 2.5 cm，具 6 棱，基部常下延；果柄长 4 ~ 5 cm，下垂；种子卵形，长约 4 mm，宽约 3 mm，背面平凸状，密被小疣点，腹面凹入。花期 11 月至翌年 4 月，果期翌年 6 ~ 10 月。

| **生境分布** | 生于海拔 150 ~ 1 600 m 的石灰岩山上或山沟两旁灌丛中。分布于湖南邵阳（新宁）等。

| **资源情况** | 野生资源稀少。药材来源于野生。

| **采收加工** | 春初新芽发出前或秋后茎叶枯萎后采挖，除去残茎及细根，洗净，蒸透心，晒干、烘干或鲜用。

| **功能主治** | 苦、辛，寒。归心、肺、肝经。清热解毒，理气止痛。用于湿热痢疾，泄泻，脘腹疼痛，咽喉肿痛，肺结核，毒蛇咬伤，痈肿。

| **用法用量** | 内服煎汤，1.5 ~ 3 g，鲜品用量酌加；或研末，每次 0.5 ~ 1 g，每日 2 次。外用适量，磨粉，酒或醋调涂。

马兜铃科 Aristolochiaceae 马兜铃属 *Aristolochia*

管花马兜铃 *Aristolochia tubiflora* Dunn

药材名

鼻血雷（药用部位：全草或根）。

形态特征

草质藤本。根圆柱形，细长，黄褐色，内面白色。茎无毛。叶纸质或近膜质，卵状心形或卵状三角形，长 3 ~ 15 cm，宽 3 ~ 16 cm，先端钝而具凸尖，基部浅心形至深心形，两侧裂片下垂，广展或内弯，弯缺通常深 2 ~ 4 cm，全缘，通常两面无毛，有时下面有短柔毛或粗糙，常密布小油点；基出脉 7，叶脉干后常呈红色；叶柄长 2 ~ 10 cm，柔弱。花单生或 2 花聚生于叶腋；花梗纤细，长 1 ~ 2 cm，基部有小苞片；花被全长 3 ~ 4 cm，直径约 5 mm，向上急遽收狭成一长管，宽 2 ~ 4 mm，管口扩大，呈漏斗状；花药卵形，贴生于合蕊柱近基部，并单个与其裂片对生。蒴果长圆形，长约 2.5 cm，直径约 1.5 cm，6 棱，成熟时呈黄褐色，由基部向上 6 瓣开裂；果柄常随果实开裂成 6 条；种子卵形或卵状三角形，长约 4 mm，宽约 3.5 mm，背面凸起，具疣状凸起小点，腹面凹入，中间具种脊，褐色。花期 4 ~ 8 月，果期 10 ~ 12 月。

| **生境分布** | 生于海拔 100 ～ 1 700 m 的林下阴湿处。分布于湖南株洲（攸县）、邵阳（武冈）、永州（蓝山）、湘西州（泸溪、龙山）、张家界（慈利）、郴州（桂东、安仁）等。 |

| **资源情况** | 野生资源一般。药材来源于野生。 |

| **采收加工** | 冬季采收，洗净，切段，晒干或鲜用。 |

| **药材性状** | 本品根圆柱形，常弯曲，直径 1 ～ 5 mm，有须根。表面灰色或灰棕色，弯曲处皮部常半裂或环裂并裸露出木部。质硬脆，易折断，断面不整齐，横切面皮部灰白色，木部淡黄色。气香，味苦。 |

| **功能主治** | 辛、苦，寒。归心、胃经。清热解毒，行气止痛。用于疮疡疔肿，毒蛇咬伤，胃脘疼痛，肠炎，痢疾，腹泻，风湿关节痛，痛经，跌打损伤。 |

| **用法用量** | 内服煎汤，3 ～ 6 g；或研末，1.5 ～ 3 g。外用适量，鲜品捣敷。 |

马兜铃科 Aristolochiaceae 细辛属 Asarum

尾花细辛

Asarum caudigerum Hance

| 药 材 名 | 土细辛（药用部位：全草。别名：杜细辛）。

| 形态特征 | 多年生草本，全株散生柔毛。根茎粗壮，节间短或较长，有多条纤维根。叶片阔卵形、三角状卵形或卵状心形，长 4 ～ 10 cm，宽 3.5 ～ 10 cm，先端急尖至长渐尖，基部耳状或心形，叶面深绿色，脉两旁偶有白色云斑，疏被长柔毛，叶背浅绿色，稀稍带红色，被较密的毛；叶柄长 5 ～ 20 cm，有毛；芽苞叶卵形或卵状披针形，长 8 ～ 13 cm，宽 4 ～ 6 mm，背面和边缘密生柔毛。花被绿色，被紫红色圆点状短毛丛；花梗长 1 ～ 2 cm，有柔毛；花被裂片直立，下部靠合如管，直径 8 ～ 10 mm，喉部稍缢缩，内壁有柔毛和纵纹，花被裂片上部卵状长圆形，先端骤窄成细长尾尖，尾长可达 1.2 cm，

外面被柔毛；雄蕊比花柱长，花丝比花药长，药隔伸出，锥尖或舌状；子房下位，具 6 棱，花柱合生，先端 6 裂，柱头顶生。果实近球状，直径约 1.8 cm，具宿存花被。花期 4 ～ 5 月。

| 生境分布 | 生于海拔 350 ～ 1 660 m 的林下、溪边和路旁阴湿地。湖南有广泛分布。

| 资源情况 | 野生资源较丰富。药材来源于野生。

| 采收加工 | 夏、秋季挖取带根全草，除去泥土，摊放于通风处阴干。

| 功能主治 | 辛，温。归心、肺、肾经。祛风散寒，止痛，温肺化饮。用于风寒感冒，头痛，牙痛，风湿痹痛，痰饮喘咳。

| 用法用量 | 内服煎汤，1 ～ 3 g。外用适量，研末或煎汤含漱。

马兜铃科 Aristolochiaceae 细辛属 Asarum

川北细辛

Asarum chinense Franch.

| 药 材 名 | 土细辛（药用部位：全草。别名：杜细辛）。

| 形态特征 | 多年生草本。根茎细长横走，直径约 1 mm，节间长约 2 cm，根通常细长。叶片椭圆形或卵形，稀心形，长 3 ~ 7 cm，宽 2.5 ~ 6 cm，先端渐尖，基部耳状心形，两侧裂片长 1.5 ~ 2 cm，宽 1.5 ~ 2.5 cm，叶面绿色，或叶脉周围白色，形成白色网纹，稀中脉两旁有白色云斑，疏被短毛，叶背浅绿色或紫红色；叶柄长 5 ~ 15 cm；芽苞叶卵形，长 10 ~ 15 mm，宽约 8 mm，边缘有睫毛。花紫色或紫绿色；花梗长约 1.5 cm；花被管球状或卵球状，长约 8 mm，直径约 1 cm，喉部溢缩并逐渐扩展成一短颈，膜环宽约 1 mm，内壁有格状网眼，有时横向折皱不明显，花被裂片宽卵形，长、宽均约 1 cm，

基部密生的细乳突排列成半圆形；花丝极短，药隔不伸出或稍伸出；子房近上位或半下位，花柱离生，柱头着生于花柱先端，稀先端浅内凹，柱头近侧生。花期 4 ～ 5 月。

| 生境分布 | 生于海拔 1 300 ～ 1 500 m 的林下或山谷阴湿地。分布于湖南张家界（桑植）、怀化（沅陵）等。

| 资源情况 | 野生资源稀少。药材来源于野生。

| 功能主治 | 辛，温。归心、肺、肾经。祛风散寒，止痛，温肺化饮。用于风寒感冒，头痛，牙痛，风湿痹痛，痰饮喘咳。

| 用法用量 | 内服煎汤，1 ～ 3 g。外用适量，研末或煎汤嗽口。

马兜铃科 Aristolochiaceae 细辛属 *Asarum*

铜钱细辛

Asarum debile Franch.

| 药 材 名 | 铜钱细辛（药用部位：全草。别名：杂细辛、胡椒七、小铜钱乌金）。

| 形态特征 | 多年生草本，植株通常矮小，高 10 ~ 15 cm。根茎横走，直径 1 ~ 2 mm；根纤维状。叶 2 对生于枝顶，叶片心形，长 2.5 ~ 4 cm，宽 3 ~ 6 cm，先端急尖或钝，基部心形，两侧裂片长 7 ~ 20 mm，宽 10 ~ 25 mm，先端圆形，叶缘在中部常内弯，叶面深绿色，散生柔毛，脉上较密，叶背浅绿色，光滑或脉上有毛；叶柄长 5 ~ 12 cm；芽苞叶卵形，长约 10 mm，宽约 7 mm，边缘密生睫毛。花紫色；花梗长 1 ~ 1.5 cm，无毛；花被在子房以上合生成短管，直径约 8 mm，裂片宽卵形，被长柔毛，长约 10 mm，宽 8 mm，先端渐窄，有时成长约 1 mm 的短尖头；雄蕊 12，稀较少，与花柱近等长，花丝比花药长约 1.5 倍，药隔通常不伸出，稀略伸出；子房下位，近

球状，具 6 棱，初有柔毛，后逐渐脱落，花柱合生，先端辐射为 6 裂，柱头顶生。花期 5 ～ 6 月。

| 生境分布 | 生于海拔 1 300 ～ 1 800 m 的林下石缝或溪边湿地上。分布于湖南张家界（桑植）等。

| 资源情况 | 野生资源稀少。药材来源于野生。

| 采收加工 | 5 ～ 8 月挖取全草，洗净，置通风处阴干。

| 药材性状 | 本品根茎棕黄色，直径 1 ～ 2 mm，节间长 0.5 ～ 1.7 cm，可至 2.5 cm；断面类正方形，形成层环棕褐色。根纤细。叶片较小，展平后呈心形，长 2.5 ～ 4 cm，宽 3 ～ 6 cm，先端急尖或钝，基部心形，叶缘有睫毛，上面散生白色柔毛，脉上毛密；叶柄长 5 ～ 12 cm。气芳香，味辛辣。

| 功能主治 | 辛、苦，温。归肺、肾经。发表散寒，温肺化痰，行气止痛，祛风除湿。用于风寒感冒，肺寒喘咳，风寒湿痹，脘腹疼痛，鼻窦炎，龋齿痛。

| 用法用量 | 内服煎汤，2 ～ 6 g；或研末，开水送服，每次 0.5 ～ 1.5 g。

马兜铃科 Aristolochiaceae 细辛属 Asarum

杜衡

Asarum forbesii Maxim.

| 药 材 名 | 土细辛（药用部位：全草。别名：杜细辛）。

| 形态特征 | 多年生草本。根茎短，根丛生，稍肉质，直径 1 ~ 2 mm。叶片阔心形至肾心形，长和宽均为 3 ~ 8 cm，先端钝或圆，基部心形，两侧裂片长 1 ~ 3 cm，宽 1.5 ~ 3.5 cm，叶面深绿色，中脉两旁有白色云斑，脉上及近边缘处有短毛，叶背浅绿色；叶柄长 3 ~ 15 cm；芽苞叶肾心形或倒卵形，长和宽均约 1 cm，边缘有睫毛。花暗紫色；花梗长 1 ~ 2 cm；花被管钟状或圆筒状，长 1 ~ 1.5 cm，直径 8 ~ 10 mm，喉部不缢缩，喉孔直径 4 ~ 6 mm，膜环极窄，宽不足 1 mm，内壁具明显格状网眼，花被裂片直立，卵形，长 5 ~ 7 mm，宽和长近相等，平滑，无乳突折皱；药隔稍伸出；子房半下位，花

柱离生，先端 2 浅裂，柱头卵状，侧生。花期 4 ～ 5 月。

| **生境分布** | 生于海拔低于 800 m 的林下、沟边阴湿地。分布于湘东。

| **资源情况** | 野生资源较少。药材来源于野生。

| **采收加工** | 夏、秋季挖取带根全草，除去泥土，摊放于通风处阴干。

| **功能主治** | 辛，温。归心、肺、肾经。祛风散寒，止痛，温肺化饮。用于风寒感冒，头痛，牙痛，风湿痹痛，痰饮喘咳。

| **用法用量** | 内服煎汤，3 ～ 6 g；或研末，1.5 ～ 3 g。外用适量，鲜品捣敷。

马兜铃科 Aristolochiaceae 细辛属 *Asarum*

小叶马蹄香 *Asarum ichangense* C. Y. Cheng et C. S. Yang

| 药 材 名 | 土细辛（药用部位：全草。别名：杜细辛、马蹄香）。

| 形态特征 | 多年生草本。根茎短，根稍肉质，直径 1 ~ 2 mm。叶心形或卵心形，稀近戟形，长 3 ~ 6 cm，宽 3.5 ~ 7.5 cm，先端急尖或钝，基部心形，两侧裂片长 2 ~ 4 cm，宽 2.5 ~ 6 cm，叶面通常深绿色，有时中脉两旁有白色云斑，脉上或近边缘处有短毛，叶背浅绿色，或初呈紫色而逐渐消退，无毛；叶柄长 3 ~ 15 cm；芽苞叶卵形或长卵形，长约 10 mm，宽 7 mm，边缘有睫毛。花紫色；花梗长约 1 cm，有时向下弯垂；花被管球状，直径约 1 cm，喉部缢缩，膜环宽约 1 mm，内壁有格状网眼，花被裂片三角状卵形，长 1 ~ 1.4 cm，宽 8 ~ 10 mm，基部有乳突折皱；药隔伸出，圆形，中央微内凹；

子房近上位，花柱 6，柱头卵状，顶生。花期 4 ～ 5 月。

| **生境分布** | 生于海拔 330 ～ 1 400 m 的林下草丛或溪旁阴湿地。湖南有广泛分布。

| **资源情况** | 野生资源较丰富。药材来源于野生。

| **采收加工** | 夏、秋季挖取带根全草，除去泥土，摊放于通风处阴干。

| **功能主治** | 辛，温。归心、肺、肾经。祛风散寒，止痛，温肺化饮。用于风寒感冒，头痛，牙痛，风湿痹痛，痰饮喘咳。

| **用法用量** | 内服煎汤，1 ～ 3 g。外用适量，研末或煎汤含漱。

马兜铃科 Aristolochiaceae 细辛属 Asarum

金耳环 Asarum insigne Diels

| **药 材 名** | 金耳环（药用部位：全草。别名：土细辛、一块瓦、大叶细辛）。

| **形态特征** | 多年生草本。根茎粗短，根丛生，稍肉质，直径 2 ~ 3 mm，有浓烈的麻辣味。叶片长卵形、卵形或三角状卵形，长 10 ~ 15 cm，宽 6 ~ 11 cm，先端急尖或渐尖，基部耳状深裂，两侧裂片长约 4 cm，宽 4 ~ 6 cm，通常外展，叶面中脉两旁有白色云斑，偶无，具疏生短毛，叶背可见细小颗粒状油点，脉上和叶缘有柔毛；叶柄长 10 ~ 20 cm，有柔毛；芽苞叶窄卵形，长 1.5 ~ 3.5 cm，宽 1 ~ 1.5 cm，先端渐尖，边缘有睫毛。花紫色，直径 3.5 ~ 5.5 cm，花梗长 2 ~ 9.5 cm，常弯曲；花被管钟状，长 1.5 ~ 2.5 cm，直径约 1.5 cm，中部以上扩展成一环突，然后缢缩，喉孔窄三角形，无膜环，花被

裂片宽卵形至肾状卵形，长 1.5 ~ 2.5 cm，宽 2 ~ 3.5 cm，中部至基部有一半圆形垫状斑块，斑块直径约 1 cm，白色；药隔伸出，锥状或宽舌状，或中央稍下凹；子房下位，外有 6 棱，花柱 6，先端 2 裂，裂片长约 1 mm；柱头侧生。花期 3 ~ 4 月。

| 生境分布 | 生于海拔 450 ~ 700 m 的林下阴湿地或土石山坡上。分布于湖南湘西州（永顺）、邵阳（洞口）、长沙（浏阳）等。

| 资源情况 | 野生资源稀少。药材来源于野生。

| 采收加工 | 夏、秋季连根采挖，除去泥土，阴干或鲜用。

| 药材性状 | 本品根茎粗短。根丛生，直径 2 ~ 3 mm，灰黄色。叶展平后呈长卵形、卵形或三角状卵形，长 10 ~ 15 cm，宽 6 ~ 11 cm，先端急尖或渐尖，上面中脉两侧有白色云斑，脉上及边缘有柔毛，下面在放大镜下可见颗粒状油点；叶柄有柔毛。可见花，紫褐色，较大，花被管钟状，喉部无膜环。气辛香，有浓烈麻辣味。

| 功能主治 | 辛、微苦，温；有小毒。归肺、心、肾经。温经散寒，祛痰止咳，散瘀消肿，行气止痛。用于风寒咳嗽，风寒感冒，慢性支气管炎，哮喘，慢性胃炎，风寒痹痛，龋齿痛，跌打损伤，毒蛇咬伤。

| 用法用量 | 内服煎汤，1.5 ~ 3 g；或入丸、散剂。外用适量，鲜品捣敷；干全草研末吹鼻；或研末撒敷；或酒调搽。

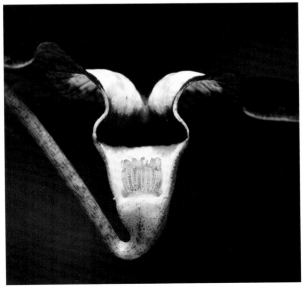

马兜铃科 Aristolochiaceae 细辛属 Asarum

祁阳细辛

Asarum magnificum Tsiang ex C. Y. Cheng et C. S. Yang

| 药 材 名 | 大细辛（药用部位：全草。别名：马蹄细辛）。

| 形态特征 | 多年生草本。根茎极短，根丛生，稍肉质，直径2～4 mm。叶片近革质，三角状阔卵形或卵状椭圆形，长6～13 cm，宽5～12 cm，先端急尖，基部心状耳形，两侧裂片长2～5 cm，宽2.5～6 cm，外展，叶面中脉被短毛，两侧有白色云斑，叶背无毛，网脉不明显；叶柄长6～16 cm；芽苞叶卵形，长约15 mm，宽约7 mm，边缘密生睫毛。花绿紫色；花梗长约1.5 cm；花被管漏斗状，长3～5 cm，直径1.5 cm，喉部不缢缩，花被管较短小，长约1 cm，直径约8 mm，乳突细而稀疏，先端及边缘紫绿色，中部以下紫色，基部有三角形乳突区，乳突扁平，向下延伸至管部而成疏离的纵列，至花被管基部

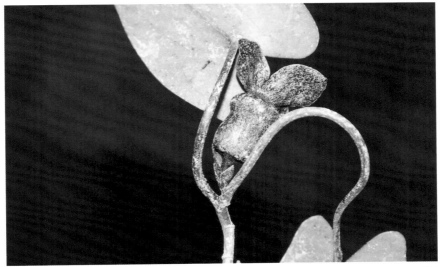

成纵行脊状折皱；药隔锥尖；子房下位，花柱离生，先端 2 裂，柱头侧生。花期 3 ~ 5 月。

| **生境分布** | 生于海拔 300 ~ 700 m 的林下阴湿处。分布于湖南衡阳（衡阳）、常德（桃源）、永州（祁阳）、怀化（靖州）、湘西州（花垣）等。

| **资源情况** | 野生资源一般。药材来源于野生。

| **采收加工** | 春、夏季采收，洗净，晒干。

| **药材性状** | 本品根茎极短，节间长 1.5 ~ 7 mm，最长可达 1.5 cm。根丛生，直径 2 ~ 4 mm；表面灰黄色，断面黄白色。叶片近革质，有光泽，展平后呈三角状阔卵形或卵状椭圆形，长 6 ~ 13 cm，宽 5 ~ 12 cm，先端急尖，上面中脉两侧可见白色云斑。气芳香，味辛辣，略麻舌。

| **功能主治** | 辛，温。归肺、脾、肝经。祛风散寒，止咳祛痰，活血解毒，止痛。用于风寒感冒，咳喘，牙痛，中暑腹痛，肠炎，痢疾，风湿关节痛，跌打损伤，痈疮肿毒，蛇咬伤。

| **用法用量** | 内服煎汤，3 ~ 6 g；或研末，每次 1 g。

马兜铃科 Aristolochiaceae 细辛属 Asarum

鼎湖细辛

Asarum magnificum Tsiang ex C. Y. Cheng et C. S. Yang var. *dinghuense* C. Y. Cheng et C. S. Yang

| 药 材 名 | 大细辛（药用部位：全草。别名：马蹄细辛）。

| 形态特征 | 多年生草本。根茎极短，根丛生，稍肉质，直径 2 ~ 4 mm。叶片近革质，通常为椭圆状卵形，叶面无云斑，疏被短毛，叶背在放大镜下可见颗粒状油点，长 6 ~ 13 cm，宽 5 ~ 12 cm，先端急尖，基部心状耳形，两侧裂片长 2 ~ 5 cm，宽 2.5 ~ 6 cm，外展；叶柄长 6 ~ 16 cm；芽苞叶卵形，长约 15 mm，宽约 7 mm，边缘密生睫毛。花绿紫色；花梗长约 1.5 cm；花被管漏斗状，长 3 ~ 5 cm，直径 1.5 cm，喉部不缢缩，花被裂片三角状卵形，长约 3 cm，宽 2.5 ~ 3 cm，先端及边缘紫绿色，中部以下紫色，基部有三角形乳突区，乳突扁平，向下延伸至管部成疏离的纵列，至花被管基部成纵行脊状折皱；

药隔锥尖；子房下位，花柱离生，先端 2 裂，柱头侧生。花期 3 ~ 5 月。

| **生境分布** | 生于海拔 300 ~ 700 m 的灌丛下阴湿处。分布于湖南郴州（汝城）等。

| **资源情况** | 野生资源稀少。药材来源于野生。

| **采收加工** | 春、夏季采收，洗净，晒干。

| **功能主治** | 祛风散寒，止咳祛痰，活血解毒，止痛。用于风寒感冒，咳喘，牙痛，中暑腹痛，肠炎，痢疾，风湿关节痛，跌打损伤，痈疮肿毒，蛇咬伤。

| **用法用量** | 内服煎汤，3 ~ 6 g；或研末，每次 1 g。

| **附　　注** | 本种与祁阳细辛 *Asarum magnificum* Tsiang ex C. Y. Cheng et C. S. Yang 的区别在于本种叶片通常为椭圆状卵形，叶面无云斑，疏被短毛，叶背在放大镜下可见颗粒状油点。

马兜铃科 Aristolochiaceae 细辛属 Asarum

大叶马蹄香 Asarum maximum Hemsl.

| 药 材 名 | 大细辛（药用部位：全草。别名：马蹄细辛）。

| 形态特征 | 多年生草本，植株粗壮。根茎匍匐，长可达 7 cm，直径 2 ~ 3 mm，根稍肉质，直径 2 ~ 3 mm。叶片长卵形、阔卵形或近戟形，长 6 ~ 13 cm，宽 7 ~ 15 cm，先端急尖，基部心形，两侧裂片长 3 ~ 7 cm，宽 3.5 ~ 6 cm，叶面深绿色，偶有白色云斑，脉上和近边缘处有短毛，叶背浅绿色；叶柄长 10 ~ 23 cm；芽苞叶卵形，长约 18 mm，宽约 7 mm，边缘密生睫毛。花紫黑色，直径 4 ~ 6 cm；花梗长 1 ~ 5 cm；花被管钟状，长约 2.5 cm，直径 1.5 ~ 2 cm，在与花柱等高处向外膨胀形成一带状环突，喉部不缢缩或稍缢缩，喉孔直径约 1 cm，无膜环或仅有横向间断的膜环状折皱，内壁具纵行脊

状折皱，花被裂片宽卵形，长 2 ~ 4 cm，宽 2 ~ 3 cm，中部以下有半圆状污白色斑块，斑块干后呈淡棕色，向下具有数行横列的乳突状折皱；药隔伸出，钝尖；子房半下位，花柱 6，先端 2 裂，柱头侧生。花期 4 ~ 5 月。

| **生境分布** | 生于海拔 600 ~ 800 m 的林下腐殖质土中。分布于湖南常德（石门）、怀化（沅陵）等。

| **资源情况** | 野生资源稀少。药材来源于野生。

| **采收加工** | 春、夏季采收，洗净，晒干。

| **药材性状** | 根茎长约 7 cm，直径 2 ~ 3 mm，其上有多个碗状叶柄痕。根粗壮，丛生。叶片展开后呈长卵形、阔卵形或近戟形，长 6 ~ 13 cm，宽 7 ~ 15 cm，先端急尖，基部心形，叶面偶有白色云斑，脉上和近边缘处有短毛。气芳香，味辛辣，略麻舌。

| **功能主治** | 辛，温。归肺、脾、肝经。祛风散寒，止咳祛痰，活血解毒，止痛。用于风寒感冒，咳喘，牙痛，中暑腹痛，肠炎，痢疾，风湿关节痛，跌打损伤，痈疮肿毒，蛇咬伤。

| **用法用量** | 内服煎汤，3 ~ 6 g；或研末，每次 1 g。

马兜铃科 Aristolochiaceae 细辛属 *Asarum*

长毛细辛
Asarum pulchellum Hemsl.

| 药 材 名 | 大乌金草（药用部位：全草或根及根茎）。

| 形态特征 | 多年生草本，全株密生白色长柔毛（干后毛变为黑棕色）。根茎长可达 50 cm，斜升或横走，地上茎长 3 ~ 7 cm，多分枝。叶对生，1 ~ 2 对，叶片卵状心形或阔卵形，长 5 ~ 8 cm，宽 5 ~ 9.5 cm，先端急尖或渐尖，基部心形，两侧裂片长 1 ~ 2.5 cm，宽 2 ~ 3 cm，先端圆形，两面密生长柔毛；叶柄长 10 ~ 22 cm，有长柔毛；芽苞叶卵形，长 1.5 ~ 2 cm，宽约 1 cm，叶背及边缘密生长柔毛。花紫绿色；花梗长 1 ~ 2.5 cm，被毛；花被裂片卵形，长约 10 mm，宽约 7 mm，外面被柔毛，紫色，先端黄白色，上部反折；雄蕊与花柱近等长，花丝比花药约长 2 倍，药隔短舌状；子房半下位，具 6 棱，

被柔毛；花柱合生，先端辐射 6 裂，柱头顶生。果实近球状，直径约 1.5 cm。花期 4 ~ 5 月。

| **生境分布** | 生于海拔 700 ~ 1 700 m 的林下腐殖质土中。湖南湘西州（古丈、凤凰、保靖）等。

| **资源情况** | 野生资源稀少。药材来源于野生。

| **采收加工** | 6 ~ 8 月采收，置通风处阴干。

| **药材性状** | 本品根茎不规则圆柱状，长约 50 cm，直径约 3 mm，多分枝，灰棕色，有扭曲的细皱纹，节间长 0.5 ~ 2 cm，断面黄白色，有多条纤维根。叶片展开后呈卵状心形或圆卵形，长 5 ~ 8 cm，宽 5 ~ 9.5 cm，先端急尖或渐尖，基部心形，两面有密毛；叶柄长 10 ~ 20 cm，有毛。花紫褐色。

| **功能主治** | 温肺祛痰，祛风除湿，理气止痛。用于风寒咳嗽，风湿关节痛，胃痛，腹痛，牙痛。

| **用法用量** | 内服煎汤，1 ~ 5 g。

马兜铃科 Aristolochiaceae 细辛属 Asarum

华细辛

Asarum sieboldii Miq.

| 药 材 名 | 细辛（药用部位：根及根茎）。

| 形态特征 | 多年生草本。根茎直立或横走，直径 2 ~ 3 mm，节间长 1 ~ 2 cm，有多条须根。叶通常 2，叶片心形或卵状心形，长 4 ~ 11 cm，宽 4.5 ~ 13.5 cm，先端渐尖或急尖，基部深心形，两侧裂片长 1.5 ~ 4 cm，宽 2 ~ 5.5 cm，先端圆形，叶面疏生短毛，脉上毛较密，背面仅脉上被毛；叶柄长 8 ~ 18 cm，被疏毛；芽苞叶肾圆形，长、宽均约 13 mm，边缘疏被柔毛。花紫黑色；花梗长 2 ~ 4 cm；花被管钟状，直径 1 ~ 1.5 cm，内壁有疏离纵行脊皱；花被裂片三角状卵形，长约 7 mm，宽约 10 mm，直立或近平展；雄蕊着生于子房中部，花丝与花药近等长或稍长于花药，药隔突出，短锥形；子房半下位或

几近上位，球状，花柱6，较短，先端2裂，柱头侧生。果实近球状，直径约1.5 cm，棕黄色。花期4～5月。

| **生境分布** | 生于海拔1 200～2 000 m的林下及阴湿腐殖土中。分布于衡阳（衡山）、邵阳（武冈）、张家界（桑植）、永州（东安）、益阳（安化）等。

| **资源情况** | 野生资源稀少。药材来源于野生。

| **功能主治** | 辛，温。解表散寒，祛风止痛，通窍，温肺化饮。用于风寒感冒，头痛，牙痛，鼻塞流涕，鼻衄，鼻渊，风湿痹痛，痰饮喘咳。

| **用法用量** | 内服煎汤，1～3 g；或入散剂，0.5～1 g。外用适量。

马兜铃科 Aristolochiaceae 细辛属 Asarum

五岭细辛

Asarum wulingense C. F. Liang

| 药 材 名 | 土细辛（药用部位：全草或根茎。别名：杜细辛、倒插花）。

| 形态特征 | 多年生草本。根茎短，根丛生，稍肉质，较粗壮，直径 2.5 ～ 3 mm。叶片长卵形或卵状椭圆形，稀三角状卵形，长 7 ～ 17 cm，宽 5 ～ 9 cm，先端急尖至短渐尖，基部耳形或耳状心形，两侧裂片长 2 ～ 5 cm，宽 1.5 ～ 4 cm，叶面绿色，偶有白色云斑，无毛或侧脉和近叶缘处被短毛，叶背密被棕黄色柔毛；叶柄长 7 ～ 18 cm，被短柔毛；芽苞叶卵形，长约 12 mm，宽约 8 mm，上面无毛，下面有毛，边缘密生睫毛。花绿紫色；花梗长约 2 cm，常向下弯垂，被黄色柔毛；花被管圆筒状，长约 2.5 cm，直径约 1.2 cm，基部常稍窄缩，外面被黄色柔毛，喉部缢缩或稍缢缩，膜环宽约 1 mm，内壁

有纵行脊皱；花被裂片三角状卵形，长、宽各约 1.5 cm，基部有乳突折皱区；药隔伸出，舌状；子房下位，花柱离生，先端 2 叉分裂，柱头侧生。花期 12 月至翌年 4 月。

| 生境分布 | 生于海拔 1 100 m 的林下阴湿地。湖南株洲（攸县）、郴州（桂阳、汝城）、永州（蓝山）、湘西州（保靖）、长沙（浏阳）等。

| 资源情况 | 野生资源较少。药材来源于野生。

| 采收加工 | 夏、秋季采收，除去泥土，摊放于通风处阴干。

| 药材性状 | 根茎短，节间长 0.2 ~ 1.0 cm，直径 2 ~ 4 mm。根丛生，直径约 3 mm，灰黄色，表面和断面光滑。气芳香，味辛辣。

| 功能主治 | 辛，温。归心、肺、肾经。温经散寒，止咳化痰，消肿止痛。用于胃痛，咳喘，跌打损伤，烫伤，蛇咬伤，牙痛。

| 用法用量 | 内服煎汤，1 ~ 3 g。外用适量，研末或煎汤含漱。

獭猴桃科 Actinidiaceae 獭猴桃属 Actinidia

紫果猕猴桃
Actinidia arguta (Sieb. et Zucc.) Planch. ex Miq. var. *purpurea* (Rehd.) C. F. Liang

| 药 材 名 | 小羊桃（药用部位：根、果实。别名：牛奶果、牛奶子）。

| 形态特征 | 叶纸质，卵形或长方椭圆形，长 8 ~ 12 cm，宽 4.5 ~ 8 cm，先端急尖，基部圆形、阔楔形、平截至微心形，两侧常不对称，边缘锯齿浅且圆，齿尖常内弯，除背面脉腋上有少量髯毛外，余处无毛。花淡绿色；花药黑色。果实成熟时呈紫红色，柱状卵珠形，长 2 ~ 3.5 cm，先端有喙，萼片早落。

| 生境分布 | 生于海拔 700 ~ 2 000 m 的山林中、溪旁或湿润处。分布于湖南湘西州（永顺）等。

| 资源情况 | 野生资源稀少。药材来源于野生。

| 采收加工 | 秋季采收，晒干或鲜用。 |

| 药材性状 | 本品浆果柱状卵圆形，长 2 ~ 3.5 cm，表面皱缩，紫红色，先端有喙，萼片早落。气微，味酸、涩。 |

| 功能主治 | 清热利湿，补虚益损。用于风湿关节痛，慢性肝炎，吐血，月经不调。 |

| 用法用量 | 内服煎汤，15 ~ 30 g。 |

猕猴桃科 Actinidiaceae 猕猴桃属 Actinidia

软枣猕猴桃 *Actinidia arguta* (Sieb. et Zucc.) Planch. ex Miq.

| 药 材 名 |

软枣子（药用部位：果实。别名：猕猴梨）、猕猴梨根（药用部位：根）、猕猴梨叶（药用部位：叶）。

| 形态特征 |

大型落叶藤本。小枝基本无毛或幼嫩时星散地薄被柔软绒毛或茸毛，长 7 ~ 15 cm，隔年枝灰褐色，直径约 4 mm，洁净无毛，部分表皮呈污灰色皮屑状，皮孔长圆形至短条形，不显著，髓白色至淡褐色，片层状。叶膜质或纸质，卵形、长圆形、阔卵形至近圆形，长 6 ~ 12 cm，宽 5 ~ 10 cm，先端急短尖，基部圆形至浅心形，等侧或稍不等侧，边缘具繁密的锐锯齿，腹面深绿色，无毛，背面绿色，侧脉腋上有髯毛或连中脉和侧脉下段的两侧沿生小量卷曲柔毛，稀被大量卷曲柔毛，横脉和网状小脉细，不发达，可见或不可见，侧脉稀疏，6 ~ 7 对，分叉或不分叉。花序腋生或腋外生，1 ~ 2 回分枝，1 ~ 7 花，或厚或薄地被淡褐色短绒毛，花序梗长 7 ~ 10 mm，花梗长 8 ~ 14 mm；苞片线形，长 1 ~ 4 mm；子房瓶状，长 6 ~ 7 mm，洁净无毛，花柱长 3.5 ~ 4 mm。果实圆球形至柱状长圆形，长 2 ~ 3 cm，有喙，无毛，无斑点，不具宿存萼片，成熟时呈绿黄色或紫红色；种子纵径约2.5 mm。

| 生境分布 | 生于海拔 1 900 m 的山地灌丛或林中。分布于湖南张家界（武陵源）、郴州（临武）、永州（蓝山）、怀化（麻阳）、岳阳（平江）等。

| 资源情况 | 野生资源较少。药材来源于野生。

| 采收加工 | **软枣子：**秋季果实成熟时采摘，晒干或鲜用。
猕猴梨根：秋、冬季采挖，洗净，切片，晒干。
猕猴梨叶：夏、秋季采摘，晒干。

| 药材性状 | **软枣子：**本品浆果圆球形、椭圆形或柱状长圆形，长 2 ~ 3 cm，直径 1.5 ~ 2.5 cm，表面皱缩，暗褐色或紫红色，光滑或有浅棱，先端有喙，果肉淡黄色；基部果柄长 1 ~ 1.5 cm；种子细小，椭圆形，长 2.5 mm。气微，味酸、甘、微涩。

| 功能主治 | **软枣子：**甘、微酸，寒。滋阴清热，除烦止渴，通淋。用于热病津伤或阴血不足，烦渴引饮，砂淋，石淋，维生素 C 缺乏症，牙龈出血，肝炎。

猕猴梨根：淡、微涩，平。清热利湿，祛风除痹，解毒消肿，止血。用于黄疸，消化不良，呕吐，风湿痹痛，消化道恶性肿瘤，痈疽疮疖，跌打损伤，外伤出血，乳汁不下。

猕猴梨叶：止血。用于外伤出血。

| 用法用量 | **软枣子：**内服煎汤，3 ~ 15 g。
猕猴梨根：内服煎汤，15 ~ 60 g；或捣汁饮。
猕猴梨叶：外用适量，焙干，研末，撒敷。

猕猴桃科 Actinidiaceae 猕猴桃属 Actinidia

异色猕猴桃 *Actinidia callosa* Lindl. var. *discolor* C. F. Liang

| 药 材 名 | 异色猕猴桃（药用部位：根、果实）。

| 形态特征 | 小枝坚硬，干后呈灰黄色，洁净无毛。叶坚纸质，干后腹面呈褐黑色，背面呈灰黄色，椭圆形、矩状椭圆形至倒卵形，长 6 ~ 12 cm，宽 3.5 ~ 6 cm，先端急尖，基部阔楔形或钝形，边缘有粗钝或波状锯齿，通常上端的锯齿更粗大，叶两面洁净无毛，脉腋也无髯毛，叶脉发达，中脉和侧脉背面明显隆起，呈圆线形；叶柄长 2 ~ 3 cm，无毛。花序和萼片两面均无毛。果实较小，卵珠形或近球形，长 1.5 ~ 2 cm。

| 生境分布 | 生于海拔 1 000 m 以下的山林中、溪旁或湿润处。分布于湖南株洲（攸县、茶陵）、邵阳（洞口、绥宁）、常德（桃源）、永州（江永）、

怀化（会同、洪江）等。

| **资源情况** | 野生资源稀少。药材来源于野生。

| **采收加工** | 秋季采收，晒干或鲜用。

| **功能主治** | 清热利湿，补虚益损。用于风湿关节痛，慢性肝炎，吐血，月经不调。

| **用法用量** | 内服煎汤，15 ～ 30 g。

猕猴桃科 Actinidiaceae 猕猴桃属 Actinidia

京梨猕猴桃 *Actinidia callosa* Lindl. var. *henryi* Maxim.

| 药 材 名 | 山羊桃（药用部位：根皮。别名：水梨藤）。

| 形态特征 | 小枝较坚硬，干后呈土黄色，洁净无毛。叶卵形或卵状椭圆形至倒卵形，长 8 ～ 10 cm，宽 4 ～ 5.5 cm，边缘锯齿细小，背面脉腋上有髯毛。果实乳头状至矩圆圆柱状，长可达 5 cm，是硬齿猕猴桃变种中果实最长、最大者。

| 生境分布 | 生于海拔 1 000 ～ 1 800 m 的山地林中。湖南有广泛分布。

| 资源情况 | 野生资源丰富。药材来源于野生。

| 采收加工 | 全年均可采挖根，剥取根皮，鲜用或晒干。

| **功能主治** | 清热利湿，消肿止痛。用于水肿，肠痈，痈肿疮毒。

| **用法用量** | 内服煎汤，30～60 g。外用适量，捣敷。

猕猴桃科 Actinidiaceae 猕猴桃属 *Actinidia*

中华猕猴桃 *Actinidia chinensis* Planch.

| 药 材 名 | 猕猴桃（药用部位：果实。别名：鬼桃、公洋桃）、猕猴桃根（药用部位：根）、猕猴桃藤（药用部位：藤或藤中汁液）、猕猴桃叶（药用部位：枝叶）。

| 形态特征 | 大型落叶藤本。幼枝或厚或薄地被有灰白色茸毛、褐色长硬毛或铁锈色硬毛状刺毛，老时秃净无毛或留有断损残毛；花枝短者长4 ~ 5 cm，长者长 15 ~ 20 cm，直径 4 ~ 6 mm。叶纸质，倒阔卵形至倒卵形或阔卵形至近圆形，长 6 ~ 17 cm，宽 7 ~ 15 cm，先端平截，中间凹入或具突尖、急尖至短渐尖，基部钝圆、平截至浅心形，边缘具直伸的睫状小齿，腹面深绿色，侧脉 5 ~ 8 对，常在中部以上分歧成叉状，横脉比较发达，易见，网状小脉不易见；叶柄长 3 ~ 6

（～ 10）cm，被灰白色茸毛、黄褐色长硬毛或铁锈色硬毛状刺毛。聚伞花序具 1 ～ 3 花，花序梗长 7 ～ 15 mm，花梗长 9 ～ 15 mm；苞片小，卵形或钻形，长约 1 mm，均被灰白色丝状绒毛或黄褐色茸毛；花瓣通常 5，少者 3 ～ 4，多者 6 ～ 7，阔倒卵形，有短距，长 10 ～ 20 mm，宽 6 ～ 17 mm；雄蕊极多，花丝狭条形，长 5 ～ 10 mm，花药黄色，长圆形，长 1.5 ～ 2 mm，基部叉开或不叉开。果实黄褐色，近球形、圆柱形、倒卵形或椭圆形，长 4 ～ 6 cm，被茸毛、长硬毛或刺毛状长硬毛，成熟时秃净或不秃净，具小而多的淡褐色斑点，宿存萼片反折；种子纵径 2.5 mm。

| 生境分布 |　生于山地林间或灌丛中，常缠绕于他物上。湖南有广泛分布。

| **资源情况** | 野生资源丰富。药材来源于野生。

| **采收加工** | 猕猴桃：9月中下旬至10月上旬采摘成熟果实，鲜用或晒干。

猕猴桃根：全年均可采挖，洗净，切段，晒干或鲜用。

猕猴桃藤：全年均可采收，洗净，切段，晒干或鲜用。

猕猴桃叶：夏季采收，晒干或鲜用。

| **药材性状** | 猕猴桃：本品浆果近球形、圆柱形、倒卵形或椭圆形，长4～6 cm。表面黄褐色或绿褐色，被茸毛、长硬毛或刺毛状长硬毛，有的秃净，具小而多的淡褐色斑点，先端喙不明显，微尖，基部果柄长1.2～4 cm，宿存萼反折；果肉外部绿色，内部黄色。种子细小，长2.5 mm。气微，味酸、甘、微涩。

狝猴桃根：本品粗长，有少数分枝。商品已切成段，长 1 ~ 3 cm，直径 3 ~ 5 cm，外皮厚 2 ~ 5 mm，棕褐色或灰棕色，粗糙，具不规则纵沟纹；切面皮部暗红棕色，略呈颗粒性，易折碎成小块，布有白色胶丝样物（黏液质），尤以皮部内侧为甚，木部淡棕色，质坚硬，强木化，密布小孔（导管），髓较大，直径约 4 mm，髓心膜质，片层状，淡棕白色。气微，味淡、微涩。

狝猴桃叶：本品完整者阔卵形、近圆形或倒卵形，长 6 ~ 17 cm，宽 7 ~ 15 cm，先端平截、微凹或有突尖，基部钝圆或浅心形，边缘具直伸的睫状小齿，上面仅中脉及侧脉有少数软毛或散被短糙毛，下面密被灰白色或淡褐色星状绒毛，两面均呈枯绿色，侧脉 5 ~ 8 对，横脉较发达，易见；叶柄长 3 ~ 6（~ 10）cm，被灰白色茸毛、黄褐色长硬毛或铁锈色硬毛状刺毛。气微，味微苦、涩。

| **功能主治** | **狝猴桃：**酸、甘，寒。解热，止渴，健胃，通淋。用于烦热，消渴，肺热干咳，消化不良，湿热黄疸，石淋，痔疮。

狝猴桃根：甘、涩，凉；有小毒。清热解毒，祛风利湿，活血消肿。用于肝炎，痢疾，消化不良，淋浊，带下，风湿关节痛，水肿，跌打损伤，疮疖，瘰疬，消化道肿瘤，乳腺癌。

狝猴桃藤：甘，寒。和中开胃，清热利湿。用于消化不良，反胃呕吐，黄疸，石淋。

狝猴桃叶：苦、涩，凉。清热解毒，散瘀止血。用于痈疮肿毒，烫伤，风湿关节痛，外伤出血。

| **用法用量** | **狝猴桃：**内服煎汤，30 ~ 60 g；或生食；或榨汁饮。

狝猴桃根：内服煎汤，30 ~ 60 g。外用适量，捣敷。

狝猴桃藤：内服煎汤，15 ~ 30 g；或捣汁饮。

狝猴桃叶：外用适量，研末；或捣敷。

獼猴桃科 Actinidiaceae 獼猴桃属 Actinidia

硬毛猕猴桃 *Actinidia chinensis* Planch. var. *hispida* C. F. Liang

| 药 材 名 | 美味猕猴桃（药用部位：根、茎叶、果实）。

| 形态特征 | 花枝多数，长 15 ~ 20 cm，被黄褐色长硬毛，毛脱落后仍可见硬毛残迹。叶倒阔卵形至倒卵形，长 9 ~ 11 cm，宽 8 ~ 10 cm，先端常具突尖；叶柄被黄褐色长硬毛。果实近球形、圆柱形或倒卵形，长 5 ~ 6 cm，被刺毛状长硬毛。

| 生境分布 | 生于海拔 200 ~ 1 400 m 的山林。分布于湖南湘西州（古丈、保靖）、怀化（沅陵）等。

| 资源情况 | 野生资源稀少。药材来源于野生。

| **功能主治** | 清热解毒，利湿消肿，活血化瘀，抗肿瘤。用于风湿性关节炎，消化不良，痢疾，肝炎，丝虫病，尿石症，跌打损伤，骨折，淋巴结结核，恶性肿瘤，乳痈，痈肿疔毒，外伤出血。 |

| **附　　注** | 本种的拉丁学名在 FOC 中被修订为 *Actinidia chinensis* var. *deliciosa* (A. Chevalier) A. Chevalier。 |

猕猴桃科 Actinidiaceae 猕猴桃属 Actinidia

金花猕猴桃 *Actinidia chrysantha* C. F. Liang

| 药 材 名 | 金花猕猴桃（药用部位：果实）。

| 形态特征 | 小枝皮孔显著，髓心褐色，片层状。叶纸质，宽卵形、卵形或披针状长卵形，长 7 ~ 14 cm，宽 4.5 ~ 6.5 cm，先端骤短尖或渐尖，基部浅心形、平截或宽楔形，具圆齿，无毛，叶脉不发达；叶柄长 2.5 ~ 5 cm，无毛。每花序具 1 ~ 3 花，被褐色绒毛，花序梗长 6 ~ 9 mm。果实近球形，褐色或绿褐色，无毛，具枯黄色斑点，长 3 ~ 4 cm，直径 2.5 ~ 3 cm，萼片宿存。

| 生境分布 | 生于海拔 900 ~ 1 300 m 的疏林、灌丛等。

| 资源情况 | 野生资源稀少。药材来源于野生。

| **功能主治** | 滋补强壮。用于维生素 C 缺乏症。

猕猴桃科 Actinidiaceae 猕猴桃属 Actinidia

毛花猕猴桃

Actinidia eriantha Benth.

| 药 材 名 | 毛冬瓜根（药用部位：根）、毛冬瓜叶（药用部位：叶）。

| 形态特征 | 大型落叶藤本。小枝、叶柄、花序和萼片密被乳白色或淡污黄色、直展的绒毛或交织压紧的绵毛，小枝往往在当年再分枝，着花小枝长 10 ~ 15 cm，直径 4 ~ 7 mm，大枝直径可达 40 mm 以上。叶软纸质，卵形至阔卵形，长 8 ~ 16 cm，宽 6 ~ 11 cm；叶柄短且粗，长 1.5 ~ 3 cm，被与小枝同样的毛。聚伞花序具 1 ~ 3 花，被与小枝相似但较蓬松的毛被，花序梗长 5 ~ 10 mm，花梗长 3 ~ 5 mm；苞片钻形，长 3 ~ 4 mm；花直径 2 ~ 3 cm；萼片 2 ~ 3，淡绿色，瓢状阔卵形，长约 9 mm，两面密被绒毛，外面毛被松而厚，内面毛被紧而薄；花瓣先端和边缘橙黄色，中央和基部桃红色，倒卵形。

果实柱状卵珠形，长 3.5 ~ 4.5 cm，直径 2.5 ~ 3 cm，密被不脱落的乳白色绒毛，宿存萼片反折；果柄长达 15 mm；种子纵径 2 mm。花期 5 月上旬至 6 月上旬，果熟期 11 月。

| **生境分布** | 生于海拔 250 ~ 1 000 m 的灌丛中。湖南有广泛分布。

| **资源情况** | 野生资源丰富。药材来源于野生。

| **采收加工** | **毛冬瓜根**：全年均可采挖，洗净，鲜用，或切片，晒干。
毛冬瓜叶：夏、秋季采叶，鲜用或晒干。

| **药材性状** | **毛冬瓜叶**：本品完整者呈卵形或阔卵形，长 8 ~ 16 cm，宽 6 ~ 11 cm，先端短尖或短渐尖，基部圆形、截形或浅心形，边缘具硬尖小齿，上面枯绿色，有毛或秃净，仅中脉及侧脉上有少数糙毛，下面淡枯绿色，密被乳白色及淡污黄色星状绒毛，侧脉 7 ~ 8 (~ 10) 对，横脉发达，明显，厚纸质。叶柄短粗，长 1.5 ~ 3 cm，密被乳白色或淡污黄色、直展的绒毛或交织压紧的绵毛。气微，味微辛、涩。

| **功能主治** | **毛冬瓜根**：淡、微辛，寒。解毒消肿，清热利湿。用于热毒痈肿，乳痈，肺热失音，湿热痢疾，淋浊，带下，风湿痹痛，胃癌，食管癌，乳腺癌，跌打损伤。
毛冬瓜叶：微苦、辛，寒。解毒消肿，祛瘀止痛，止血敛疮。用于痈疽肿毒，乳痈，跌打损伤，骨折，冻疮溃破。

| **用法用量** | **毛冬瓜根**：内服煎汤，30 ~ 60 g。外用适量，捣敷。
毛冬瓜叶：外用适量，捣敷。

獼猴桃科 Actinidiaceae 獼猴桃属 *Actinidia*

条叶獼猴桃 *Actinidia fortunatii* Fin. et Gagn.

| 药 材 名 |

条叶獼猴桃（药用部位：根）。

| 形态特征 |

小型半常绿藤本。着花小枝一般长 2 ~ 4 cm，密被红褐色长绒毛，隔年枝直径 1.5 ~ 2 mm，秃净，皮孔完全不见，幼枝上皮孔小而少，几不可见。叶坚纸质，长条形或条状披针形，长 7 ~ 17 cm，宽 1.8 ~ 2.8 cm，先端渐尖，基部耳状 2 裂或钝圆，边缘有极不明显、疏生、具硬质尖头的小齿，腹面绿色无毛，背面粉绿色，有极少量的长柔毛或无毛，中脉在两面稍明显，侧脉细弱，弯拱形，联结于边缘处，小脉网状；叶柄圆柱形，长 1 ~ 2 cm，略被绵毛，老时毛秃净。花序腋生，聚伞式，具 1 ~ 3 花，花序梗极短，被红褐色绒毛，花梗长 9 mm；小苞片钻形，长 2.5 mm；子房密被黄褐色茸毛，圆柱状，近球形，高 2.5 mm；雄花退化子房圆锥形。

| 生境分布 |

生于海拔 900 m 的山地林中。分布于湖南邵阳（绥宁、新宁）、永州（道县、蓝山）等。

| **资源情况** | 野生资源较少。药材来源于野生。 |

| **功能主治** | 用于跌打损伤。 |

黄毛狝猴桃 *Actinidia fulvicoma* Hance

| 药 材 名 | 棕毛狝猴桃（药用部位：根、叶、果实）。

| 形态特征 | 半常绿藤本。枝髓心白色，片层状。叶亚革质，卵状长圆形或卵状披针形，长 9 ~ 18 cm，宽 4.5 ~ 6 cm，先端渐尖或短钝尖，基部常呈浅心形，具睫状细齿，上面密被糙伏毛或硬伏毛，中脉及侧脉被长糙毛；叶柄长 1 ~ 3 cm，密被黄褐色毛。聚伞花序密被黄褐色绵毛，常具 3 花，花序梗长 0.4 ~ 1 cm；花白色，直径约 1.7 cm，花梗长 0.7 ~ 2 cm；萼片 5，卵形或矩圆状长卵形，长 4 ~ 9 mm，被绵毛；花瓣 5，无毛，倒卵形或倒长卵形，长 0.6 ~ 1.7 cm；花药长 1 ~ 1.2 mm；子房密被黄褐色绒毛。果实卵球形或卵状圆柱形，暗绿色，长 1.5 ~ 2 cm，幼时被绒毛，后毛脱落，具斑点，宿萼

反折。

| **生境分布** | 生于山地疏林或灌丛。分布于湖南邵阳（洞口、绥宁）、郴州（临武、汝城）、怀化（会同、芷江、靖州、洪江、中方）、湘西州（龙山）等。

| **资源情况** | 野生资源一般。药材来源于野生。

| **功能主治** | 清热止渴，除烦下气，和中利尿。

獮猴桃科 Actinidiaceae 獮猴桃属 Actinidia

绵毛猕猴桃

Actinidia fulvicoma Hance var. *lanata* (Hemsl.) C. F. Liang

| 药 材 名 | 绵毛猕猴桃（药用部位：根茎、果实）。

| 形态特征 | 中型半常绿藤本。小枝、叶柄和叶脉不被锈色长硬毛。叶纸质，阔卵形、卵形至长方状卵形，长 8 ～ 14 cm，宽 4.5 ～ 10 cm，腹面密被较柔软的糙伏毛或长柔毛。

| 生境分布 | 生于山地疏林或灌丛。分布于湖南郴州（桂阳）、永州（东安）等。

| 资源情况 | 野生资源稀少。药材来源于野生。

| 功能主治 | 根茎，清热解毒，化湿祛瘀。用于乳痈，消化不良，骨折，瘰疬。果实，用于石淋。

猕猴桃科 Actinidiaceae 猕猴桃属 Actinidia

蒙自猕猴桃 *Actinidia henryi* Dunn

| **药 材 名** | 猕猴桃茎（药用部位：茎）。

| **形态特征** | 中型至大型半常绿藤本。着花小枝的距状侧生者 2 ~ 6 cm 或更短，直径 2 ~ 3 mm，延伸型长枝 20 ~ 40 cm 或更长，直径约 5 mm，均密被红褐色长绒毛或黄褐色粗糙长毛；隔年枝直径 3 ~ 8 mm，秃净或有残存毛被，老幼枝条皮孔均不显著；髓白色，片层状。叶纸质，长方长卵形至长方披针形，长 9 ~ 14 cm，宽 3 ~ 5 cm，先端渐尖，基部钝圆形至浅心形，边缘有显著或不显著的或密或疏的小锯齿，腹面深绿色，有毛或无毛，背面淡绿色，基本无毛或叶脉上薄被短绒毛，侧脉 8 ~ 9 对，线形，大小叶脉均比较显著；叶柄长 1 ~ 3 cm，被红褐色长绒毛或黄褐色糙毛或仅有数硬毛。聚伞花序，有花 3 ~ 10，密被红褐色或黄褐色绒毛，花序梗短，花梗长约 10 mm，密被黄褐

色绒毛；苞片卵形，长 3 mm；花白色，直径 10 mm；萼片 5，卵形（靠外的）至长方椭圆形（靠内的），长 5 ～ 6 mm，靠内的稍长，外面薄被绒毛，内面无毛；花瓣 5，条状椭圆形（靠外的）至近圆形（靠内的），长约 5 mm；花丝与花药近等长，排列于外围者稍短，靠里的稍长；子房柱状近球形，长近 3 mm，密被黄褐色茸毛。果实卵状圆柱形，长约 2 cm，具斑点，果实成熟时秃净。花期 5 月上旬。

| **生境分布** | 生于林缘、山坡。分布于湖南邵阳（绥宁）、永州（东安、江华）等。

| **资源情况** | 野生资源稀少。药材来源于野生。

| **功能主治** | 外用于口疮。

狝猴桃科 Actinidiaceae 狝猴桃属 Actinidia

狗枣狝猴桃

Actinidia kolomikta (Maxim. et Rupr.) Maxim.

药 材 名

狗枣子（药用部位：果实。别名：工枣狝猴桃）。

形态特征

大型落叶藤本。小枝紫褐色，直径约3 mm，短花枝基本无毛，有较明显的黄色皮孔。叶膜质或薄纸质，阔卵形、长方状卵形至长方状倒卵形，长 6 ～ 15 cm，宽5 ～ 10 cm，叶脉不发达，近扁平状，侧脉 6 ～ 8 对。聚伞花序，雄性花序具 3 花，雌性花序通常 1 花单生，花序梗和花梗纤弱，或多或少被黄褐色微绒毛，花序梗长8 ～ 12 mm，花梗长 4 ～ 8 mm；苞片小，钻形，长不及 1 mm；花白色或粉红色，芳香，直径 15 ～ 20 mm；萼片 5，长方状卵形，长4 ～ 6 mm，两面被极微短绒毛，边缘有睫状毛；花瓣 5，长方状倒卵形，长 6 ～ 10 mm。果实柱状长圆形、卵形或球形，有时为扁长圆形，长达 2.5 cm，果皮洁净无毛，无斑点，未成熟时呈暗绿色，成熟时呈淡橘红色，并有深色的纵纹；果实成熟时花萼脱落；种子长约 2 mm。花期 5 月下旬（四川）至 7 月初（东北地区），果熟期 9 ～ 10 月。

| 生境分布 | 生于海拔 1 600 ～ 2 000 m 的山林或灌丛中。分布于湖南永州（东安、双牌）、株洲（渌口）等。

| 资源情况 | 野生资源较少。药材来源于野生。

| 采收加工 | 秋季采收，晒干。

| 药材性状 | 本品柱状长圆形、卵形或球形，有的呈扁长圆形，长达 2.5 cm。表面皱缩，洁净无毛，亦无斑点，暗绿色或淡橙红色，后者有深色纵纹。花萼脱落或残存。种子细小，暗褐色，长约 2 mm。气微，味酸、甘。

| 功能主治 | 酸、甘，平。滋养强壮。用于维生素 C 缺乏症。

| 用法用量 | 内服煎汤，9 ～ 15 g。

小叶猕猴桃

Actinidia lanceolata Dunn

| 药 材 名 | 小叶猕猴桃（药用部位：根、茎。别名：毛布冻子）。

| 形态特征 | 小型落叶藤本。着花小枝一般长 10 ~ 15 cm，距状枝 5 ~ 7 cm，直径约 2 mm，密被锈褐色短茸毛，皮孔可见；隔年枝灰褐色，秃净无毛，皮孔小，不很显著；髓褐色，片层状。叶纸质，卵状椭圆形至椭圆状披针形，长 4 ~ 7 cm，宽 2 ~ 3 cm，先端短尖至渐尖，基部钝形至楔尖，边缘的上半部有小锯齿，腹面绿色，散被粉末状微毛或完全无毛，背面粉绿色，密被短小且密致的灰白色星状茸毛，星状毛在一般放大镜下不易观察，侧脉 5 ~ 6 对，横脉和网状小脉肉眼下不易观察；叶柄长 8 ~ 20 mm，密被锈褐色茸毛。聚伞花序 2 回分歧，有花 7 或少于 7，密被锈褐色茸毛，花序梗长 3 ~ 6 mm，花梗长 2 ~ 4 mm；苞片钻形，长 1 ~ 1.5 mm；花淡绿色，直径约

1 cm；萼片 3 ～ 4，卵形或长圆形，长约 3 mm，3 萼片中 1 或 2 的先端有楔状浅裂，内外面均被茸毛，内面的毛被较薄；花瓣 5，条状长圆形或瓢状倒卵形，长 4 ～ 5.5 mm，雄花的花瓣较雌花的稍长花丝 1 ～ 4 mm，花药长圆形，长 1 ～ 1.5 mm，雄花的花瓣均较雌花的稍长，子房球形或卵形，直径约 1.5 mm，密被茸毛，花柱下部 1/3 或基部小部分粘连，粘连部分有毛或无毛，未育子房卵形，被毛。果小，绿色，卵形，长 8 ～ 10 mm，秃净，有显著的浅褐色斑点，宿存萼片反折；种子纵径 1.5 ～ 1.8 mm。花期 5 月中旬 ～ 6 月中旬，果实成熟期 11 月。

| **生境分布** | 生于海拔 200 ～ 800 m 山地上的高草灌丛中或疏林中和林缘等。分布于湖南怀化（溆浦、芷江、通道）、株洲（炎陵）、郴州（宜章）等。

| **资源情况** | 野生资源稀少。药材来源于野生。

| **功能主治** | 酸、苦，平。归肝、胃经。祛风湿，通经络，补益肝肾。用于风湿痹痛，肾虚腰痛。

猕猴桃科 Actinidiaceae 猕猴桃属 Actinidia

阔叶猕猴桃

Actinidia latifnlia (Gardner et Champ.) Merr.

| 药 材 名 | 红蒂蛇（药用部位：茎、叶。别名：多果猕猴桃）。

| 形态特征 | 大型落叶藤本。着花小枝绿色至蓝绿色，一般长 15 ~ 20 cm，直径约 2.5 mm，基本无毛，至多幼嫩时薄被微茸毛。叶坚纸质，通常为阔卵形，有时近圆形或长卵形，长 8 ~ 13 cm，宽 5 ~ 8.5 cm，最大可达 15 cm×12 cm，先端短尖至渐尖，基部浑圆、浅心形、平截或阔楔形，等侧或稍不等侧，边缘具疏生的突尖状硬头小齿，腹面草绿色或榄绿色，无毛，有光泽，背面密被灰色至黄褐色紧密的星状茸毛；叶柄长 3 ~ 7 cm，基本无毛或薄被短小的茸毛。花序为 3 ~ 4 歧多花的大型聚伞花序；花序梗长 2.5 ~ 8.5 cm，仅上端部薄被短茸毛，下端部基本无毛；花梗 0.5 ~ 1.5 cm，果期伸长并增大；花

瓣 5 ~ 8，前半部及边缘部分白色，下半部的中央部分橙黄色，长圆形或倒卵状长圆形，长 6 ~ 8 mm，宽 3 ~ 4 mm，开放时反折。果实暗绿色，圆柱形或卵状圆柱形，长 3 ~ 3.5 cm，直径 2 ~ 2.5 cm，具斑点，无毛或仅在两端有少量残存茸毛；种子纵径 2 ~ 2.5 mm。花期 5 月上旬至 6 月中旬，果期 11 月。

| **生境分布** | 生于海拔 450 ~ 800 m 山地的山谷或山沟地带的灌丛中或林中。湖南各地均有分布。

| **资源情况** | 野生资源较丰富。药材来源于野生。

| **功能主治** | 淡、涩，平。清热解毒，除湿，消肿止痛。用于咽喉痛，泄泻；外用于痈疮肿痛。

獬猴桃科 Actinidiaceae 獬猴桃属 Actinidia

两广猕猴桃

Actinidia liangguangensis C. F. Liang

| 药 材 名 | 两广猕猴桃（药用部位：全株或根）。

| 形态特征 | 大型常绿藤本。着花小枝长短悬殊，短枝仅长数厘米，长枝长可超过 40 cm，直径 2 ~ 5 mm，密被（短枝）或薄被（长枝）黄褐色绒毛（短枝）或茸毛（长枝），皮孔小且少，极不明显，髓白色，片层状；隔年枝直径 3.5 ~ 7 mm，基本秃净无毛。叶软革质，卵形或长圆形，长 7 ~ 13 cm，宽 4 ~ 9 cm，侧脉 8 ~ 9 对，横脉较纤细，常分叉，肉眼清晰可见，网状小脉隐约可见；叶柄薄被茶褐色茸毛，长 2 ~ 7 cm，长短依所生枝条长短而定。聚伞花序具 1 ~ 3 花，花序梗长 2 ~ 7 mm，花梗长 5 ~ 6 mm；苞片条状披针形，均被黄褐色长绒毛；花白色，直径约 1.5 cm；萼片 5，长圆形，长 4 ~ 5 mm，

外面密被绒毛，内面基本无毛；花丝狭条形，长 4 ~ 6 mm，花药黄色，箭头状卵形，长 1.5 mm；能育雌蕊未见，退化子房被毛。果实幼时呈圆柱形，密被黄褐色绒毛，成熟时呈卵珠状至柱状长圆形，长 2 ~ 3.5 cm；种子小，纵径 1 ~ 1.5 mm。

| 生境分布 | 生于海拔 250 ~ 1 000 m 的山地、山谷灌丛中或林中向阳处。分布于湖南永州（双牌）、怀化（通道）等。

| 资源情况 | 野生资源稀少。药材来源于野生。

| 功能主治 | 利尿，清热，舒筋活络。用于小便淋痛，跌打损伤，疮疡肿毒。

猕猴桃科 Actinidiaceae 猕猴桃属 Actinidia

黑蕊猕猴桃 *Actinidia melanandra* Franch.

| 药材名 |

黑蕊猕猴桃（药用部位：根）。

| 形态特征 |

落叶藤本。小枝无毛，皮孔不明显；髓心灰褐色，片层状。叶坚纸质，椭圆形或卵圆形，长 5 ～ 11 cm，宽 2.5 ～ 5 cm，先端骤尖或短渐尖，基部楔形、圆形或平截，具细齿，下面微被白粉，脉腋具簇毛，叶脉不明显；叶柄无毛，长 1.5 ～ 5.5 cm。雄聚伞花序具 3 ～ 5 花，花序梗长 1 ～ 1.2 cm，花梗长 0.7 ～ 1.5 cm；雌花单生，白色，直径 1.5 ～ 2.5 cm；萼片 5，卵形或长方状卵形，长 3 ～ 6 mm，缘毛流苏状；花瓣 5，匙状倒卵形，长 0.6 ～ 1.3 cm；花药黑色，长约 2 mm；子房长约 7 mm，花柱长 4 ～ 5 mm。果实椭圆形或卵圆形，长 2.5 ～ 3 cm，直径 2.5 cm，无毛，无斑点，具喙，无宿萼；种子长 2.5 ～ 3.5 mm。

| 生境分布 |

生于海拔 1 000 ～ 1 200 m 的山地疏林中。分布于湖南岳阳（临湘）、湘西州（吉首）等。

| **资源情况** | 野生资源稀少。药材来源于野生。

| **功能主治** | 清热解毒，祛风化湿，健胃，活血散结。

獮猴桃科 Actinidiaceae 獮猴桃属 Actinidia

美丽獮猴桃 *Actinidia melliana* Hand.-Mazz.

| 药 材 名 |

美丽獮猴桃（药用部位：根、果实）。

| 形态特征 |

半常绿藤本。小枝密被长 6 ~ 8 mm 的锈色长硬毛，皮孔明显，髓心白色，片层状。叶长方状椭圆形、长方状披针形或长方状倒卵形，长 6 ~ 15 cm，宽 2.5 ~ 9 cm，先端短尖或渐尖，基部浅心形或耳状浅心形，上面被长硬毛，下面密被糙伏毛及霜粉，具细尖硬齿；叶柄长 1 ~ 1.8 cm，被锈色长硬毛。聚伞花序二回分歧，被锈色长硬毛，花序梗长 0.3 ~ 1 cm；苞片钻形，长 4 ~ 5 mm；花白色；花梗长 0.5 ~ 1.2 cm；萼片 5，长方状卵形，长 4 ~ 5 mm，被绒毛；花瓣 5，倒卵形，长 8 ~ 9 mm；花药长 1 mm；子房密被褐色绒毛，花柱长约 3 mm。果实圆柱形，长 1.6 ~ 2.2 cm，直径 1.1 ~ 1.5 cm，无毛，被疣点，宿萼反折。

| 生境分布 |

生于海拔 200 ~ 1 250 m 的山地树丛。分布于湖南郴州（永兴、桂东）、永州（江永）、怀化（芷江）等。

| **资源情况** | 野生资源较少。药材来源于野生。

| **功能主治** | 止血，消炎，祛风除湿，解毒，接骨。用于崩漏，脱疽，风湿痹痛，皮肤过敏，毒虫咬伤，骨折。

獼猴桃科 Actinidiaceae 獼猴桃属 *Actinidia*

葛枣猕猴桃 *Actinidia polygama* (Sieb. et Zucc.) Maxim.

| 药 材 名 | 木天蓼根（药用部位：根）、木天蓼（药用部位：枝叶。别名：羊奶奶树、羊桃）、木天蓼子（药用部位：果实）。

| 形态特征 | 大型落叶藤本。着花小枝细长，一般长 20 cm 以上，直径约 2.5 mm，基本无毛，除幼枝顶部略被微柔毛外其余部位无毛，皮孔不显著，髓白色，实心。叶膜质（花期）至薄纸质，卵形或椭圆状卵形，长 7 ~ 14 cm，宽 4.5 ~ 8 cm，先端急渐尖至渐尖，基部圆形或阔楔形，边缘有细锯齿，腹面绿色，散生少数小刺毛，有时前端变为白色或淡黄色，背面浅绿色，沿中脉和侧脉多少有一些卷曲的微柔毛，有时中脉上着生少数小刺毛，叶脉比较发达，在背面呈圆线形，侧脉约 7 对，其上段常分叉，横脉颇明显，网状小脉不明显。花序具 1 ~ 3

花，花序梗长 2 ~ 3 mm，花梗长 6 ~ 8 mm，均薄被微绒毛；萼片 5，卵形至长方状卵形，长 5 ~ 7 mm，两面薄被微茸毛或近无毛；子房瓶状，长 4 ~ 6 mm，洁净无毛，花柱长 3 ~ 4 mm。果实成熟时呈淡橘色，卵珠形或柱状卵珠形，长 2.5 ~ 3 cm，无毛，无斑点，先端有喙，基部有宿存萼片；种子长 1.5 ~ 2 mm。花期 6 月中旬至 7 月上旬，果熟期 9 ~ 10 月。

| 生境分布 | 生于海拔 500 ~ 1 900 m 的山地林中。分布于湖南株洲（攸县）、邵阳（新邵、绥宁）、常德（桃源）、张家界（永定、武陵源、慈利）、益阳（桃江）、怀化（洪江）等。

| 资源情况 | 野生资源一般。药材来源于野生。

| 采收加工 | **木天蓼根**：全年均可采挖，洗净，晒干或鲜用。
木天蓼：春、秋季采收，晒干或鲜用。
木天蓼子：秋季采收，晒干或鲜用。

| 药材性状 | **木天蓼**：本品小枝细长，直径 2.5 mm，表面无毛，白色小皮孔不明显；断面髓大，白色，实心。叶薄纸质，完整叶片卵形或椭圆状卵形，长 7 ~ 14 cm，宽 4.5 ~ 8 cm，先端急尖至渐尖，基部圆形或阔楔形，边缘有细锯齿，上面散生少数小刺毛，下面沿脉有卷曲的柔毛，有时中脉有少数小刺毛，两面均呈枯绿色；叶柄近无毛，长 1.5 ~ 3.5 cm。气微，味淡、涩。

木天蓼子：本品卵圆形或长卵圆形，长 2.5 ~ 3 cm；表面皱缩，黄色或淡橙色，先端有喙，基部有宿存萼片。种子细小，多数，黑褐色，长 1.5 ~ 2 mm。气微，味辛、涩。

| 功能主治 | **木天蓼根**：辛，温。祛风散寒，杀虫止痛。用于寒痹腰痛，牙痛。
木天蓼：苦、辛，温；有小毒。祛风除湿，温经止痛。用于中风半身不遂，风寒湿痹，腰痛，疝气疼痛，癥瘕积聚，气痢，白癜风。
木天蓼子：苦、辛，温。祛风通络，活血行气，散寒止痛。用于中风口眼㖞斜，疟癖腹痛，腰痛，疝气。

| 用法用量 | **木天蓼根**：内服煎汤，12 ~ 30 g。外用适量，为丸塞牙痛处。
木天蓼：内服煎汤，3 ~ 5 g。
木天蓼子：内服煎汤，6 ~ 10 g。

猕猴桃科 Actinidiaceae 猕猴桃属 Actinidia

革叶猕猴桃 *Actinidia rubricaulis* Dunn var. *coriacea* (Fin. et Gagn.) C. F. Liang

| 药 材 名 |

秤砣梨（药用部位：果实）、秤砣梨根（药用部位：根）。

| 形态特征 |

叶革质，倒披针形，先端急尖，上部有若干粗大锯齿。花红色。

| 生境分布 |

生于山地灌丛、林地或沟边。湖南有广泛分布。

| 资源情况 |

野生资源丰富。药材来源于野生。

| 采收加工 |

秤砣梨：秋季采收，晒干。

秤砣梨根：秋季采挖，洗净，晒干。

| 药材性状 |

秤砣梨：本品长卵形或球形，长 1 ~ 1.5 cm。表面有不规则的皱纹，褐色，被茶褐色绒毛或秃净，有白色斑点，先端有残留花柱，基部具反折的宿存萼片。气微，味酸、涩。

秤砣梨根：本品呈条状，微弯曲，少分枝，直径 1 ~ 1.5 cm。表面栓皮灰棕色，不甚平坦，有不规则纵皱纹、少数细须根及深达木心的环状裂纹。质坚硬，断面木心较大，淡黄棕色。气微，味苦、涩。

| 功能主治 |　**秤砣梨**：酸、涩，温。用于肿瘤。

秤砣梨根：苦，温。活血止痛，止血。用于跌打损伤，腰痛，内伤吐血。

| 用法用量 |　**秤砣梨**：内服浸酒，30 ~ 60 g；或捣汁饮。

秤砣梨根：内服煎汤，9 ~ 15 g；或浸酒。

獼猴桃科 Actinidiaceae 獼猴桃属 *Actinidia*

红茎猕猴桃

Actinidia rubricaulis Dunn

| **药 材 名** | 红茎猕猴桃（药用部位：根、茎）。

| **形态特征** | 半常绿藤本。除子房外其余部位无毛。髓实心，灰白色。叶纸质或
坚纸质，椭圆状披针形，稀长圆状卵形，长 7 ~ 12 cm，近先端无粗齿，

基部钝圆或宽楔状钝圆，具细齿，上面叶脉稍凹下或平；叶柄长 1 ～ 3 cm。花单生，白色，直径约 1 cm；萼片 4 ～ 5，卵圆形或长圆状卵形，长 4 ～ 5 mm；花瓣 5，瓢状倒卵形，长 5 ～ 6 mm；花丝短粗，花药长 1.5 ～ 2 mm；子房长约 2 mm。果实暗绿色，卵圆形或柱状卵圆形，长 1 ～ 1.5 cm，幼时被绒毛，后无毛，无喙，具斑点和宿萼。

| 生境分布 | 生于山沟林中。分布于湖南怀化（芷江）、湘西州（古丈、保靖）等。

| 资源情况 | 野生资源稀少。药材来源于野生。

| 功能主治 | 祛风活络，消肿止痛，行气散瘀。

狝猴桃科 Actinidiaceae 狝猴桃属 Actinidia

清风藤狝猴桃 *Actinidia sabiifolia* Dunn

药 材 名	狝猴桃（药用部位：果实）、狝猴桃根（药用部位：根）。
形态特征	小型落叶藤本。枝条干后灰褐色，着花小枝长 3 ~ 9 cm（徒长枝上的花枝长可达 25 cm），直径 2.5 ~ 3 mm，洁净无毛，皮孔显著；隔年枝直径 3 ~ 5 mm，皮孔显著，凸起，易开裂，髓褐色，片层状。叶薄，纸质，一般卵形，也有长卵形、椭圆形或近圆形的，长 4 ~ 8 cm，宽 3 ~ 4 cm，先端圆形至钝而微凹，或短尖至渐尖（营养枝），基部圆形或钝形，两侧对称或稍不对称，边缘有不显著的圆锯齿；上面深绿色，背面灰绿色，两面洁净无毛，叶脉不发达，甚细，侧脉 5 ~ 6 对，稍弯曲或近直线形，横脉几不可辨，网脉细密；叶柄水红色，无毛，长约 2 cm。花序 1 ~ 3 花，洁净无毛，花序梗长约 5 mm，花梗长约 1 cm；苞片披针形，长约 1 mm；花白色，直径约

8 mm；萼片 5，卵形至长圆形，长 2 ~ 3 mm，除边缘有少量缘毛外，余皆洁净；花瓣 5，倒卵形，长 5 ~ 6 mm；花丝线形，长约 2 mm，花药黄色，卵形，长约 1 mm；子房球形，长约 2 mm，被红褐色茸毛。果实成熟时暗绿色，秃净，具细小斑点，卵珠状，长 15 ~ 18 mm，直径 10 ~ 12 mm；果实通常单生，果柄水红色，长 8 ~ 10 mm；种子长约 2.5 mm。花期 5 月。

| **生境分布** | 生于 1 000 m 以上的山地、山麓或山顶的疏林。分布于湖南永州（宁远）、郴州（宜章）等。

| **资源情况** | 野生资源稀少。药材来源于野生。

| **功能主治** | **猕猴桃：** 解热通淋，止渴。用于消化不良，食欲不振，呕吐，烫火伤。
猕猴桃根： 清热解毒，活血消肿。用于风湿关节痛，跌打损伤，丝虫病，肝炎，痢疾，瘰病，痈肿，恶性肿瘤。

獴猴桃科 Actinidiaceae 獴猴桃属 *Actinidia*

毛蕊猕猴桃

Actinidia trichogyna Franch.

| 药 材 名 | 毛蕊猕猴桃（药用部位：根、果实）。

| 形态特征 | 中型落叶藤本。叶纸质至软革质（成熟叶），卵形至长卵形，长
5 ～ 10 cm，宽 3 ～ 6 cm，先端急尖至渐尖，基部钝形、圆形或
浅心形，两侧基本对称或稍不对称，边缘有小锯齿，腹面绿色，背
面粉绿色，两面完全无毛，叶脉不发达，侧脉 6 ～ 7 对，横脉几不
可辨，网脉细密；叶柄水红色，长 2.5 ～ 5 cm，洁净无毛。花序具
1 ～ 3 花，洁净无毛，花序梗短，长 2 ～ 3 mm；花梗长 7 ～ 8 mm；
苞片狭三角形，长约 1.5 mm；花白色，直径约 2 cm；萼片 5，长圆
形，长 5 ～ 6 mm，外面边缘部分和内面全部薄被灰黄色短茸毛；花
瓣 5，倒卵形，基本平展，长 9 ～ 10 mm；花丝丝状，长 4 ～ 6 mm，

花药黄色，长圆形，长 2.5 ~ 3 mm；子房柱状，近球形，长约 3 mm，薄被灰黄色茸毛，花柱比子房稍短。果实成熟时呈暗绿色，秃净无毛，具褐色斑点，近球形、卵珠形或柱状长圆形，长 15 ~ 30 mm，直径 10 ~ 20 mm，大多数单生，少数 1 序 2 果甚至 3 果；种子长约 2 mm。

| **生境分布** | 生于海拔 1 000 ~ 1 800 m 的山地林中。分布于湖南长沙（宁乡）、邵阳（绥宁、武冈）、郴州（汝城）、永州（双牌、蓝山）、怀化（新晃、芷江）等。

| **资源情况** | 野生资源一般。药材来源于野生。

| **功能主治** | 清热解毒，补虚益损。

猕猴桃科 Actinidiaceae 猕猴桃属 Actinidia

对萼猕猴桃
Actinidia valvata Dunn

| 药 材 名 |

猫人参（药用部位：根）。

| 形态特征 |

中型落叶藤本。着花小枝淡绿色，长 10 ～ 15 cm，直径约 2 mm，幼嫩时薄被极微小的茸毛，皮孔极不明显，隔年枝灰绿色，皮孔较明显；髓白色，实心。叶近膜质，阔卵形至长卵形，长 5 ～ 13 cm，宽 2.5 ～ 7.5 cm，先端渐尖至圆形，基部阔楔形至截圆形，不下延或下延，两侧稍不对称，边缘有细锯齿，腹面绿色，背面颜色稍淡，两面均无毛，叶脉不发达，侧脉 5 ～ 6 对；叶柄水红色，无毛，长 15 ～ 20 mm。花序 2 ～ 3 花或 1 花单生，花序梗长约 1.5 cm，花梗长不及 1 cm，二者均略被微茸毛；苞片钻形，长 1 ～ 2 mm；花白色，直径约 2 cm；萼片 2 ～ 3，卵形至长方卵形，长 6 ～ 9 mm，两面均无毛或外面的中间部分略被微茸毛；花瓣 7 ～ 9，长方状倒卵形，长 1 ～ 1.5 cm，宽 10 ～ 12 mm；花丝丝状，长约 5 mm，花药橙黄色，条状矩圆形，长 2.5 ～ 4 mm；子房瓶状，长约 5 mm，洁净无毛，花柱比子房稍长。果实成熟时呈橙黄色，卵珠状，稍肿，长 2 ～ 2.5 cm，无斑点，先端有尖喙，基部有反折的宿存萼片；种子长 1.75 ～ 3.5 mm。

| **生境分布** | 生于低山山谷丛林中。分布于湖南湘西州（花垣）等。

| **资源情况** | 野生资源稀少。药材来源于野生。

| **采收加工** | 夏、秋季采挖，洗净，切片或切段，晒干。

| **药材性状** | 本品粗长，有少数分枝。商品均已切成段，直径 3 ～ 5 cm，长 1 ～ 4 cm，外皮厚 0.2 ～ 0.5 cm。表面紫褐色，较光滑，栓皮易片状剥落，脱落处显白色粉霜。质坚硬，切面皮部棕褐色，较平坦，木质部黄白色，有细密小孔（导管），略呈同心环状排列，中央髓细小，直径 0.2 cm，颗粒性，黄白色。气微，味微辛、微苦。

| **功能主治** | 甘、淡，凉。清热解毒，消肿。用于上呼吸道感染，夏季热，带下，痈肿疮疖，麻风。

| **用法用量** | 内服煎汤，30 ～ 60 g。

山茶科 Theaceae 杨桐属 Adinandra

川杨桐

Adinandra bockiana Pritz. ex Diels

|药材名|

四川红淡叶（药用部位：叶）。

|形态特征|

灌木或小乔木。高 2 ～ 9 m。树皮淡黑褐色。叶互生，革质，长圆形至长圆状卵形，长 9 ～ 13 cm，宽 3 ～ 4 cm，先端渐尖或长渐尖，尖顶长 1 ～ 2 cm，基部楔形，全缘，干后多少反卷，上面亮绿色，无毛，下面淡绿色，初时密被黄褐色或锈褐色柔毛，中脉和叶缘毛更密，老后毛脱落，疏被柔毛或几无毛，侧脉 11 ～ 12 对，在两面均不明显，稀下面隐约可见；叶柄长 5 ～ 7 mm，密被柔毛。花单朵腋生；花梗长 1 ～ 2 cm，密被黄褐色柔毛；小苞片 2，早落，线状长圆形，长 3 ～ 4 mm，宽约 1.5 mm，密被柔毛；花瓣 5，白色（未开），阔卵形，长 6 ～ 7 mm，宽 4 ～ 5 mm，先端圆，有小尖头，外面中间部分密被黄褐色绢毛。果实圆球形，疏被绢毛，成熟时紫黑色，直径约 1 cm，宿存花柱长约 1 cm，无毛；种子多数，淡红褐色，有光泽，表面具网纹。花期 6 ～ 7 月，果期 9 ～ 10 月。

| **生境分布** | 生于海拔 800 ～ 1 250 m 的山坡路旁灌丛中或山地疏密林中。分布于湖南长沙（岳麓）、衡阳（南岳）、邵阳（武冈）、怀化（通道）等。

| **资源情况** | 野生资源稀少。药材来源于野生。

| **功能主治** | 凉血止血，解毒。用于外伤出血，烫火伤。

山茶科 Theaceae 杨桐属 *Adinandra*

杨桐

Adinandra millettii (Hook. et Arn.) Benth. et Hook. f. ex Hance

| 药 材 名 | 黄瑞木（药用部位：根、嫩叶。别名：杨桐、鸡仔茶、黄板叉木）。

| 形态特征 | 灌木或小乔木，高 2 ～ 10（ ～ 16）m，胸径 10 ～ 20（ ～ 40）cm。树皮灰褐色，枝圆筒形，小枝褐色，无毛，嫩枝和顶芽被灰褐色平伏短柔毛。叶互生，革质，长圆状椭圆形，长 4.5 ～ 9 cm，宽 2 ～ 3 cm，先端短尖，基部楔形，全缘，沿上半部疏生细锯齿，初疏被平伏短柔毛，后无毛或近无毛。花单朵腋生，花梗纤细，长约 2 cm，疏被短柔毛或近无毛；萼片 5，卵状披针形或卵状三角形，长 7 ～ 8 mm，宽 4 ～ 5 mm，先端尖，边缘具纤毛和腺点，外面疏被平伏短柔毛或近无毛；花瓣 5，白色，卵状长圆形至长圆形，长约 9 mm，宽 4 ～ 5 mm，先端尖，外面无毛；雄蕊约 25，花药被丝

毛；子房圆球形，被短柔毛，3 室，花柱无毛。果实圆球形，疏被短柔毛，直径约 1 cm，成熟时呈黑色；种子深褐色，有光泽，表面具网纹。花期 5 ～ 7 月，果期 8 ～ 10 月。

| 生境分布 | 生于海拔 100 ～ 1 300 m 的山坡路旁灌丛、山地阳坡的疏林或密林、路边。湖南有广泛分布。

| 资源情况 | 野生资源较丰富。药材来源于野生。

| 采收加工 | 根，全年均可采挖，晒干或鲜用。嫩叶，夏、秋季采收，鲜用。

| 功能主治 | 苦，凉。归肺、肝经。凉血止血，解毒消肿。用于衄血，尿血，病毒性肝炎，腮腺炎，疖肿，蛇虫咬伤，恶性肿瘤。

| 用法用量 | 内服煎汤，15 ～ 30 g，鲜品酌加。外用适量，鲜叶捣敷；或以根磨淘米水擦患处。

| 附　注 | 本种与尖叶川杨桐 *Adinandra bockiana* Pritz. ex Diels var. *acutifolia* (Hand.-Mazz.) Kobuski 的区别在于本种的叶片先端短渐尖至钝形，萼片卵状披针形或卵状三角形，先端尖，花瓣卵状长圆形。

山茶科 Theaceae 山茶属 Camellia

贵州连蕊茶 *Camellia costei* Lévl.

| 药 材 名 |

阿根衣（药用部位：全株）。

| 形态特征 |

灌木或小乔木，高达 7 m。嫩枝有短柔毛。叶革质，卵状长圆形，先端渐尖或长尾状渐尖，基部阔楔形，长 4 ~ 7 cm，宽 1.3 ~ 2.6 cm，上面干后呈深绿色，发亮，中脉残留短毛，下面浅绿色，初时有长毛，以后秃净，侧脉约 6 对，在上面隐约可见，在下面稍凸起，边缘有钝锯齿，齿刻相隔 1 ~ 3 mm；叶柄长 2 ~ 4 mm，有短柔毛。花顶生及腋生，花梗长 3 ~ 4 mm，有苞片 4 ~ 5；苞片三角形，先端尖，最长苞片长 2 mm，先端有毛；花萼杯状，长 3 mm，萼片 5，卵形，长 1.5 ~ 2 mm，先端有毛；花冠白色，长 1.3 ~ 2 cm；花瓣 5，基部与雄蕊连生，最外侧 1 ~ 2 花瓣倒卵形至圆形，长 1 ~ 1.4 cm，有睫毛，内侧 3 ~ 4 花瓣倒卵形，先端圆或凹入，有睫毛；雄蕊长 10 ~ 15 mm，无毛，花丝管长 7 ~ 9 mm；子房无毛，花柱长 10 ~ 17 mm，先端 3 裂。蒴果圆球形，直径 11 ~ 15 mm，1 室，有种子 1，果柄长 3 ~ 5 mm，最长宿存萼片长 2 mm。花期 1 ~ 2 月。

| **生境分布** | 生于山坡、山谷、林中。分布于湖南长沙（长沙）、常德（鼎城）、益阳（桃江）、郴州（永兴）、永州（蓝山、江华）、怀化（麻阳）、湘西州（古丈、永顺）等。 |

| **资源情况** | 野生资源较少。药材来源于野生。 |

| **功能主治** | 苦，温。健脾消食，滋补强壮。用于身体虚弱，消瘦。 |

山茶科 Theaceae 山茶属 Camellia

尖连蕊茶

Camellia cuspidata (Kochs) Wright ex Gard.

| 药 材 名 |

尖连蕊茶根（药用部位：根。别名：尖叶山茶、阿连衣）。

| 形态特征 |

灌木，高达 3 m。嫩枝无毛，或最初开放的新枝有微毛，很快变秃净。叶革质，卵状披针形或椭圆形，长 5 ~ 8 cm，宽 1.5 ~ 2.5 cm，先端渐尖至尾状渐尖，基部楔形或略圆，无毛，边缘具细密锯齿。花单独顶生，花梗长 3 mm，有时稍长；苞片 3 ~ 4，卵形，长 1.5 ~ 2.5 mm，无毛；花萼杯状，长 4 ~ 5 mm，萼片 5，无毛；花冠白色，长 2 ~ 2.4 cm，无毛；花瓣 6 ~ 7，基部连生，并与雄蕊的花丝贴生，外侧 2 ~ 3 花瓣较小，革质，长 1.2 ~ 1.5 cm，内侧 4 ~ 5 花瓣长达 2.4 cm；雄蕊比花瓣短，无毛，外轮雄蕊只在基部和花瓣合生，其余部分离生，花药背部着生；雌蕊长 1.8 ~ 2.3 cm，子房无毛，花柱长 1.5 ~ 2 cm，无毛，先端 3 浅裂，裂片长约 2 mm。蒴果圆球形，直径 1.5 cm，有宿存苞片和萼片，果皮薄，1 室；种子 1，圆球形。花期 4 ~ 7 月。

| **生境分布** | 生于山坡林下。湖南有广泛分布。 |

| **资源情况** | 野生资源一般。药材来源于野生。 |

| **采收加工** | 全年均可采挖，去栓皮，洗净，切段，晒干。 |

| **功能主治** | 甘，温。归脾经。健脾消食，补虚。用于脾虚食少，病后体弱。 |

| **用法用量** | 内服煎汤，6 ~ 15 g。 |

山茶科 Theaceae 山茶属 *Camellia*

毛柄连蕊茶

Camellia fraterna Hance

| 药 材 名 | 连蕊茶（药用部位：根、叶、花）。

| 形态特征 | 灌木或小乔木，高 1 ～ 5 m。嫩枝密生柔毛或长丝毛。叶革质，椭圆形，长 4 ～ 8 cm，宽 1.5 ～ 3.5 cm，先端渐尖而有钝尖头，基部阔楔形，上面干后呈深绿色，发亮，下面初时有长毛，以后变秃，仅在中脉上有毛，侧脉 5 ～ 6 对，在上下两面均不明显，边缘有相隔 1.5 ～ 2.5 mm 的钝锯齿；叶柄长 3 ～ 5 mm，有柔毛。花常单生于枝顶，花梗长 3 ～ 4 mm，有苞片 4 ～ 5；苞片阔卵形，长 1 ～ 2.5 mm，被毛；花萼杯状，长 4 ～ 5 mm，萼片 5，卵形，有褐色长丝毛；花冠白色，长 2 ～ 2.5 cm，基部与雄蕊连生达 5 mm，花瓣 5 ～ 6，外侧 2 花瓣革质，有丝毛，内侧 3 ～ 4 花瓣阔倒卵形，

先端稍凹入，背面有柔毛或稍秃净；雄蕊长 1.5 ~ 2 cm，无毛，花丝管长为雄蕊的 2/3；子房无毛，花柱长 1.4 ~ 1.8 cm，先端 3 浅裂，裂片仅长 1 ~ 2 mm。蒴果圆球形，直径 1.5 cm，1 室，种子 1，果壳薄革质。花期 4 ~ 5 月。

| **生境分布** | 生于海拔 150 ~ 500 m 的山坡、山谷疏林中及溪谷两旁林缘、山麓水沟边。分布于湖南常德（桃源）、益阳（赫山）、郴州（汝城）、永州（祁阳）等。

| **资源情况** | 野生资源稀少。药材来源于野生。

| **采收加工** | 根、叶，全年均可采收，根切片，晒干，叶鲜用。花，春季采集，晒干。

| **功能主治** | 微苦，微寒。清热解毒，消肿。用于痈肿疮疡，咽喉肿痛，跌打损伤。

| **用法用量** | 内服煎汤，9 ~ 15 g。外用适量，鲜品捣敷。

山茶科 Theaceae 山茶属 Camellia

山茶 *Camellia japonica* L.

药材名

山茶花（药用部位：花。别名：曼陀罗树、宝珠山茶、红茶花）、山茶根（药用部位：根）、山茶叶（药用部位：叶）、山茶子（药用部位：种子）。

形态特征

灌木或小乔木，高9 m。嫩枝无毛。叶革质，椭圆形，长5 ~ 10 cm，宽2.5 ~ 5 cm，先端略尖，或急短尖而有钝尖头，基部阔楔形，上面深绿色，干后发亮，无毛，下面浅绿色，无毛，侧脉7 ~ 8对，在上下两面均明显，边缘有相隔2 ~ 3.5 cm的细锯齿；叶柄长8 ~ 15 mm，无毛。花顶生，红色，无柄；苞片及萼片共10，组成长2.5 ~ 3 cm的杯状苞被，苞片及萼片半圆形至圆形，长4 ~ 20 mm，外面有绢毛；花瓣5 ~ 7，外侧2花瓣近圆形，几离生，长2 cm，外面有毛，内侧5花瓣基部连生约8 mm，倒卵圆形，长3 ~ 4.5 cm，无毛；雄蕊3轮，长2.5 ~ 3 cm，外轮花丝基部连生，花丝管长1.5 cm，无毛，内轮雄蕊离生，稍短；子房无毛，花柱长2.5 cm，先端3裂。蒴果圆球形，直径2.5 ~ 3 cm，2 ~ 3室，每室有种子1 ~ 2，3片裂开，果爿厚，木质。花期1 ~ 4月。

| 生境分布 | 生于海拔 300 ～ 1 100 m 的森林中。栽培于排水良好、疏松、呈微酸性的土壤中。湖南各地均有分布。

| 资源情况 | 野生资源较丰富。栽培资源较丰富。药材来源于野生和栽培。

| 采收加工 | 山茶花：4 ～ 5 月花盛开时分批采收，晒干或炕干，在干燥过程中要少翻动，避免花破碎或散瓣。

山茶根：全年均可采挖，洗净，晒干。

山茶叶：全年均可采收，鲜用，或采摘后洗净，晒干。

山茶子：10 月采摘成熟果实，取出种子，晒干。

| 药材性状 | **山茶花**：本品花蕾卵圆形，开放的花呈不规则扁盘状，直径 5 ~ 8 cm，表面红色、黄棕色或棕褐色，萼片 5，棕红色，革质，背面密布灰白色绢丝样细绒毛，花瓣 5 ~ 7，上部卵圆形，先端微凹，下部色较深，基部连合成一体，纸质；雄蕊多数，外轮花丝连合成一体。气微，味甘。

山茶叶：本品叶片倒卵形或椭圆形，长 5 ~ 10 cm，宽 2.5 ~ 5 cm，先端渐尖而钝，基部楔形，边缘有细锯齿，黄绿色，表面略有光泽，无毛，背面及边缘略有毛，革质；叶柄圆柱形，长 8 ~ 15 mm。气微，味微苦、涩。

| 功能主治 | **山茶花**：甘、苦、辛，凉。归肝、肺、大肠经。凉血止血，散瘀消肿。用于吐血，衄血，咯血，便血，痔血，赤白痢，血淋，血崩，带下，烫伤，跌扑损伤。

山茶根：苦，平。归胃、肝经。散瘀消肿，消食。用于跌打损伤，食积腹胀。

山茶叶：苦、涩，寒。归心经。清热解毒，止血。用于痈疽肿毒，烫火伤，出血。

山茶子：甘，平。去油垢。用于发多油腻。

| 用法用量 | **山茶花**：内服煎汤，5 ~ 10 g；或研末。外用适量，研末，麻油调涂。

山茶根：内服煎汤，15 ~ 30 g。

山茶叶：内服煎汤，6 ~ 15 g。外用适量，鲜品捣敷；或研末调涂。

山茶子：外用适量，研末掺。

山茶科 Theaceae 山茶属 Camellia

油茶

Camellia oleifera Abel Journ.

| 药 材 名 | 油茶根皮（药用部位：根或根皮。别名：油茶根）、茶子木花（药用部位：花。别名：油茶花）、茶子心（药用部位：种子。别名：油茶子、茶籽）、茶油（药材来源：种子经压榨后所得的脂肪油。别名：渣油、茶子油）、茶子饼（药材来源：种子经压榨后所得的残渣。别名：茶油粑、枯饼、茶枯）、油茶叶（药用部位：叶）。 |

| 形态特征 | 灌木或中乔木。嫩枝有粗毛。叶革质，椭圆形、长圆形或倒卵形，先端钝尖，基部楔形，长 5 ~ 7 cm，宽 2 ~ 4 cm，下面中脉被长毛，侧脉边缘有细锯齿，有时具钝齿；叶柄长 4 ~ 8 mm，有粗毛。花顶生，近无柄；苞片与萼片共 10，由外向内逐渐增大，阔卵形，长 3 ~ 12 mm，背面有紧贴柔毛或绢毛，毛花后脱落；花瓣 5 ~ 7， |

白色，倒卵形，长 2.5 ~ 3 cm，宽 1 ~ 2 cm，有时更短或更长，先端凹入或 2 裂，基部狭窄，近离生；雄蕊长 1 ~ 1.5 cm，偶有长达 7 mm 的花丝管，无毛，花药背部着生；子房有黄色长毛，3 ~ 5 室，花柱长约 1 cm，先端 3 裂。蒴果球形或卵圆形，直径 2 ~ 4 cm，1 室或 3 室，2 片或 3 片裂开，每室有 1 ~ 2 种子，果片厚 3 ~ 5 mm。花期冬季至翌年春季，果期翌年 9 ~ 10 月。

| **生境分布** | 生于海拔 100 ~ 900 m 的丘陵、山区。栽培于土层深厚、排水良好、土壤肥沃、呈酸性的红壤、黄壤中。湖南各地均有分布。

| 资源情况 | 野生资源较丰富。栽培资源丰富。药材来源于野生和栽培。

| 采收加工 | **油茶根皮：**全年均可采收，鲜用或晒干。

茶子木花：冬季采收。

茶子心：秋季果实成熟时采收。

茶油：秋季果实成熟时采收种子，榨取油。

茶子饼：秋季果实成熟时采收种子，榨油后取残渣。

油茶叶：全年均可采收，鲜用或晒干。

| 药材性状 | **茶子木花：**本品花蕾倒卵形，花不规则，萼片5，类圆形，稍厚，外被灰白色绢毛，花瓣5～7，有时散落，淡黄色或黄棕色，倒卵形，先端凹入，外表面被疏毛；雄蕊多数，排成2轮，花丝基部成束；花柱分离。气微香，味微苦。

茶子心：本品扁圆形，背面圆形隆起，腹面扁平，长1～2.5 cm，一端钝圆，另一端凹陷；表面淡棕色；富含油。气香，味苦、涩。

茶油：本品为淡黄色的澄清液体。

油茶叶：本品椭圆形或卵状椭圆形，长3～7 cm，宽1.5～4 cm，先端渐尖或短尖，基部楔形，边缘有细锯齿；表面绿色，主脉明显，侧脉不明显；革质，稍厚。气清香，味微苦、涩。

| 功能主治 | **油茶根皮：**苦，平；有小毒。清热解毒，理气止痛，活血消肿。用于咽喉肿痛，胃痛，牙痛，跌打伤痛，烫火伤。

茶子木花：苦，微寒。凉血止血。用于吐血，咯血，衄血，便血，子宫出血，烫伤。

茶子心：苦、甘，平；有毒。归脾、胃、大肠经。行气，润肠，杀虫。用于气滞腹痛，肠燥便秘，蛔虫病，钩虫病，疥癣瘙痒。

茶油：甘、苦，凉。归大肠、胃经。清热解毒，润肠，杀虫。用于痧气腹痛，便秘，蛔虫所致腹痛，蛔虫性肠梗阻，疥癣，烫火伤。

茶子饼：辛、苦、涩，平；有小毒。归脾、胃、大肠经。燥湿解毒，杀虫去积，消肿止痛。用于湿疹痛痒，虫积腹痛，跌打伤肿。

油茶叶：微苦，平。收敛止血，解毒。用于鼻衄，皮肤溃烂、瘙痒，疮疽。

| 用法用量 | **油茶根皮：**内服煎汤，15～30 g。外用适量，研末或烧灰研末，调敷。

茶子木花：内服煎汤，3～10 g。外用适量，研末，麻油调敷。

茶子心：内服煎汤，6～10 g；或入丸、散剂。外用适量，煎汤洗；或研末调涂。

茶油： 内服冷开水送服，30 ～ 60 g。外用适量，涂敷。

茶子饼： 内服煅存性研末，3 ～ 6 g。外用适量，煎汤洗；或研末调涂。

油茶叶： 内服煎汤，15 ～ 30 g。外用适量，煎汤洗；或鲜品捣敷。

山茶科 Theaceae 山茶属 Camellia

细叶连蕊茶

Camellia parvilimba Merr. et Metc.

药材名

细叶连蕊茶（药用部位：根、花。别名：小叶山茶）。

形态特征

小灌木，高 1 m。嫩枝极纤细，被毛，左右交互屈曲。叶薄革质，细小，椭圆形或卵形，长 1 ~ 2 cm，宽 7 ~ 13 mm，有时较长，先端稍尖而有 1 钝尖头，基部阔楔形，上面干后呈深绿色，发亮，沿中脉残留短粗毛，下面黄褐色，有稀疏而紧贴的长毛，侧脉在上下两面均不明显，边缘上半部有细小钝锯齿，有时近全缘；叶柄长 1 ~ 1.5 mm，有褐色柔毛。花顶生，花梗长 10 mm，无毛，有细小而分散的苞片 5；苞片阔卵形，长 0.5 ~ 1 mm，先端钝，有睫毛；花萼杯状，长 3 mm，萼片 5，长 1.5 mm，背面无毛，边缘有睫毛；花冠白色，长 1.6 cm；花瓣 6，倒卵形，先端圆，无毛，基部略连生；雄蕊长约 1.3 cm，外轮花丝下半部连生成短管，上半部分离，无毛，花药背部着生；子房无毛，花柱长 1.3 cm，无毛，先端 3 浅裂。蒴果圆球形，直径 1.2 cm，1 室，果爿薄；种子 1。花期 1 月。

| **生境分布** | 生于山区常绿林下。分布于湖南长沙（长沙）等。

| **资源情况** | 野生资源稀少。药材来源于野生。

| **功能主治** | 收敛止血，凉血。

山茶科 Theaceae 山茶属 Camellia

西南红山茶

Camellia pitardii Coh. St.

| 药 材 名 | 西南山茶（药用部位：花、叶、根。别名：野山茶、茶花、红山茶花）。

| 形态特征 | 灌木或小乔木，高达 7 m。嫩枝无毛。叶革质，披针形或长圆形，长 8 ~ 12 cm，宽 2.5 ~ 4 cm，有时较长，先端渐尖或长尾状，基部楔形，上面干后呈亮绿色，下面黄绿色，无毛，侧脉 6 ~ 7 对，在上下两面均明显，边缘有尖锐粗锯齿，齿刻相隔 2 ~ 3.5 mm，齿尖长 0.5 ~ 1.5 mm；叶柄长 1 ~ 1.5 cm，无毛。花顶生，红色，无柄；苞片及萼片组成长 2.5 ~ 3 cm 的苞被，最下面 1 ~ 2 苞被片半月形，内侧苞被片近圆形，长约 2 cm，背面有毛；花瓣 5 ~ 6，直径 5 ~ 8 cm，基部与雄蕊合生约 1.3 cm；雄蕊长 2 ~ 3 cm，无毛，外轮花丝连生，花丝管长 1 ~ 1.5 cm，基部与花瓣贴生；子房有长毛，

花柱长 2.5 cm，基部有毛，先端 3 浅裂。蒴果扁球形，高 3.5 cm，宽 3.5 ~ 5.5 cm，3 室，3 片裂开，果片厚；种子半圆形，长 1.5 ~ 2 cm，褐色。花期 2 ~ 5 月。

| 生境分布 | 生于海拔 1 000 ~ 2 000 m 的山沟、水边、疏林中。分布于湖南邵阳（新邵、绥宁）、张家界（武陵源）、永州（东安、道县）、湘西州（吉首、花垣、古丈、永顺）、怀化（通道）等。

| 资源情况 | 野生资源较少。药材来源于野生。

| 采收加工 | 冬季采集，晒干。

| 功能主治 | 微辛、苦、涩，平。归肝、脾经。活血止血，收敛止泻，解毒敛疮。用于月经不调，月经过多，肠风下血，鼻衄，吐血，急性胃肠炎，痢疾，脱肛，带下，遗精，风湿痹痛，烫火伤。

| 用法用量 | 内服煎汤，10 ~ 30 g；或研末，3 ~ 6 g。外用适量，研末调敷或干掺。

| 附　　注 | 本种与窄叶西南红山茶 Camellia pitardii Coh. St. var. yunnanica Sealy 的区别在于本种嫩枝无毛。

山茶科 Theaceae 山茶属 Camellia

多齿红山茶

Camellia polyodonta How ex Hu

| 药 材 名 | 多齿红山茶（药用部位：根、花。别名：宛田红花油茶）。

| 形态特征 | 小乔木，高 8 m。嫩枝无毛。叶厚革质，椭圆形至卵圆形，长 8 ～ 12.5 cm，宽 3.5 ～ 6 cm，先端阔而急长尖，尖尾长 1 ～ 2 cm，基部圆形，上面干后呈褐绿色，略有光泽，下面红褐色，稍发亮，无毛，侧脉 6 ～ 7 对，在上面陷下，在下面凸起，网脉凹下，边缘密生尖锐细锯齿，齿刻相隔 1 ～ 1.5 mm，齿尖长 1 mm；叶柄粗大，长 8 ～ 10 mm，无毛。花顶生及腋生，红色，无梗，直径 7 ～ 10 cm；苞片及萼片 15，革质，阔倒卵形，由外向内逐渐增大，长 4 ～ 28 mm，宽 6 ～ 20 mm，外侧有褐色绢毛，花瓣 6 ～ 7，最外侧 2 花瓣倒卵形，长 2 cm，宽 1.5 cm，内侧 5 花瓣阔倒卵形，长 3 ～ 4 cm，宽 2.5 ～

3.5 cm，外侧有白毛，基部连成短管；雄蕊排成 5 轮，最外轮花丝下部 2/3 连合，内轮离生，花丝有柔毛；子房 3 室，被毛，花柱长 2 cm，3 深裂。蒴果球形，直径 5 ~ 8 cm，果爿木质，厚 1 ~ 1.8 cm；种子 9 ~ 15。

| 生境分布 | 生于山腰林下。分布于湖南永州（东安）等。

| 资源情况 | 野生资源稀少。药材来源于野生。

| 功能主治 | 收敛止血，凉血。

山茶科 Theaceae 山茶属 Camellia

柳叶毛蕊茶

Camellia salicifolia Champ. ex Benth.

| 药 材 名 | 柳叶毛蕊茶（药用部位：根、花。别名：毛叶山茶、柳叶山茶）。

| 形态特征 | 灌木或小乔木。嫩枝纤细，密生长丝毛。叶薄纸质，披针形，长6 ~ 10 cm，宽1.4 ~ 2.5 cm，有时更长，先端尾状渐尖，基部圆形，上面干后带褐色，无光泽，沿中脉有柔毛，下面有长丝毛，侧脉6 ~ 8对，在上下两面均明显，边缘密生细锯齿；叶柄长1 ~ 3 mm，密生茸毛。花顶生及腋生，花梗长3 ~ 4 mm，被长丝毛；苞片4 ~ 5，披针形，长4 ~ 10 mm，有长毛，宿存；萼片5，不等长，线状披针形，长7 ~ 15 mm，基部宽3 ~ 4 mm，宿存，密生长丝毛；花冠白色，长1.5 ~ 2 cm；花瓣5 ~ 6，基部与雄蕊连生约2 mm，倒卵形，最外侧1 ~ 2花瓣革质，长11 ~ 13 mm，背面有长毛，内侧

花瓣长 1.3 ~ 2 cm，有长丝毛；雄蕊长 10 ~ 15 mm，花丝管长为雄蕊的2/3，分离花丝有长毛；子房有长丝毛，花柱有毛，先端 3 浅裂。蒴果圆球形或卵圆形，长 1.5 ~ 2.2 cm，宽 1.5 cm，1 室，果爿薄；种子 1。花期 8 ~ 11 月。

| 生境分布 | 生于海拔 60 ~ 1 000 m 的山地常绿阔叶林中。分布于湖南株洲（茶陵）、益阳（桃江）、怀化（新晃）等。

| 资源情况 | 野生资源稀少。药材来源于野生。

| 功能主治 | 收敛止血，凉血。

山茶科 Theaceae 山茶属 Camellia

茶梅 *Camellia sasanqua* Thunb.

| **药 材 名** | 茶梅（药材来源：种子油）。

| **形态特征** | 小乔木，嫩枝有毛。叶革质，椭圆形，长 3 ~ 5 cm，宽 2 ~ 3 cm，先端短尖，基部楔形，有时略圆，上面干后深绿色，发亮，下面褐绿色，无毛，侧脉 5 ~ 6 对，在上面不明显，在下面能见，网脉不显著，边缘有细锯齿；叶柄长 4 ~ 6 mm，稍被残毛。花大小不一，直径 4 ~ 7 cm；苞及萼片 6 ~ 7，被柔毛；花瓣 6 ~ 7，阔倒卵形，近离生，大小不一，最大的长 5 cm，宽 6 cm，红色；雄蕊离生，长 1.5 ~ 2 cm；子房被茸毛，花柱长 1 ~ 1.3 cm，3 深裂几及基部。蒴果球形，宽 1.5 ~ 2 cm，1 ~ 3 室，果爿 3 裂；种子褐色，无毛。

| **生境分布** | 栽培于庭院、公园。湖南各地均有栽培。

| **资源情况** | 栽培资源丰富。药材来源于栽培。

| **功能主治** | 清热解毒，润肠，杀虫。

山茶科 Theaceae 山茶属 Camellia

南山茶 *Camellia semiserrata* Chi

| **药 材 名** | 南山茶（药用部位：花、叶。别名：广宁红花油茶、广宁油茶、华南红花油茶）。

| **形态特征** | 小乔木，高 8 ~ 12 m，胸径 50 cm。嫩枝无毛。叶革质，椭圆形或长圆形，长 9 ~ 15 cm，宽 3 ~ 6 cm，先端急尖，基部阔楔形，两面无毛，侧脉 7 ~ 9 对，网脉不明显，边缘上半部或 1/3 有疏而锐利的锯齿；叶柄长 1 ~ 1.7 mm，粗大，无毛。花顶生，红色，无柄，直径 7 ~ 9 cm；苞片及萼片 11，花开后脱落，半圆形至圆形，最下面 2 ~ 3 较短小，长 3 ~ 5 mm，宽 6 ~ 9 mm，其余长 1 ~ 2 cm，外面有短绢毛，边缘薄；花瓣 6 ~ 7，红色，阔倒卵圆形，长 4 ~ 5 cm，宽 3.5 ~ 4.5 cm，基部连生 7 ~ 8 mm；雄蕊 5 轮，长 2.5 ~ 3 cm，外

轮花丝下部 2/3 连生，游离花丝无毛，内轮雄蕊离生；子房被毛，花柱长 4 cm，先端 3 ~ 5 浅裂，无毛或近基部有微毛。蒴果卵球形，直径 4 ~ 8 cm，3 ~ 5 室，每室有种子 1 ~ 3，果皮木质，厚 1 ~ 2 cm，表面红色，平滑，中轴长 4 ~ 5 cm；种子长 2.5 ~ 4 cm。花期 12 月至翌年 2 月，果期翌年 10 月。

| **生境分布** | 生于山地。分布于湖南岳阳（岳阳）、郴州（汝城）、怀化（中方、辰溪）等。

| **资源情况** | 野生资源稀少。药材来源于野生。

| **功能主治** | 收敛，止血。

山茶科 Theaceae 山茶属 Camellia

茶
Camellia sinensis (L.) O. Ktze.

| 药 材 名 |

茶叶（药用部位：芽、叶）、茶树根（药用部位：根）、茶子（药用部位：果实）、茶花（药用部位：花）。

| 形态特征 |

灌木或小乔木。嫩枝无毛。叶革质，长圆形或椭圆形，长 4 ~ 12 cm，宽 2 ~ 5 cm，先端钝或尖锐，基部楔形，上面发亮，下面无毛或初时有柔毛，侧脉 5 ~ 7 对，边缘有锯齿；叶柄长 3 ~ 8 mm，无毛。花 1 ~ 3 腋生，白色，花梗长 4 ~ 6 mm，有时稍长；苞片 2，早落；萼片 5，阔卵形至圆形，长 3 ~ 4 mm，无毛，宿存；花瓣 5 ~ 6，阔卵形，长 1 ~ 1.6 cm，基部略连合，背面无毛，有时有短柔毛；雄蕊长 8 ~ 13 mm，基部连生 1 ~ 2 mm；子房密生白毛，花柱无毛，先端 3 裂，裂片长 2 ~ 4 mm。蒴果具 3 球或 1 ~ 2 球，高 1.1 ~ 1.5 cm，每球有种子 1 ~ 2。花期 10 月至翌年 2 月。

| 生境分布 |

生于海拔 100 ~ 2 000 m 的常绿阔叶林、灌丛。栽培于肥沃、疏松、深厚的砂壤土中。

湖南各地均有分布。

| **资源情况** | 野生资源丰富。栽培资源丰富。药材来源于野生和栽培。

| **采收加工** | 茶叶：培育 3 年即可采收，4 ~ 6 月采收春茶及夏茶。加工方法因茶叶种类不同而有差异，可分为全发酵、半发酵、不发酵 3 大类。

茶树根：全年均可采挖，鲜用或晒干。

茶子：秋季果实成熟时采收。

茶花：夏、秋季开花时采摘，鲜用或晒干。

| **药材性状** | 茶叶：本品常卷缩成条状或薄片状，或折皱，完整叶片展平后呈披针形至长椭圆形，长 1.5 ~ 4 cm，宽 0.5 ~ 1.5 cm，先端急尖或钝尖，叶基楔形下延，边缘具锯齿，齿端呈爪状，棕红色，有时脱落，上下表面均有柔毛，网脉羽状，侧脉 5 ~ 7 对，主脉在下表面较凸出，纸质，较厚，老叶革质，较大，近光滑；叶柄短，被白色柔毛。气微弱而清香，味苦、涩。

茶子：本品扁球形，具 3 钝棱，先端凹陷，直径 2 ～ 5 mm，黑褐色，表面被灰棕色茸毛，果皮坚硬，不易压碎，萼片 5，宿存，广卵形，长 2 ～ 5 mm，上表面灰棕色，具茸毛，下表面棕褐色，质厚，木质化。果柄圆柱形，上端稍粗，微弯曲，下方有一凸起的环节，棕褐色。气微，味淡。

茶花：本品花蕾类球形，萼片 5，黄绿色或深绿色，花瓣 5，类白色或淡黄白色，近圆形。气微香。

| 功能主治 |　茶叶：苦、甘，凉。归心、肺、胃、肾经。清头目，除烦渴，化痰，消食，利尿，解毒。用于头痛，目昏，多睡善寐，心烦口渴，食积，口臭，痰喘，癫痫，小便不利，泻痢，咽喉肿痛，疮疡疖肿，烫火伤。

茶树根：苦，凉。归心、肝、肺经。强心利尿，活血调经，清热解毒。用于心脏病，水肿，肝炎，痛经，疮疡肿毒，口疮，烫火伤，带状疱疹，牛皮癣。

茶子：苦，寒；有毒。归肺经。降火，消痰平喘。用于痰热喘嗽，头脑鸣响。

茶花：微苦，凉。归肺、肝经。清肺平肝。用于鼻疳，高血压。

| 用法用量 |　茶叶：内服煎汤，3 ～ 10 g；或入丸、散剂；或沸水泡。外用适量，研末调敷；或鲜品捣敷。

茶树根：内服煎汤，15 ～ 30 g，大剂量可用至 60 g。外用适量，煎汤熏洗；或磨醋涂。

茶子：内服煎汤，0.5 ～ 1.5 g；或入丸、散剂。外用适量，研末吹鼻。

茶花：内服煎汤，6 ～ 15 g。

山茶科 Theaceae 红淡比属 Cleyera

红淡比

Cleyera japonica Thunb.

| 药 材 名 | 红淡比（药用部位：花）。

| 形态特征 | 灌木或小乔木，高 2 ~ 10 m，胸径约 20 cm，全株无毛。树皮灰褐色或灰白色；顶芽大，长锥形，长 1 ~ 1.5 cm，无毛。嫩枝褐色，略具 2 棱；小枝灰褐色，圆柱形。叶革质，长圆形、长圆状椭圆形至椭圆形，长 6 ~ 9 cm，宽 2.5 ~ 3.5 cm，先端渐尖或短渐尖，稀近钝形，基部楔形或阔楔形，全缘，上面深绿色，有光泽，下面淡绿色，中脉在上面平贴或略下凹，在下面隆起，侧脉 6 ~ 8 对，稀达 10 对，在两面稍明显，有时隆起，或在下面不明显；叶柄长 7 ~ 10 mm。花 2 ~ 4 腋生，花梗长 1 ~ 2 cm；苞片 2，早落；萼片 5，卵圆形或圆形，长、宽均约 2.5 mm，先端圆，边缘有纤毛；花瓣

5，白色，倒卵状长圆形，长约 8 mm。果实圆球形，成熟时呈紫黑色，直径 8 ~ 10 mm，果柄长 1.5 ~ 2 cm；种子每室数个至 10 余个，扁圆形，深褐色，有光泽，直径约 2 mm。花期 5 ~ 6 月，果期 10 ~ 11 月。

| 生境分布 | 生于海拔 200 ~ 1 200 m 的山地、沟谷林中、溪边灌丛中或路旁。分布于湖南永州（新田）等。

| 资源情况 | 野生资源稀少。药材来源于野生。

| 功能主治 | 凉血，止血，消肿。

山茶科 Theaceae 柃木属 *Eurya*

尖萼毛柃 *Eurya acutisepala* Hu et L. K. Ling

| 药 材 名 | 尖萼毛柃（药用部位：叶、果实）。

| 形态特征 | 灌木或小乔木，高 2 ~ 7 m。枝稍开展，嫩枝黄褐色，圆柱形，密被短柔毛。叶薄革质，长圆形或倒披针状长圆形，长 5 ~ 8 cm，宽 1.4 ~ 1.8 cm，先端长渐尖，尾长 1 ~ 1.5 cm，基部阔楔形或楔形，边缘密生细锯齿。花 2 ~ 3 腋生，花梗长 1.5 ~ 2.5 mm，疏被短柔毛；雄花小苞片 2，卵形，长约 1.5 mm，萼片 5，卵形至长卵形，先端尖，常具褐色小点，无毛，边缘无纤毛，花瓣 5，白色，倒卵状长圆形，长约 4 mm，雄蕊约 15；雌花较小，小苞片、萼片与雄花同，但萼片较小，长约 1.5 mm，无毛，花瓣 5，窄长圆形，长约 3 mm，子房卵形，3 室，密被柔毛，花柱长 2.5 ~ 3 mm，先端 3

裂。果实卵状椭圆形或椭圆状球形,成熟时呈紫黑色,长约 4.5 mm,直径 3.5 ～ 4 mm,疏被柔毛;种子圆肾形,稍扁,深褐色,表面具细密网纹。花期 10 ～ 11 月,果期翌年 6 ～ 8 月。

| **生境分布** | 生于海拔 500 ～ 2 000 m 的山地密林中或沟谷溪边林下阴湿地。分布于湖南邵阳(洞口)、郴州(北湖)、怀化(洪江)等。

| **资源情况** | 野生资源稀少。药材来源于野生。

| **采收加工** | 夏、秋季采收,鲜用或晒干。

| **功能主治** | 祛风除湿,活血祛瘀。用于风湿痹痛,跌打损伤。

| **用法用量** | 内服煎汤,10 ～ 30 g。外用适量,煎汤洗;或鲜品捣敷。

山茶科 Theaceae 柃木属 *Eurya*

翅柃
Eurya alata Kobuski

| 药 材 名 | 翅柃（药用部位：根皮）。

| 形态特征 | 灌木，高 1 ~ 3 m，全株均无毛。嫩枝具显著 4 棱，淡褐色，小枝
灰褐色，常具明显 4 棱；顶芽披针形，渐尖，长 5 ~ 8 mm，无毛。
叶革质，长圆形或椭圆形，长 4 ~ 7.5 cm，宽 1.5 ~ 2.5 cm，先端
窄缩成短尖，尖头钝，偶为长渐尖，基部楔形，边缘密生细锯齿，
中脉在上面凹，在下面凸，侧脉 6 ~ 8 对，在上面不甚明显，偶稍
凹，在下面通常略隆起；叶柄长约 4 mm。花 1 ~ 3 簇生于叶腋，花
梗长 2 ~ 3 mm，无毛；雄花小苞片 2，卵圆形，萼片 5，膜质或近
膜质，卵圆形，长约 2 mm，先端钝，花瓣 5，白色，倒卵状长圆形，
长 3 ~ 3.5 mm，基部合生，雄蕊约 15，花药不具分格，退化子房无

毛；雌花的小苞片和萼片与雄花同，花瓣5，长圆形，长约2.5 mm，子房圆球形，3室，无毛，花柱长约1.5 mm，先端3浅裂。果实圆球形，直径约4 mm，成熟时呈蓝黑色。花期10～11月，果期翌年6～8月。

| **生境分布** | 生于海拔300～1 600 m的山地沟谷、溪边密林中或路旁阴湿处。分布于湖南邵阳（新邵）、常德（澧县、桃源）、益阳（赫山、桃江）、怀化（芷江、洪江）、娄底（娄星、新化）、湘西州（古丈、永顺、凤凰）、株洲（渌口）、衡阳（衡东）等。

| **资源情况** | 野生资源一般。药材来源于野生。

| **功能主治** | 理气活血，消瘀止痛。

山茶科 Theaceae 柃木属 *Eurya*

短柱柃

Eurya brevistyla Kobuski

| 药 材 名 | 短柱柃（药用部位：叶）。

| 形态特征 | 灌木或小乔木，高 2 ~ 8（ ~ 12）m，全株除萼片外均无毛。树皮黑褐色或灰褐色，平滑。嫩枝灰褐色或灰白色，粗壮，略具 2 棱，小枝灰褐色；顶芽披针形，无毛，偶芽鳞边缘有纤毛。叶革质，倒卵形或椭圆形至长圆状椭圆形，长 5 ~ 9 cm，宽 2 ~ 3.5 cm，先端短渐尖至急尖，基部楔形或阔楔形，边缘有锯齿，上面深绿色，有光泽，下面淡黄绿色，两面无毛，中脉在上面凹下，在下面凸起，侧脉 9 ~ 11 对，稍纤细，通常在两面均明显，稀在两面均不明显；叶柄长 3 ~ 6 mm。花 1 ~ 3 腋生，花梗长约 1.5 mm，无毛；雄花小苞片 2，卵圆形，萼片 5，膜质，近圆形，长 1.5 ~ 2 mm，先端

有小突尖或微凹，外面无毛，但边缘有纤毛，花瓣 5，白色，长圆形或卵形，长约 4 mm。果实圆球形，直径 3 ~ 4 mm，成熟时呈蓝黑色。花期 10 ~ 11 月，果期翌年 6 ~ 8 月。

| **生境分布** | 生于海拔 850 ~ 2 000 m 的山顶、山坡沟谷林中、林下、林缘或路旁灌丛中。分布于湖南长沙（岳麓）、邵阳（邵东）、常德（安乡）、郴州（北湖、桂阳）、永州（零陵、道县）、怀化（辰溪）、湘西州（泸溪、古丈、永顺）、株洲（渌口）、张家界（桑植）等。

| **资源情况** | 野生资源一般。药材来源于野生。

| **功能主治** | 用于烫火伤。

山茶科 Theaceae 柃木属 Eurya

米碎花
Eurya chinensis R. Br.

| 药 材 名 |

米碎花（药用部位：茎、叶。别名：虾辣眼、米碎仔、矮茶）、米碎花根（药用部位：根。别名：梅养东）。

| 形态特征 |

灌木，高 1 ~ 3 m，多分枝。茎皮灰褐色或褐色，平滑。嫩枝具 2 棱，黄绿色或黄褐色，被短柔毛，小枝具 2 棱，灰褐色或浅褐色，几无毛；顶芽披针形，密被黄褐色短柔毛。叶薄革质，倒卵形或倒卵状椭圆形，长 2 ~ 5.5 cm，宽 1 ~ 2 cm，先端钝而微凹或略尖，偶近圆形，基部楔形，边缘密生细锯齿；叶柄长 2 ~ 3 mm。花 1 ~ 4 簇生于叶腋，花梗长约 2 mm，无毛；雄花小苞片 2，细小，无毛，萼片 5，卵圆形或卵形，长 1.5 ~ 2 mm，先端近圆形，无毛，花瓣 5，白色，倒卵形，长 3 ~ 3.5 mm，无毛，雄蕊约 15，花药不具分格，退化子房无毛；雌花的小苞片和萼片与雄花同，但较小，花瓣 5，卵形，长 2 ~ 2.5 mm，子房卵圆形，无毛，花柱长 1.5 ~ 2 mm，先端 3 裂。果实圆球形或卵圆形，成熟时呈紫黑色，直径 3 ~ 4 mm；种子肾形，稍扁，黑褐色，有光泽，表面具细蜂窝状网纹。花期 11 ~ 12

月，果期翌年 6 ~ 7 月。

| **生境分布** | 生于海拔 800 m 以下的低山、丘陵灌丛或沟谷灌丛中。湖南有广泛分布。

| **资源情况** | 野生资源较丰富。药材来源于野生。

| **采收加工** | **米碎花：**全年均可采收，鲜用或晒干。
米碎花根：全年均可采挖，洗净，切段，晒干。

| **功能主治** | **米碎花：**甘、淡、微涩，凉。归肺、肝经。清热除湿，解毒敛疮。用于感冒发热，湿热黄疸，疮疡肿毒，烫火伤，蛇虫咬伤，外伤出血。
米碎花根：微苦，凉。清热解毒，敛疮。用于疮疡肿毒，烫火伤。

| **用法用量** | **米碎花：**内服煎汤，15 ~ 30 g。外用适量，煎汤洗；或研末调敷；或鲜品捣敷。
米碎花根：内服煎汤，15 ~ 30 g。外用适量，煎汤洗；或研末，麻油调涂。

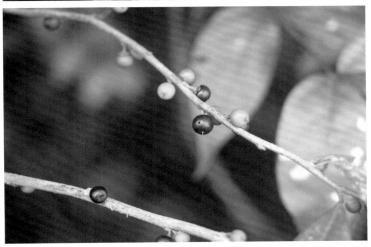

二列叶柃

Eurya distichophylla Hemsl.

| 药 材 名 | 山禾串（药用部位：茎叶、根。别名：二列叶柃、茅山茶、野茶里）。

| 形态特征 | 灌木或小乔木，高 1.5 ～ 7 m；树皮灰褐色或黑褐色；小枝稍纤细，当年生新枝圆筒形，黄褐色，密被厚柔毛或披散柔毛，小枝灰褐色或深褐色，近无毛；顶芽被柔毛。叶纸质或薄革质，卵状披针形或卵状长圆形，长 3.5 ～ 6 cm，宽 1.1 ～ 1.8 cm，先端渐尖或长渐尖，基部圆形，两侧稍不等，边缘有细锯齿，上面绿色，稍有光泽，无毛，下面淡绿色，密生贴伏毛，中脉在上面凹下，在下面凸起，侧脉 8 ～ 11 对，纤细，在上面不明显，在下面隐约可见；叶柄短，长约 1 mm，被柔毛。花 1 ～ 3 簇生于叶腋，花梗长约 1 mm，被柔毛；雄花：小苞片 2，卵形，细小；萼片 5，卵形，长约 1.5 mm，先端略尖或钝，外面密被长柔毛；花瓣 5，白色，边缘稍带蓝色，倒卵状长圆形至

倒卵形，长约 4 mm，先端圆；雄蕊 15 ~ 18，花药具多分格，退化子房密被柔毛；雌花：萼片 5，卵形，长约 1 mm，先端尖或钝尖，外面密被柔毛；花瓣 5，披针形，长 2 ~ 2.5 mm；子房卵形，密被柔毛，3 室，花柱长 3 ~ 4 mm，先端 3 深裂，有时几达基部。果实圆球形或卵球形，直径 4 ~ 5 mm，被柔毛，成熟时紫黑色；种子多数，褐色，有光泽，表面具密网纹。花期 10 ~ 12 月，果期翌年 6 ~ 7 月。

| **生境分布** | 生于海拔 200 ~ 1 500 m 的山坡路旁或沟谷溪边阴湿地的疏林、密林和灌丛。分布于湖南郴州（宜章）等。

| **资源情况** | 野生资源稀少。药材来源于野生。

| **采收加工** | 全年均可采收，洗净，鲜用或晒干。

| **功能主治** | 甘、微涩，凉。清热利咽，解毒敛疮。用于肺热痰多咳嗽，咽喉肿痛，口舌生疮，烫火伤。

| **用法用量** | 内服煎汤，茎叶 15 ~ 30 g，根 10 ~ 15 g。外用适量，鲜品捣敷；或研末调敷；或煎汤含漱。

山茶科 Theaceae 柃木属 *Eurya*

微毛柃

Eurya hebeclados Ling

| 药 材 名 | 微毛柃（药用部位：枝、叶。别名：毛柃叶）。

| 形态特征 | 灌木或小乔木，高 1.5 ～ 5 m。树皮灰褐色，稍平滑。嫩枝圆柱形，黄绿色或淡褐色，密被灰色微毛，小枝灰褐色，无毛或几无毛；顶芽卵状披针形，渐尖，长 3 ～ 7 mm，密被微毛。叶革质，长圆状椭圆形、椭圆形或长圆状倒卵形，长 4 ～ 9 cm，宽 1.5 ～ 3.5 cm，先端急窄缩成短尖，尖头钝，基部楔形，边缘有浅细齿；叶柄长 2 ～ 4 mm，被微毛。花 4 ～ 7 簇生于叶腋，被微毛；雄花小苞片 2，极小，圆形，萼片 5，近圆形，膜质，长 2.5 ～ 3 mm，先端圆，有小突尖，外面被微毛，边缘有纤毛，花瓣 5，长圆状倒卵形，白色，无毛，雄蕊约 15，花药不具分格，退化子房无毛；雌花小苞片和萼

片与雄花同，但较小，花瓣 5，倒卵形或匙形，花柱长约 1 mm，先端 3 深裂。果实圆球形，直径 4 ～ 5 mm；种子每室 10 ～ 12，肾形，稍扁而有棱，种皮深褐色，表面具细蜂窝状网纹。花期 12 月至翌年 1 月，果期 8 ～ 10 月。

| **生境分布** | 生于海拔 200 ～ 1 700 m 的山坡林中、林缘以及路旁灌丛中，有时也生长在干燥的阳坡灌丛中。分布于湖南长沙（长沙）、株洲（芦淞、茶陵）、衡阳（衡南、衡东）、邵阳（邵东、新邵、洞口）、常德（桃源）、郴州（苏仙、桂阳、临武、安仁）、永州（祁阳、东安、双牌、新田）、怀化（会同、芷江、洪江）等。

| **资源情况** | 野生资源一般。药材来源于野生。

| **采收加工** | 全年均可采收，鲜用，或洗净，切段，晒干。

| **功能主治** | 辛，平。祛风，消肿，解毒，止血。用于风湿性关节炎，肝炎，无名肿毒，烫伤，跌打损伤，外伤出血，蛇咬伤。

| **用法用量** | 内服煎汤，10 ～ 30 g。外用适量，煎汤洗；或鲜品捣敷。

| **附　　注** | 与本种的功能主治相同的物种还有：细齿叶柃 *Eurya nitida* Korthals、凹脉柃 *Eurya impressinervis* Kobuski。

山茶科 Theaceae 柃木属 *Eurya*

细枝柃

Eurya loquaiana Dunn

| **药 材 名** | 细枝柃（药用部位：茎、叶。别名：黑水柃木、短尾叶柃、罗葵氏柃）。

| **形态特征** | 灌木或小乔木，高 2 ~ 10 m。顶芽狭披针形，除密被微毛外，其基部和芽鳞背部的中脉上还被短柔毛。叶薄革质，窄椭圆形或长圆状窄椭圆形，有时为卵状披针形，长 4 ~ 9 cm，宽 1.5 ~ 2.5 cm，先端长渐尖，基部楔形，有时为阔楔形，上面暗绿色，有光泽，无毛，下面干后常变为红褐色，除沿中脉被微毛外，其余部位无毛，中脉在上面凹下，在下面凸起。花 1 ~ 4 簇生于叶腋，花梗长 2 ~ 3 mm，被微毛；雄花小苞片 2，极小，卵圆形，长约 1 mm，萼片 5，卵形或卵圆形，长约 2 mm，先端钝或近圆形，外面被微毛或近无毛，花瓣 5，白色，倒卵形，雄蕊 10 ~ 15；雌花小苞片和萼片与雄花同，

花瓣 5，白色，卵形，长约 3 mm，子房卵圆形，无毛，3 室，花柱长 2 ～ 3 mm，先端 3 裂。果实圆球形，成熟时呈黑色，直径 3 ～ 4 mm；种子肾形，稍扁，暗褐色，有光泽，表面具细蜂窝状网纹。花期 10 ～ 12 月，果期翌年 7 ～ 9 月。

| 生境分布 | 生于海拔 400 ～ 2 000 m 的山坡沟谷、溪边林中或林缘以及路旁阴湿灌丛中。湖南各地均有分布。

| 资源情况 | 野生资源一般。药材来源于野生。

| 采收加工 | 全年均可采收，鲜用或晒干。

| 功能主治 | 微辛、微苦，平。祛风通络，活血止痛。用于风湿痹痛，跌打损伤。

| 用法用量 | 内服煎汤，6 ～ 15 g。外用适量，鲜品捣敷。

山茶科 Theaceae 柃木属 Eurya

格药柃

Eurya muricata Dunn

药材名

格药柃（药用部位：茎、叶、果实。别名：刺柃、硬壳紫）。

形态特征

灌木或小乔木，高 2 ~ 6 m，全株无毛。树皮黑褐色或灰褐色，平滑。嫩枝圆柱形，粗壮，黄绿色，小枝灰褐色或褐色，无毛；顶芽长锥形，无毛。叶革质，稍厚，长圆状椭圆形或椭圆形，长 5.5 ~ 11.5 cm，宽 2 ~ 4.3 cm，先端渐尖，基部楔形，有时近阔楔形，边缘有细钝锯齿；叶柄长 4 ~ 5 mm。花 1 ~ 5 簇生于叶腋，花梗长 1 ~ 1.5 mm，无毛；雄花小苞片 2，近圆形，长约 1 mm，萼片 5，革质，近圆形，长 2 ~ 2.5 mm，先端圆而有小尖头或微凹，外面无毛，边缘有时有纤毛，花瓣 5，白色，长圆形或长圆状倒卵形，长 4 ~ 5 mm，雄蕊 15 ~ 22；雌花小苞片和萼片与雄花同，花瓣 5，白色，卵状披针形，长约 3 mm，子房圆球形，3 室，无毛，花柱长约 1.5 mm，先端 3 裂。果实圆球形，直径 4 ~ 5 mm，成熟时呈紫黑色；种子肾圆形，稍扁，红褐色，有光泽，表面具密网纹。花期 9 ~ 11 月，果期翌年 6 ~ 8 月。

| **生境分布** | 生于海拔 350 ～ 1 300 m 的山坡林中或林缘灌丛中。湖南各地均有分布。

| **资源情况** | 野生资源较丰富。药材来源于野生。

| **功能主治** | 祛风除湿，消肿止血。

山茶科 Theaceae 柃木属 Eurya

细齿叶柃

Eurya nitida Korthals

| 药 材 名 | 细齿叶柃（药用部位：全株）。

| 形态特征 | 灌木或小乔木，高 2 ～ 5 m，全株无毛。嫩枝稍纤细，具 2 棱；顶芽线状披针形，无毛。叶薄革质，椭圆形、长圆状椭圆形或倒卵状长圆形，长 4 ～ 6 cm，宽 1.5 ～ 2.5 cm，先端渐尖或短渐尖，尖头钝，基部楔形，有时近圆形，边缘密生锯齿或细钝齿，两面无毛，中脉在上面稍凹下，在下面凸起，侧脉 9 ～ 12 对。花 1 ～ 4 簇生于叶腋，花梗长约 3 mm；雄花小苞片 2，萼片状，近圆形，长约 1 mm，无毛，萼片 5，近圆形，长 1.5 ～ 2 mm，花瓣 5，白色，倒卵形，长 3.5 ～ 4 mm，基部稍合生，雄蕊 14 ～ 17；雌花小苞片和萼片与雄花同；花瓣 5，长圆形，长 2 ～ 2.5 mm，基部稍合生，子房卵圆形，无毛，

花柱先端 3 浅裂。果实圆球形，直径 3 ～ 4 mm，成熟时呈蓝黑色；种子肾形或圆肾形，亮褐色，表面具细蜂窝状网纹。花期 11 月至翌年 1 月，果期翌年 7 ～ 9 月。

| **生境分布** | 生于海拔 1 300 m 以下的山地林中、沟谷溪边林缘及路旁灌丛中。湖南各地均有分布。

| **资源情况** | 野生资源较丰富。药材来源于野生。

| **采收加工** | 全年均可采收，鲜用或晒干。

| **功能主治** | 苦、涩，平。祛风除湿，解毒敛疮，止血。用于风湿痹痛，泄泻，无名肿毒，疮疡溃烂，外伤出血。

| **用法用量** | 内服煎汤，6 ～ 15 g。外用适量，煎汤熏洗；或研末调敷；或鲜品捣敷。

山茶科 Theaceae 柃木属 *Eurya*

钝叶柃

Eurya obtusifolia H. T. Chang

| 药 材 名 | 野茶子（药用部位：果实）。

| 形态特征 | 灌木或小乔木，高 1 ~ 3 m，有时高可达 7 m。顶芽披针形，密被微毛和黄褐色短柔毛。叶革质，长圆形或长圆状椭圆形，长 3 ~ 5.5（~ 7）cm，宽 1 ~ 2.2（~ 3）cm，先端钝或略圆，偶渐尖，基部楔形，边缘上半部有疏浅钝齿，有时近全缘。花 1 ~ 4 腋生，花梗长 1 ~ 1.5 mm，被微毛或疏生短柔毛；雄花小苞片 2，近圆形，长约 0.5 mm，被微毛和短柔毛，萼片 5，近膜质，卵圆形，长 1 ~ 1.5 mm，先端圆，有小突尖，被微毛，边缘无纤毛，外层1 ~ 2 萼片除被微毛外尚疏生短柔毛，花瓣 5，白色，长圆形或椭圆形，长约 3 mm，雄蕊约 10；雌花小苞片和萼片与雄花同，但略

小，花瓣 5，卵形或椭圆形，长约 2 mm，子房圆球形，3 室，无毛，花柱先端 3 浅裂。果实圆球形，直径 3 ～ 4 mm，成熟时呈蓝黑色。花期 2 ～ 3 月，果期 8 ～ 10 月。

| 生境分布 | 生于海拔 400 ～ 1 450 m 的山地疏林、密林及路旁灌丛中。分布于湖南株洲（茶陵）、邵阳（洞口）、永州（零陵）、怀化（中方、靖州）、湘西州（花垣）等。

| 资源情况 | 野生资源较少。药材来源于野生。

| 采收加工 | 秋季采收，晒干。

| 药材性状 | 本品呈不规则球形，直径约 2 mm，表面紫红色或暗红色，皱缩，先端有残存花柱，有的基部可见花萼和果柄。气香，味微苦。

| 功能主治 | 苦、涩，凉。归大肠经。清热止渴，利尿，提神。用于暑热烦渴，小便不利，泻痢，神疲眩晕。

| 用法用量 | 内服煎汤，10 ～ 15 g。

山茶科 Theaceae 柃木属 Eurya

长毛柃

Eurya patentipila Chun

| 药 材 名 |

长毛柃（药用部位：叶）。

| 形态特征 |

灌木，高 1.5 ~ 5 m；树皮灰褐色；嫩枝圆
筒形，密被黄褐色柔毛，小枝灰褐色，无毛
或近无毛；顶芽锥形，密被柔毛。叶革质，
长圆状披针形或卵状披针形，长 5 ~ 9 cm，
宽 2 ~ 2.5 cm，先端长渐尖，基部钝或近圆
形，边缘有细锯齿，上面深绿色，有光泽，
无毛，下面淡黄绿色，被贴伏柔毛，中脉上
更密，中脉在上面凹下，在下面凸起，侧
脉约 20 对，两面均不明显，偶有侧脉在下
面隐约可见；叶柄短，长约 2 mm，密被柔
毛。花 1 ~ 3 腋生，花梗长约 1 mm，被柔
毛；雄花：小苞片 2，卵形，被柔毛；萼片
5，革质，卵形，长 2.5 ~ 4 mm，先端尖或
渐尖，外面密被柔毛；花瓣 5，长圆形，长
约 5 mm；雄蕊 15 ~ 19，花药具 6 ~ 8 分
格；退化子房密被柔毛。雌花：萼片和花瓣
与雄花同，子房卵球形，密被柔毛，花柱长
3 ~ 4 mm，先端 3 裂，偶有 4 裂。果实圆
球形，直径约 6 mm，密被长柔毛，成熟时
紫黑色；种子具网纹。花期 10 ~ 12 月，果
期翌年 6 ~ 7 月。

| **生境分布** | 生于海拔 500 ～ 1 100 m 的山地、沟谷或山顶密林及疏林。分布于湖南永州（江华、道县）等。 |

| **资源情况** | 野生资源稀少。药材来源于野生。 |

| **采收加工** | 全年均可采收，鲜用或晒干。 |

| **功能主治** | 微苦，凉。清热解毒，消肿止痛。用于疮疡肿毒，烫火伤，跌打损伤。 |

| **用法用量** | 内服煎汤，6 ～ 15 g。外用适量，鲜品捣敷。 |

山茶科 Theaceae 柃木属 *Eurya*

窄基红褐柃

Eurya rubiginosa H. T. Chang var. *attenuata* H. T. Chang

| **药 材 名** | 窄基红褐柃（药用部位：叶、果实）。

| **形态特征** | 灌木，高 2.5 ～ 3.5 m，全株除萼片外均无毛。嫩枝黄绿色，具明显 2 棱，小枝灰褐色，具 2 棱，老枝灰白色；顶芽长锥形。叶革质，卵状披针形，有时为长圆状披针形，叶片较窄，侧脉斜出，基部楔形，有显著叶柄以及无毛萼片，先端尖、短尖或短渐尖，尖顶尖或钝，基部圆形，偶近心形，边缘密生细锯齿。花 1 ～ 3 簇生于叶腋，花梗长 1 ～ 1.5 mm，无毛；雄花小苞片 2，卵形或卵圆形，细小，长约 0.5 mm，先端尖或近圆形，并有小突尖，萼片 5，近圆形，质厚，近革质，长约 2 mm，先端圆且微凹，外面被短柔毛，花瓣 5，倒卵形，长 3 ～ 4 mm，雄蕊约 15，花药不具分格，退化子房无毛；

雌花小苞片和萼片与雄花同，但稍小，花瓣长圆状披针形，子房卵圆形，3 室，无毛，花柱长 0.5 ~ 1 mm，先端 3 裂，花柱有时分离。果实圆球形或近卵圆形，长约 4 mm，成熟时呈紫黑色。花期 10 ~ 11 月，果期翌年 5 ~ 8 月。

| 生境分布 |　生于海拔 400 ~ 800 m 的山坡林中、林缘及山坡路旁或沟谷边灌丛中。分布于湖南衡阳（衡南）等。

| 资源情况 |　野生资源稀少。药材来源于野生。

| 功能主治 |　苦、涩，平。祛风除湿，消肿止血。

山茶科 Theaceae 柃木属 Eurya

窄叶柃

Eurya stenophylla Merr.

| 药 材 名 | 窄叶柃（药用部位：根）。

| 形态特征 | 灌木，高 0.5 ~ 2 m，全株无毛；嫩枝黄绿色，有 2 棱，小枝灰褐色；顶芽披针形。叶革质或薄革质，狭披针形，有时为狭倒披针形，长 3 ~ 6 cm，宽 1 ~ 1.5 cm，先端锐尖或短渐尖，基部楔形至阔楔形，边缘有钝锯齿，上面深绿色，有光泽，下面淡绿色，两面无毛，中脉在上面凹下，在下面凸起，侧脉 6 ~ 8 对，在上面不明显，有时稍凹下，在下面略明显且稍隆起；叶柄长约 1 mm。花 1 ~ 3 簇生于叶腋，花梗长 3 ~ 4 mm，无毛；雄花：小苞片 2，圆形，长约 0.5 mm，先端圆，有小突尖；萼片 5，近圆形，长约 3 mm，先端圆，无毛；花瓣 5，倒卵形，长 5 ~ 6 mm；雄蕊 14 ~ 16，花药不具分格，退

化子房无毛；雌花的小苞片与雄花同；萼片 5，卵形，长约 1.5 mm，无毛；花瓣 5，白色，卵形，长约 5 mm；子房卵形，无毛，花柱长约 2.5 mm，先端 3 裂。果实长卵形，长 5 ~ 6 mm，直径 3 ~ 4 mm。花期 10 ~ 12 月，果期翌年 7 ~ 8 月。

| **生境分布** | 生于海拔 250 ~ 1 500 m 的山坡溪谷路旁灌丛中。分布于湖南永州（宁远、江永、江华）等。

| **资源情况** | 野生资源稀少。药材来源于野生。

| **功能主治** | 用于风湿病。

山茶科 Theaceae 柃木属 Eurya

四角柃

Eurya tetragonoclada Merrill et Chun

| 药 材 名 | 四角柃（药用部位：根）。

| 形态特征 | 灌木或乔木，高 2 ~ 14 m，胸径可达 25 cm，全株无毛。嫩枝和小枝红褐色，具显著 4 棱，老枝灰褐色，常呈圆柱形；顶芽长锥形。叶革质，长圆形、长圆状椭圆形或长圆状披针形至长圆状倒披针形，长 5 ~ 10 cm，宽 1.5 ~ 3.5 cm，先端渐尖，基部楔形，边缘有细钝齿，上面深绿色，有光泽，下面淡绿色，两面无毛，中脉在上面凹下，在下面凸起，侧脉 8 ~ 10 对，在上面明显，有时稍隆起，在下面凸起；叶柄长约 5 mm。花 1 ~ 3 簇生于叶腋，花梗长约 2 mm，无毛；雄花小苞片 2，卵形，长约 1 mm，先端有小尖头，萼片 5，质厚，卵圆形或近圆形，长 2 ~ 2.5 mm，先端圆，花瓣 5，白色，

长圆状倒卵形，长约 4 mm，雄蕊约 15，花药具分格，退化子房无毛；雌花小苞片和萼片与雄花同，但较小，花瓣 5，长圆形，长约 2.5 mm，子房卵圆形，无毛，花柱长约 2 mm，先端 3 裂。果实圆球形，直径约 4 mm，成熟时呈紫黑色；种子肾圆形，稍扁，亮褐色，表面具密网纹。花期 11 ～ 12 月，果期翌年 5 ～ 8 月。

| **生境分布** | 生于海拔 550 ～ 1 900 m 的沟谷、山顶密林中或山坡灌丛阴湿地。分布于湖南邵阳（邵阳）、怀化（辰溪、麻阳）、湘西州（泸溪、花垣、古丈）、张家界（桑植）等。

| **资源情况** | 野生资源较少。药材来源于野生。

| **功能主治** | 消肿止痛。用于跌打损伤。

山茶科 Theaceae 柃木属 *Eurya*

单耳柃
Eurya weissiae Chun

| 药 材 名 | 单耳柃（药用部位：茎、叶）。

| 形态特征 | 灌木，高 1 ~ 3 m。嫩枝圆柱形，黄褐色，密被黄褐色披散长柔毛，小枝灰白色或灰褐色，疏被短柔毛或近无毛；顶芽披针形，密被黄褐色长柔毛。叶革质，长圆形或椭圆状长圆形，长 4 ~ 8 cm，宽 1.5 ~ 3.2 cm，先端急窄缩成短渐尖，尖头钝，基部耳形抱茎，两侧耳片圆形，通常下侧较大，长 4 ~ 7 mm，边缘密生细锯齿，干后稍反卷。花 1 ~ 3 腋生，被一细小而呈叶状的总苞所包裹，总苞卵形，长 7 ~ 10 mm，基部耳形，稍被柔毛，花梗短，长约 1 mm，被柔毛；雄花小苞片 2，细小，椭圆形，被柔毛，萼片 5，质薄，卵形，长 1.5 ~ 2 mm，先端钝，外面被长柔毛，花瓣 5，狭长圆形，长约

4 mm，雄蕊约 10，花药不具分格，退化子房无毛；雌花小苞片和萼片与雄花同，但较小，花瓣 5，长圆状披针形，长约 3 mm，子房卵圆形，3 室，无毛，花柱长 1 ~ 1.5 mm，先端 3 浅裂。果实圆球形，直径 4 ~ 5 mm，成熟时呈蓝黑色。花期 9 ~ 11 月，果期 11 月至翌年 1 月。

| **生境分布** | 生于海拔 350 ~ 1 200 m 的山谷密林下或山坡路边阴湿地。分布于湖南郴州（北湖）等。

| **资源情况** | 野生资源稀少。药材来源于野生。

| **功能主治** | 清热解毒，消肿。

山茶科 Theaceae 大头茶属 Gordonia

四川大头茶

Gordonia acuminata Chang

| 药 材 名 |

四川大头茶（药用部位：叶）。

| 形态特征 |

乔木，高 15 m。嫩枝粗大，无毛。叶厚革质，椭圆形，长 12 ~ 22 cm，宽 4 ~ 7 cm，先端渐尖，基部楔形，下延，上面干后深绿色，发亮，下面无毛，侧脉 10 ~ 13 对，在上面略能见，在下面不明显，边缘上半部有粗锯齿，齿刻相隔 5 ~ 10 mm，叶柄长 1.5 ~ 2 cm。花生于枝顶叶腋，直径 7 ~ 9 cm，花梗极短，长 4 ~ 5 mm；苞片 4，早落；萼片卵圆形，长 1 ~ 1.5 cm，背面略有柔毛；花瓣长 4 ~ 5 cm，外侧有柔毛；雄蕊长 1.5 ~ 2 cm，有绢毛。蒴果长 3 ~ 3.5 cm，5 室；种子长 2 cm。花期 10 ~ 12 月。

| 生境分布 |

生于林下。分布于湖南永州（江华、江永、道县）等。

| 资源情况 |

野生资源稀少。药材来源于野生。

| **功能主治** | 清热解毒，消肿止痒。

山茶科 Theaceae 木荷属 Schima

银木荷
Schima argentea Pritz. ex Diels

| 药 材 名 | 银木荷皮（药用部位：根皮、树皮。别名：山红木）。

| 形态特征 | 乔木。嫩枝有柔毛，老枝有白色皮孔。叶厚革质，长圆形或长圆状披针形，长 8 ～ 12 cm，宽 2 ～ 3.5 cm，先端尖锐，基部阔楔形，上面发亮，下面有银白色蜡被，有柔毛或秃净，侧脉 7 ～ 9 对，在两面明显，全缘；叶柄长 1.5 ～ 2 cm。花数朵生于枝顶，直径 3 ～ 4 cm，花梗长 1.5 ～ 2.5 cm，有毛；苞片 2，卵形，长 5 ～ 7 mm，有毛；萼片圆形，长 2 ～ 3 mm，外面有绢毛；花瓣长 1.5 ～ 2 cm，最外侧 1 花瓣较短，有绢毛；雄蕊长 1 cm；子房有毛，花柱长 7 mm。蒴果直径 1.2 ～ 1.5 cm。花期 7 ～ 8 月。

| 生境分布 | 生于海拔 900 ～ 2 000 m 的山坡、林地。分布于湖南邵阳（邵阳、

武冈）、常德（鼎城、津市）、郴州（北湖、苏仙、桂阳、永兴、临武）、永州（双牌、道县、新田）、怀化（中方、麻阳）、娄底（新化）、湘西州（花垣、永顺）、衡阳（衡东）等。

| 资源情况 | 野生资源一般。药材来源于野生。

| 采收加工 | 秋季采集，洗净，切段，晒干。

| 功能主治 | 苦，平；有毒。归大肠经。清热止痢，驱虫。用于痢疾，蛔虫病，绦虫病。

| 用法用量 | 内服煎汤，3 ~ 9 g。

山茶科 Theaceae 木荷属 Schima

木荷 *Schima superba* Gardn. et Champ.

| 药 材 名 | 木荷（药用部位：根皮。别名：何树、柯树、木和）、木荷叶（药用部位：叶）。

| 形态特征 | 大乔木，高 25 m。嫩枝通常无毛。叶革质或薄革质，椭圆形，长 7 ~ 12 cm，宽 4 ~ 6.5 cm，先端尖锐，有时略钝，基部楔形，上面干后发亮，下面无毛，侧脉 7 ~ 9 对，在两面均明显，边缘有钝齿；叶柄长 1 ~ 2 cm。花生于枝顶叶腋，常多朵排成总状花序，直径 3 cm，白色，花梗长 1 ~ 2.5 cm，纤细，无毛；苞片 2，贴近萼片，长 4 ~ 6 mm，早落；萼片半圆形，长 2 ~ 3 mm，外面无毛，内面有绢毛；花瓣长 1 ~ 1.5 cm，最外侧 1 花瓣风帽状，边缘多少有毛；子房有毛。蒴果直径 1.5 ~ 2 cm。花期 6 ~ 8 月。

| 生境分布 | 生于海拔 150 ～ 1 500 m 的向阳山地杂木林中。湖南各地均有分布。

| 资源情况 | 野生资源丰富。药材来源于野生。

| 采收加工 | **木荷**：全年均可采收，晒干。
　　　　　木荷叶：春、夏季采收，鲜用或晒干。

| 功能主治 | **木荷**：辛，温；有毒。攻毒，消肿。用于疔疮，无名肿毒。
　　　　　木荷叶：辛，温；有毒。解毒疗疮。用于臁疮，疮毒。

| 用法用量 | **木荷**：外用适量，捣敷。
　　　　　木荷叶：外用适量，鲜品捣敷；或研末调敷。

山茶科 Theaceae 紫茎属 Stewartia

紫茎

Stewartia sinensis Rehd. et Wils.

药材名

紫茎（药用部位：根皮、茎皮、果实。别名：帽兰）。

形态特征

小乔木。树皮灰黄色。嫩枝无毛或有疏毛，冬芽苞约 7。叶纸质，椭圆形或卵状椭圆形，长 6 ~ 10 cm，宽 2 ~ 4 cm，先端渐尖，基部楔形，边缘有粗齿，侧脉 7 ~ 10 对，下面叶腋常有簇生毛丛；叶柄长 1 cm。花单生，直径 4 ~ 5 cm，花梗长 4 ~ 8 mm；苞片长卵形，长 2 ~ 2.5 cm，宽 1 ~ 1.2 cm；萼片 5，基部连生，长卵形，长 1 ~ 2 cm，先端尖，基部有毛；花瓣阔卵形，长 2.5 ~ 3 cm，基部连生，外面有绢毛；雄蕊有短花丝管，被毛；子房有毛。蒴果卵圆形，先端尖，宽 1.5 ~ 2 cm；种子长 1 cm，有窄翅。花期 6 月，果期 9 ~ 10 月。

生境分布

生于海拔 900 ~ 1 500 m 的山地杂木林中。分布于湖南常德（石门）等。

资源情况

野生资源稀少。药材来源于野生。

| **采收加工** | 秋季采集，晒干。

| **功能主治** | 辛、苦，凉。归肝经。活血舒筋，祛风除湿。用于跌打损伤，风湿麻木。

| **用法用量** | 内服煎汤，15 ~ 30 g；或浸酒。

| **附　　注** | 在《湖南省地方重点保护野生植物名录》中，本种被列为重点保护野生植物。

山茶科 Theaceae 厚皮香属 Ternstroemia

厚皮香

Ternstroemia gymnanthera (Wight et Arn.) Beddome

| 药 材 名 | 厚皮香（药用部位：全株或叶。别名：白花果、秤杆红、莫红砍）、厚皮香花（药用部位：花）。

| 形态特征 | 灌木或小乔木，高 1.5 ～ 10 m，有时达 15 m，胸径 30 ～ 40 cm，全株无毛。树皮灰褐色，平滑。嫩枝浅红褐色或灰褐色，小枝灰褐色。叶革质或薄革质，椭圆形、椭圆状倒卵形至长圆状倒卵形，长 5.5 ～ 9 cm，宽 2 ～ 3.5 cm，先端短渐尖或急窄缩成短尖，尖头钝，基部楔形，全缘，稀上半部疏生浅齿，齿尖具黑色小点。花两性或单性，花时直径 1 ～ 1.4 cm，通常生于当年生无叶的小枝上或生于叶腋，花梗长约 1 cm，稍粗壮；两性花小苞片 2，三角形或三角状卵形，长 1.5 ～ 2 mm，先端尖，边缘具腺状齿突，萼片 5，卵圆形或长圆

状卵形，长 4 ~ 5 mm，宽 3 ~ 4 mm，先端圆，边缘通常疏生线状齿突，无毛，花瓣 5，淡黄白色，倒卵形，长 6 ~ 7 mm，宽 4 ~ 5 mm，先端圆，常微凹，雄蕊约 50。果实圆球形，长 8 ~ 10 mm，直径 7 ~ 10 mm，小苞片和萼片均宿存，果柄长 1 ~ 1.2 cm，宿存花柱长约 1.5 mm，先端 2 浅裂；种子肾形，每室 1，成熟时肉质假种皮呈红色。花期 5 ~ 7 月，果期 8 ~ 10 月。

| **生境分布** | 生于海拔 200 ~ 1 400 m 的山地林中、林缘或近山顶疏林中。湖南有广泛分布。

| **资源情况** | 野生资源较丰富。药材来源于野生。

| 采收加工 | **厚皮香**：全年均可采收，切碎，晒干或鲜用。
厚皮香花：7 ~ 8 月采集，鲜用或晒干。

| 药材性状 | **厚皮香**：本品叶常破碎，完整叶片倒卵状长圆形，先端渐尖或短尖，基部楔形，全缘，具短柄；表面绿色或棕绿色，光滑；革质。气微，味苦、涩。

| 功能主治 | **厚皮香**：苦，凉；有小毒。清热解毒，散瘀消肿。用于疮痈肿毒，乳痈。
厚皮香花：杀虫止痒。用于疥癣瘙痒。

| 用法用量 | **厚皮香**：内服煎汤，6 ~ 10 g。外用适量，鲜品捣敷或擦。
厚皮香花：外用适量，捣敷或擦。

山茶科 Theaceae 厚皮香属 Ternstroemia

厚叶厚皮香

Ternstroemia kwangtungensis Merr.

| **药 材 名** | 厚叶厚皮香（药用部位：根）。

| **形态特征** | 灌木或小乔木，高 2 ～ 10 m，胸径可达 30 cm，全株无毛。树皮灰褐色或黑褐色，平滑。嫩枝粗壮，圆柱形，淡红褐色，小枝灰褐色。叶互生，厚革质，肥厚，椭圆状卵圆形、阔椭圆形、倒卵形、倒卵圆形至圆形，长（5 ～）7 ～ 9（～ 13）cm，宽 3 ～ 5（～ 6）cm，先端急短尖，尖顶钝或近圆形，稀短渐尖，基部阔楔形或钝形，全缘，干后反卷，有时上半部疏生腺状齿突，上面深绿色，有光泽，下面浅绿色，密被红褐色或褐色腺点。花单生于叶腋，杂性，花梗长 1.5 ～ 2 cm，稍弯曲；雄花小苞片 2，卵圆形、卵状三角形或卵形，长 4 ～ 5 mm，宽约 3 mm，边缘疏生腺状齿突，花瓣 5，白色，

倒卵形或长圆状倒卵形，长约 10 mm，宽约 8 mm，先端圆而微凹，雄蕊多数，长约 6 mm，花药卵圆形，长约 3 mm；退化子房微小。果实扁球形；种子近肾形，长 7 ～ 8 mm，直径约 6 mm，成熟时假种皮呈鲜红色。花期 5 ～ 6 月，果期 10 ～ 11 月。

| 生境分布 | 生于海拔 750 ～ 1 700 m 的山地林中及溪沟边灌丛中。分布于湖南永州（东安）、郴州（桂东）等。

| 资源情况 | 野生资源稀少。药材来源于野生。

| 功能主治 | 凉血止血。用于尿血。

山茶科 Theaceae 厚皮香属 *Ternstroemia*

尖萼厚皮香

Ternstroemia luteoflora L. K. Ling

| **药 材 名** | 尖萼厚皮香（药用部位：叶、根）。 |

| **形态特征** | 小乔木，有时为乔木或灌木，高 2 ~ 14 m，最高可达 25 m，胸径达 30 cm。嫩枝淡褐色，小枝灰褐色，均无毛。叶互生，革质，椭圆形或椭圆状倒披针形，长 7 ~ 10（~ 12）cm，宽 2.5 ~ 3.5（~ 4）cm，先端短渐尖，稀渐尖，基部楔形或狭楔形，全缘，侧脉 6 ~ 8 对，在两面均不明显。花单性或杂性，通常单生于叶腋，花梗长 2 ~ 3 cm，常稍弯曲；小苞片 2，卵状披针形，长约 3.5 mm；萼片 5，长卵形或卵状披针形，长 6 ~ 8 mm，无毛，先端锐尖，有小尖头和腺状齿突；花瓣 5，白色或淡黄白色，阔倒卵形或卵圆形；雄花有雄蕊 35 ~ 45；子房圆球形，2 室，胚珠每室 2。果实圆球形， |

成熟时呈紫红色，长 1.5 ～ 2 cm，直径 1.5 ～ 2 cm，宿存花柱 2 深裂几达基部，小苞片和萼片均宿存；果柄长 2 ～ 3（～ 4）cm，近萼片基部最粗且下弯，直径 2.5 ～ 3 mm，向下逐渐变纤细；种子每室 1 ～ 2，成熟时呈红色。花期 5 ～ 6 月，果期 8 ～ 10 月。

| 生境分布 | 生于海拔 400 ～ 1 500 m 的沟谷疏林中、林缘及灌丛中。分布于湖南郴州（临武）、怀化（中方）等。

| 资源情况 | 野生资源稀少。药材来源于野生。

| 采收加工 | 全年均可采收，鲜用或晒干。

| 功能主治 | 苦、涩，凉。清热解毒，消肿止痛，止泻。用于疮毒肿痛，跌打伤肿，泄泻。

| 用法用量 | 内服煎汤，6 ～ 15 g。外用适量，鲜品捣敷；或煎汤洗。

山茶科 Theaceae 石笔木属 Tutcheria

石笔木 *Tutcheria championi* Nakai

| 药 材 名 | 石笔（药用部位：叶、根）。

| 形态特征 | 常绿乔木。树皮灰褐色。嫩枝略被微毛，不久变秃。叶革质，椭圆形或长圆形，长 12 ~ 16 cm，宽 4 ~ 7 cm，先端尖锐，基部楔形，上面干后呈黄绿色，稍发亮，下面无毛，侧脉 10 ~ 14 对，与网脉在两面均明显，边缘有小锯齿；叶柄长 6 ~ 15 mm。花单生于枝顶叶腋，白色，直径 5 ~ 7 cm，花梗长 6 ~ 8 mm；苞片 2，卵形，长 8 ~ 12 mm；萼片 9 ~ 11，圆形，厚革质，长 1.5 ~ 2.5 cm，外面有灰毛；花瓣 5，倒卵圆形，长 2.5 ~ 3.5 cm，先端凹入，外面有绢毛；雄蕊长 1.5 cm；子房 3 ~ 6 室，有毛，花柱连合，先端 3 ~ 6 裂，胚珠每室 2 ~ 5。蒴果球形，直径 5 ~ 7 cm，由下部向上开裂，果爿 5；

种子肾形，长 1.5 ~ 2 cm。花期 6 月。

| **生境分布** | 生于海拔约 500 m 的山谷、溪边、常绿阔叶林中。分布于湖南郴州（汝城、安仁）、永州（江华）、株洲（渌口）等。

| **资源情况** | 野生资源稀少。药材来源于野生。

| **功能主治** | 散积消滞。

藤黄科 Clusiaceae 藤黄属 Garcinia

木竹子

Garcinia multiflora Champ. ex Benth.

| 药 材 名 | 木竹子（药用部位：果实。别名：山竹子、山橘子、山枇杷）、木竹子皮（药用部位：树皮。别名：山竹树皮）、木竹子油（药材来源：种仁经压榨所得的脂肪油）。

| 形态特征 | 乔木，稀灌木，高（3～）5～15 m，胸径20～40 cm。树皮灰白色，粗糙。小枝绿色，具纵槽纹。叶片革质，卵形、长圆状卵形或长圆状倒卵形，长7～16（～20）cm，宽3～6（～8）cm，先端急尖、渐尖或钝，基部楔形或宽楔形，边缘微反卷，中脉在上面下陷，在下面隆起，侧脉纤细，10～15对，至近边缘处网结，网脉在表面不明显。花杂性，同株；雄花序为聚伞状圆锥花序，长5～7 cm，有时单生，总梗和花梗具关节，雄花直径2～3 cm，萼片2大2

小，花瓣橙黄色，倒卵形，长为萼片的1.5倍，花丝合生成4束，高于退化雌蕊，束柄长2～3 mm，每束约有花药50，退化雌蕊柱状，具明显的盾状柱头，4裂；雌花序有雌花1～5，退化雄蕊束短，束柄长约1.5 mm，短于雌蕊，子房长圆形，上半部略宽，2室，无花柱，柱头大而厚，盾形。果实卵圆形至倒卵圆形，长3～5 cm，直径2.5～3 cm，成熟时呈黄色，盾状柱头宿存；种子1～2，椭圆形，长2～2.5 cm。花期6～8月，果期11～12月，同时偶有花、果实并存。

| **生境分布** | 生于山坡疏林或密林中、沟谷边缘、次生林或灌丛中。分布于湖南郴州（汝城）、永州（双牌、江永）、怀化（通道）等。

| **资源情况** | 野生资源稀少。药材来源于野生。

| **采收加工** | **木竹子**：冬季果实成熟时采收，鲜用。

木竹子皮：全年均可采收，砍伐茎干，剥取内皮，切碎，研末或晒干。

木竹子油：冬季采收成熟果实，用水浸 2 ～ 3 天，搓去果皮和果肉，将种子晒干，去壳，然后取种仁晾干，碾成粉末，上甑蒸至 90 ℃取下，榨油。

| 功能主治 |　**木竹子**：甘，凉。归脾经。清热，生津。用于胃热津伤，呕吐，口渴，肺热气逆，咳嗽不止。

　　　　　木竹子皮：苦、酸，凉。清热解毒，收敛生肌。用于消化性溃疡，肠炎，口腔炎，牙周炎，下肢溃疡，湿疹，烫伤。

　　　　　木竹子油：甘、酸，凉。清热解毒，收敛生肌。用于烫火伤，口腔炎，牙周炎，湿疹，痈疮溃后新肉不生。

| 用法用量 |　**木竹子**：内服适量，生食。外用适量，捣敷。

　　　　　木竹子皮：内服煎汤，3 ～ 10 g。外用适量，捣敷；或研末撒。

　　　　　木竹子油：外用适量，涂敷。

藤黄科 Clusiaceae 藤黄属 Garcinia

岭南山竹子

Garcinia oblongifolia Champ. ex Benth.

| 药 材 名 | 木竹子（药用部位：果实。别名：山竹子、山橘子、山枇杷）、木竹子皮（药用部位：树皮。别名：山竹树皮）、木竹子油（药材来源：种仁经压榨所得的脂肪油）。

| 形态特征 | 乔木或灌木，高 5 ～ 15 m，胸径可达 30 cm。树皮深灰色。老枝通常具断环纹。叶片近革质，长圆形、倒卵状长圆形至倒披针形，长5 ～ 10 cm，宽 2 ～ 3.5 cm，先端急尖或钝，基部楔形，干时边缘反卷，中脉在上面微隆起，侧脉 10 ～ 18 对；叶柄长约 1 cm。花小，直径约 3 mm，单性，异株，单生或为伞状聚伞花序，花梗长 3 ～7 mm；雄花萼片等大，近圆形，长 3 ～ 5 mm，花瓣橙黄色或淡黄色，倒卵状长圆形，长 7 ～ 9 mm，雄蕊多数，合生成 1 束，花药聚生成

头状，无退化雌蕊；雌花萼片、花瓣与雄花相似，退化雄蕊合生成 4 束，短于雌蕊，子房卵球形，8 ~ 10 室，无花柱，柱头盾形，隆起，辐射状分裂，上面具乳头状瘤突。浆果卵球形或圆球形，长 2 ~ 4 cm，直径 2 ~ 3.5 cm，基部萼片宿存，先端有隆起的柱头。花期 4 ~ 5 月，果期 10 ~ 12 月。

| **生境分布** | 生于平地、丘陵、沟谷密林或疏林中。分布于湖南邵阳（绥宁）、郴州（桂东）等。

| **资源情况** | 野生资源稀少。药材来源于野生。

| **采收加工** | **木竹子**：冬季果实成熟时采收，鲜用。

木竹子皮：全年均可采收，砍伐茎干，剥取内皮，切碎，研成粉或晒干。

木竹子油：冬季采收成熟果实，用水浸 2 ~ 3 天，搓去果皮和果肉，将种子晒干，去壳，然后取种仁晾干，碾成粉末，上甑蒸至 90 ℃取下，榨油。

| **功能主治** | **木竹子**：甘，凉。归脾经。清热，生津。用于胃热津伤，呕吐，口渴，肺热气逆，咳嗽不止。

木竹子皮：苦、酸，凉。清热解毒，收敛生肌。用于消化性溃疡，肠炎，口腔炎，牙周炎，下肢溃疡，湿疹，烫伤。

木竹子油：甘、酸，凉。清热解毒，收敛生肌。用于烫火伤，口腔炎，牙周炎，湿疹，痈疮溃后新肉不生。

| **用法用量** | **木竹子**：内服适量，生食。外用适量，捣敷。

木竹子皮：内服煎汤，3 ~ 10 g。外用适量，捣敷；或研末撒。

木竹子油：外用适量，涂敷。

藤黄科 Clusiaceae 金丝桃属 Hypericum

黄海棠 *Hypericum ascyron* L.

药 材 名

红旱莲（药用部位：地上部分。别名：湖南连翘、刘寄奴、旱莲草）。

形态特征

多年生草本，高 0.5 ~ 1.3 m。茎直立或在基部上升，单一或数茎丛生，不分枝或上部分枝，茎及枝条幼时具 4 棱，后明显具4 纵线棱。叶无柄，叶片披针形、长圆状披针形、长圆状卵形、椭圆形或狭长圆形，长（2 ~）4 ~ 10 cm，宽（0.4 ~）1 ~ 2.7（~ 3.5）cm，先端渐尖、锐尖或钝形，基部楔形或心形，抱茎，全缘，坚纸质，上面呈绿色，下面通常呈淡绿色且散布淡色腺点，中脉、侧脉及近边缘脉在下面明显，脉网较密。花直径（2.5 ~）3 ~ 8 cm，平展或外反；萼片卵形、披针形至椭圆形或长圆形，长（3 ~）5 ~ 15（~ 25）mm，宽 1.5 ~ 7 mm，先端锐尖至钝形，全缘，结果时直立；花瓣金黄色，倒披针形，长 1.5 ~ 4 cm，宽0.5 ~ 2 cm，极弯曲，具腺斑或无腺斑，宿存。蒴果呈宽或狭的卵珠形或卵珠状三角形，长 0.9 ~ 2.2 cm，宽 0.5 ~ 1.2 cm，棕褐色，成熟后先端 5 裂，柱头常脱落；种子棕色或黄褐色，圆柱形，微弯，长 1 ~ 1.5 mm，有明显的龙骨状突起、狭翅及细蜂窝纹。花期 7 ~ 8 月，果期 8 ~ 9 月。

| 生境分布 |　生于山坡林下、林缘、灌丛、草丛、草甸、溪旁及河岸湿地。栽培于疏松、肥沃、湿润的土壤中。湖南有广泛分布。

| 资源情况 |　野生资源一般。栽培资源一般。药材来源于野生和栽培。

| 采收加工 |　7 ~ 8 月果实成熟时割取地上部分，用热水泡，取出，晒干。

| 药材性状 |　本品叶通常脱落。茎圆柱形，具 4 棱，表面红棕色，节处有叶痕，节间长约 3.5 cm；质硬，断面中空。蒴果圆锥形，3 ~ 5 蒴果生于茎顶，长约 1.5 cm，直径约 8 mm；表面红棕色，先端 5 瓣裂，裂片先端细尖，内面灰白色；质坚硬，中轴处着生多数种子。种子细小，圆柱形，表面红棕色，有细密小点。气微香，味苦。

| 功能主治 |　微苦，寒。归肝、胃经。凉血止血，活血调经，清热解毒。用于血热所致吐血、咯血、尿血、便血、崩漏，跌打损伤，外伤出血，月经不调，痛经，乳汁不下，风热感冒，疟疾，肝炎，痢疾，腹泻，毒蛇咬伤，烫伤，湿疹，黄水疮。

| 用法用量 |　内服煎汤，5 ~ 10 g。外用适量，捣敷；或研末调涂。

藤黄科 Clusiaceae 金丝桃属 Hypericum

赶山鞭

Hypericum attenuatum Choisy

| **药 材 名** | 赶山鞭（药用部位：全草。别名：小金丝桃、小茶叶、女儿茶）。

| **形态特征** | 多年生草本，高（15 ~ ）30 ~ 74 cm。根茎具发达的侧根及须根。数茎丛生，直立，圆柱形，散生黑色腺点，常有 2 纵线棱。叶无柄；叶片卵状长圆形、卵状披针形至长圆状倒卵形，长（0.8 ~ ）1.5 ~ 2.5（~ 3.8）cm，宽（0.3 ~ ）0.5 ~ 1.2 cm，先端圆钝或渐尖，基部渐狭或微心形，略抱茎，全缘，两面通常光滑，下面散生黑色腺点。花直径 1.3 ~ 1.5 cm，平展；花蕾卵珠形；花梗长 3 ~ 4 mm；萼片卵状披针形，长约 5 mm，宽 2 mm，先端锐尖，表面及边缘散生黑色腺点；花瓣淡黄色，长圆状倒卵形，长 1 cm，宽约 0.4 cm，先端钝形，表面及边缘有稀疏的黑色腺点，宿存；雄蕊 3 束，每束

有雄蕊约30，花药具黑色腺点。蒴果卵珠形或长圆状卵珠形，长 0.6 ～ 10 mm，宽约 4 mm，具长短不等的条状腺斑；种子黄绿色、浅灰黄色或浅棕色，圆柱形，微弯，长 1.2 ～ 1.3 mm，宽约 0.5 mm，两端钝形且具小尖突，两侧有龙骨状突起，表面有细蜂窝纹。花期 7 ～ 8 月，果期 8 ～ 9 月。

| **生境分布** | 生于海拔 1 100 m 以下的田野、半湿草地、草原、石砾地、林内及林缘等。分布于湖南株洲（攸县、醴陵）、湘潭（湘潭）、衡阳（衡阳、衡南、衡山）、邵阳（新宁）、岳阳（岳阳）、永州（蓝山）、怀化（芷江）、湘西州（凤凰）等。

| **资源情况** | 野生资源一般。药材来源于野生。

| **采收加工** | 秋季采集，鲜用或晒干。

| **功能主治** | 苦，平。凉血止血，活血止痛，解毒消肿。用于吐血，咯血，崩漏，外伤出血，风湿痹痛，跌打损伤，痈肿疔疮，乳痈肿痛，乳汁不下，烫伤，蛇虫咬伤。

| **用法用量** | 内服煎汤，9 ～ 15 g。外用适量，鲜品捣敷；或研末撒敷。

藤黄科 Clusiaceae 金丝桃属 Hypericum

挺茎遍地金

Hypericum elodeoides Choisy

药 材 名

对对草（药用部位：全草。别名：遍地金、挺茎金丝桃、小化血）。

形 态 特 征

多年生草本，高 0.2 ~ 0.4 m，全体无毛。根茎具发达的侧根及须根。数茎丛生，直立或下部依地而上升，圆柱形，无腺点，单一或上部分枝，分枝有花序。叶近无柄；叶片披针状长圆形至长圆形，长 2 ~ 5.5 cm，宽 0.5 ~ 1 cm，先端钝或近圆形，基部浅心形而略抱茎，全缘，坚纸质。花序于茎及分枝上顶生，为多花蝎尾状二歧聚伞花序；苞片及小苞片卵状披针形至长圆状披针形，长 3 ~ 6 mm；萼片卵状或长圆状披针形，长约 6 mm，宽 3 mm，先端锐尖，有松脂状腺条，边缘有小刺齿，齿端有黑色腺体；花瓣倒卵状长圆形，长约 15 mm，宽 4 mm，先端钝，上部边缘具黑色腺点，有时尚有黑色腺条；子房卵珠形，长约 4 mm，花柱 3，长约为子房的 2 倍或更长，自基部分离，叉开。蒴果卵珠形，长约 5 mm，宽 4 mm，成熟时呈褐色，外面密布腺纹；种子黄褐色，圆柱形，长约 0.7 mm，一侧有不明显的棱状突起，先端无附属物。花期 7 ~ 8 月，果期 9 ~ 10 月。

| **生境分布** | 生于海拔 750 ～ 2 000 m 的山坡草丛、灌丛、林下及田埂上。分布于湖南怀化（芷江、洪江、沅陵）、张家界（桑植）、湘西州（保靖）等。

| **资源情况** | 野生资源稀少。药材来源于野生。

| **采收加工** | 夏季采收，洗净，晒干。

| **功能主治** | 苦、涩，寒。归肺、脾经。清热解毒，止泻。用于小儿白口疮，小儿肺炎，口腔炎，乳痈，黄水疮，毒蛇咬伤，腹泻，久痢。

| **用法用量** | 内服煎汤，9 ～ 15 g。外用适量，洗净，捣敷。

藤黄科 Clusiaceae 金丝桃属 Hypericum

小连翘

Hypericum erectum Thunb. ex Murray

| **药 材 名** | 小连翘（药用部位：全草。别名：麝香草、小元宝草、万层塔）。

| **形态特征** | 多年生草本，高 0.3 ~ 0.7 m。茎单一，直立或上升，通常不分枝，有时上部分枝，圆柱形，无毛，无腺点。叶无柄，叶片长椭圆形至长卵形，长 1.5 ~ 5 cm，宽 0.8 ~ 1.3 cm，先端钝，基部心形，抱茎，全缘，内卷，坚纸质，上面绿色，下面淡绿色，近边缘密生腺点，全面有或多或少的黑色小腺点。花序顶生，多花，伞房状聚伞花序，常具腋生花枝；苞片和小苞片与叶同形，长达 0.5 cm；花直径 1.5 cm，近平展；花梗长 1.5 ~ 3 mm；萼片卵状披针形，长约 2.5 mm，宽不及 1 mm，先端锐尖，全缘，边缘及全面具黑色腺点；花瓣黄色，倒卵状长圆形，长约 7 mm，宽 2.5 mm，上半部有黑色点线；雄蕊 3

束，宿存，每束有雄蕊 8 ~ 10，花药具黑色腺点。蒴果卵珠形，长约 10 mm，宽 4 mm，具纵向条纹；种子绿褐色，圆柱形，长约 0.7 mm，两侧具龙骨状突起，无顶生附属物，表面有细蜂窝纹。花期 7 ~ 8 月，果期 8 ~ 9 月。

| **生境分布** | 生于山坡草丛中。湖南有广泛分布。

| **资源情况** | 野生资源较丰富。药材来源于野生。

| **采收加工** | 夏、秋季采收，晒干或鲜用。

| **功能主治** | 苦，平。归肝、胃经。止血，调经，散瘀止痛，解毒消肿。用于吐血，咯血，衄血，便血，崩漏，创伤出血，月经不调，产妇乳汁不下，跌打损伤，风湿关节痛，疮疖肿毒，毒蛇咬伤。

| **用法用量** | 内服煎汤，10 ~ 30 g。外用适量，鲜品捣敷；或研末敷。

藤黄科 Clusiaceae 金丝桃属 Hypericum

扬子小连翘

Hypericum faberi R. Keller

| 药 材 名 | 扬子小连翘（药用部位：全草。别名：鼻蜡药、西南遍地金）。

| 形态特征 | 多年生草本，高 0.2 ~ 0.8 m。茎屈膝状或匍匐状上升，圆柱形，多分枝。叶具柄，叶柄长 1 ~ 3 mm；叶片卵状长圆形至长圆形，长 1 ~ 2.5 cm，宽 0.6 ~ 0.8 cm，先端钝或锐尖，基部宽楔形至圆形，全缘，扁平或略背卷。花序于茎及分枝上顶生，具 5 ~ 7 花，为蝎尾状二歧聚伞花序；苞片及小苞片线形或线状披针形，长约 3 mm，边缘疏生黑色腺点；花直径 5 mm，近平展；花瓣黄色，倒卵状长圆形，长约 6 mm，宽 3 mm，先端钝，无黑色腺点或仅先端具少数黑色腺点，宿存；雄蕊 3 束，每束有雄蕊 7 ~ 8，花丝与花瓣约等长，花药黄色，有黑色腺点；子房卵珠形，长约 1.5 mm，1 室，花柱 3，

长约 2 mm，自基部分离，叉开。蒴果卵珠形，长 5 ～ 6 mm，宽 3.5 ～ 4 mm，成熟时呈褐色，具纵腺条纹；种子黄褐色，圆柱形，长约 0.5 mm，两端锐尖，两侧无龙骨状突起，先端无附属物，表面有不明显的细蜂窝纹。花期 6 ～ 7 月，果期 8 ～ 9 月。

| **生境分布** | 生于海拔 1 100 ～ 2 000 m 的山坡草地、灌丛、路旁或田埂上。分布于湖南怀化（辰溪）、湘西州（吉首、古丈、永顺、凤凰）等。

| **资源情况** | 野生资源稀少。药材来源于野生。

| **功能主治** | 凉血止血，消肿止痛。用于风热感冒，风湿痹痛，跌打损伤，鼻衄，内伤出血。

藤黄科 Clusiaceae 金丝桃属 Hypericum

衡山金丝桃

Hypericum hengshanense W. T. Wang

| 药 材 名 | 衡山金丝桃（药用部位：全草。别名：王不留行）。

| 形态特征 | 多年生草本，无毛。茎直立，高 62 ~ 100 cm，多分枝，茎及分枝圆柱形，其上有短分枝，分枝长 1 ~ 8 cm。叶无柄；叶片长圆状披针形，长 4 ~ 6 cm，宽 1.2 ~ 1.6 cm，先端钝，基部宽楔形，稍斜，有具腺的长睫毛，纸质，上面深绿色，干时变为褐色，下面淡绿色，沿边缘有黑色腺点，全面散布透明腺点。聚伞花序顶生，直径约 7 cm，有 3 ~ 5 花；苞片无柄，线状披针形或线形，长 5 ~ 10 mm，宽 1 ~ 1.5 mm，先端锐尖，基部及边缘有具腺的长睫毛，毛长 0.8 ~ 3.2 mm，边缘疏生黑色腺点，有 3 脉；花梗长 0.5 ~ 2 mm；花瓣 5，黄色，狭长圆形，长约 1.5 cm，宽约 2.5 mm，边缘有黑

色腺点；雄蕊多数，3 束，长 9 ~ 15 mm，花药宽椭圆形，长约 0.4 mm，有黑色腺点；子房卵珠形，长约 2.5 mm，花柱 3，自基部叉开，长约 18 mm。蒴果及种子未见。花期 7 月。

| **生境分布** | 生于海拔约 820 m 的山坡、路旁或灌丛。分布于湖南邵阳（邵阳）、郴州（桂阳、汝城）、永州（祁阳、蓝山）、怀化（麻阳）等。

| **资源情况** | 野生资源稀少。药材来源于野生。

| **功能主治** | 疏经活血，利尿消肿。

藤黄科 Clusiaceae 金丝桃属 Hypericum

地耳草

Hypericum japonicum Thunb. ex Murray

| 药 材 名 |

地耳草（药用部位：全草。别名：田基黄、痧子草、光明草）。

| 形态特征 |

一年生或多年生草本，高 2 ～ 45 cm。茎单一或多少簇生，直立或外倾，或匍地而在基部生根，在花序下部不分枝或分枝，具 4 纵线棱，散布浅色腺点。叶无柄；叶片通常呈卵形、卵状三角形至长圆形或椭圆形，长 0.2 ～ 1.8 cm，宽 0.1 ～ 1 cm，先端近锐尖至圆形，基部心形至截形，全缘，坚纸质，上面绿色，下面淡绿色，有时带苍白色。花直径 4 ～ 8 mm，多少平展；萼片狭长圆形或披针形至椭圆形，长 2 ～ 5.5 mm，宽 0.5 ～ 2 mm，先端锐尖至钝形，全缘，边缘无腺点；花瓣白色、淡黄色至橙黄色，椭圆形或长圆形，长 2 ～ 5 mm，宽 0.8 ～ 1.8 mm，先端钝形，无腺点，宿存；雄蕊 5 ～ 30，不成束，长约 2 mm，宿存，花药黄色，具松脂状腺体。蒴果短圆柱形至圆球形，长 2.5 ～ 6 mm，宽 1.3 ～ 2.8 mm，无腺条纹；种子淡黄色，圆柱形，长约 0.5 mm，两端锐尖，无龙骨状突起和先端附属物，有细蜂窝纹。花期 3 ～ 8 月，果期 6 ～ 10 月。

| **生境分布** | 生于海拔 2 000 m 以下的田边、沟边、草地及撂荒地。湖南各地均有分布。

| **资源情况** | 野生资源丰富。药材来源于野生。

| **采收加工** | 春、夏季开花时采收，晒干或鲜用。

| **药材性状** | 本品长 10 ~ 40 cm。根须状，黄褐色。茎单一或基部分枝，光滑，具 4 棱，表面黄绿色或黄棕色；质脆，易折断，断面中空。叶对生，无柄；完整叶片卵形或卵圆形，全缘，具透明的细小腺点。聚伞花序顶生，花小，黄色。气无，味微苦。以色黄绿、带花者为佳。

| **功能主治** | 甘、微苦，凉。归肝、胆、大肠经。清利湿热，解毒，散瘀消肿，止痛。用于湿热黄疸，泄泻，痢疾，肠痈，肺痈，痈疖肿毒，乳蛾，口疮，目赤肿痛，毒蛇咬伤，跌打损伤。

| **用法用量** | 内服煎汤，15 ~ 30 g，鲜品 30 ~ 60 g，大剂量可用 90 ~ 120 g；或捣汁。外用适量，捣敷；或煎汤洗。

藤黄科 Clusiaceae 金丝桃属 Hypericum

长柱金丝桃

Hypericum longistylum Oliv.

| 药 材 名 | 长柱金丝桃（药用部位：果实）。

| 形态特征 | 灌木，高约 1 m，直立，有叉开的长枝和羽状排列的短枝。茎红色，幼时有两侧压扁的纵线棱 2 ~ 4，呈圆柱形，节间长 1 ~ 3 cm，短于或长于叶，皮层暗灰色。叶对生，近无柄或具长 1 mm 的短柄；叶片狭长圆形至椭圆形或近圆形，长 1 ~ 3.1 cm，宽 0.6 ~ 1.6 cm，先端圆形，略具小尖突，基部楔形至短渐狭，边缘平坦，坚纸质。花序 1 花，在短侧枝上顶生；苞片叶状，宿存；花直径 2.5 ~ 4.5（~ 5）cm，星状；花蕾狭卵珠形，先端锐尖；花瓣金黄色至橙色，无红晕，开张，倒披针形，全缘，无腺体，无小尖突；雄蕊 5 束，每束有雄蕊 15 ~ 25；子房卵珠形，长 3 ~ 4 mm，宽 2 ~ 3 mm，

通常略具柄，花柱长 1 ~ 1.8 cm，长为子房的 3.5 ~ 6 倍，合生几达先端，然后
开张，柱头小。蒴果卵珠形，长（0.4 ~）0.6 ~ 1.2 cm，宽 0.4 ~ 0.5 cm，通常
略具柄；种子圆柱形，长约 1.3 mm，淡棕褐色，有明显的龙骨状突起和细蜂
窝纹。花期 5 ~ 7 月，果期 8 ~ 9 月。

| **生境分布** | 生于海拔 200 ~ 1 200 m 的山坡阳处或沟边潮湿处。分布于湖南常德（澧县、
桃源）、湘西州（古丈、永顺、保靖）等。

| **资源情况** | 野生资源稀少。药材来源于野生。

| **功能主治** | 清热解毒，利湿。

藤黄科 Clusiaceae 金丝桃属 Hypericum

金丝桃 *Hypericum monogynum* L.

| 药 材 名 | 金丝桃（药用部位：全株。别名：上连翘、五心花、金丝海棠）、金丝桃果（药用部位：果实）。

| 形态特征 | 灌木，高 0.5 ~ 1.3 m，丛状，通常有疏生的开张枝条。茎红色，圆柱形，皮层橙褐色。叶对生，无柄或具长 1.5 mm 的短柄；叶片通常为倒披针形或椭圆形至长圆形，稀为披针形至卵状三角形或卵形，长 2 ~ 11.2 cm，宽 1 ~ 4.1 cm，先端锐尖至圆形，通常具细小尖突，基部楔形至圆形，上部者有时为截形至心形，边缘平坦，坚纸质，上面绿色，下面淡绿色。花直径 3 ~ 6.5 cm，星状；花蕾卵珠形，先端近锐尖至钝形；萼片宽或狭椭圆形、长圆形至披针形或倒披针形，先端锐尖至圆形，全缘；花瓣金黄色至柠檬黄色，无红

晕，开张，三角状倒卵形，长 2 ~ 3.4 cm，宽 1 ~ 2 cm；雄蕊 5 束，每束有雄蕊 25 ~ 35，最长者长 1.8 ~ 3.2 cm，与花瓣几等长，花药黄色至暗橙色。蒴果多为宽卵珠形，稀为卵珠状圆锥形至近球形，长 6 ~ 10 mm，宽 4 ~ 7 mm；种子深红褐色，圆柱形，长约 2 mm，有狭龙骨状突起，有线状网纹至线状蜂窝纹。花期 5 ~ 8 月，果期 8 ~ 9 月。

| **生境分布** | 生于海拔 2 000 m 以下的山坡、路旁或灌丛中。湖南各地均有分布。

| **资源情况** | 野生资源丰富。药材来源于野生。

| **采收加工** | **金丝桃：**全年均可采收，洗净，鲜用或晒干。
金丝桃果：秋季果实成熟时采摘，鲜用或晒干。

| **药材性状** | **金丝桃：**本品长约 80 cm，光滑无毛。根呈圆柱形，表面棕褐色，栓皮易片状剥落，断面不整齐，中心可见极小的空洞。老茎较粗，圆柱形，直径 4 ~ 6 mm，表面浅棕褐色，可见对生叶痕，栓皮易片状脱落，质脆，易折断，断面不整齐，中空明显；幼茎较细，直径 1.5 ~ 3 mm，表面较光滑，节间呈浅棕绿色，节部呈深棕绿色，断面中空。叶对生，略皱缩，易破碎；完整叶片展开时呈长椭圆形，全缘，上面绿色，下面灰绿色，中脉明显凸起，叶片可见透明腺点。气微香，味微苦。

| 功能主治 | **金丝桃**：苦，凉。清热解毒，散瘀止痛，祛风湿。用于肝炎，肝脾肿大，急性咽喉炎，结膜炎，疮疖肿毒，蛇虫咬伤，跌打损伤，风寒所致腰痛。

金丝桃果：甘，凉。润肺止咳。用于虚热咳嗽，百日咳。

| 用法用量 | **金丝桃**：内服煎汤，15 ~ 30 g。外用适量，鲜根或鲜叶捣敷。

金丝桃果：内服煎汤，6 ~ 10 g。

藤黄科 Clusiaceae 金丝桃属 Hypericum

金丝梅

Hypericum patulum Thunb. ex Murray

| 药 材 名 | 金丝梅（药用部位：全株。别名：芒种花、黄花香、山栀子）。

| 形态特征 | 灌木，高 0.3 ～ 1.5（～ 3）m，丛状，具开张的枝条，有时略多叶。茎淡红色至橙色，幼时初具 4 纵线棱，随即具 2 纵线棱，最后有呈圆柱形者，皮层灰褐色。叶具柄，叶柄长 0.5 ～ 2 mm；叶片披针形、长圆状披针形至卵形或长圆状卵形，长 1.5 ～ 6 cm，宽 0.5 ～ 3 cm，先端钝形至圆形，常具小尖突，基部狭或宽楔形至短渐狭，边缘平坦，不增厚，坚纸质。花直径 2.5 ～ 4 cm，多少呈杯状；花蕾宽卵珠形，先端钝形；萼片离生，在花蕾期及果时直立，宽卵形、宽椭圆形、近圆形至长圆状椭圆形或倒卵状匙形，近等大或不等大，长 5 ～ 10 mm，宽 3.5 ～ 7 mm，先端钝形至圆形或微凹，常有小尖

突，边缘有啮蚀状小细齿至具小缘毛，膜质，常带淡红色；花瓣金黄色，无红晕，多少内弯，长圆状倒卵形至宽倒卵形。蒴果宽卵珠形，长 0.9 ~ 1.1 cm，宽 0.8 ~ 1 cm；种子深褐色，多少呈圆柱形，长 1 ~ 1.2 mm，无龙骨状突起，有浅的线状蜂窝纹。花期 6 ~ 7 月，果期 8 ~ 10 月。

| **生境分布** | 生于海拔 300 ~ 2 000 m 的山坡或山谷疏林下、路旁或灌丛中。分布于湖南株洲（茶陵）、衡阳（雁峰、石鼓、衡阳）、邵阳（洞口）、岳阳（云溪）、永州（双牌）、怀化（中方、会同、麻阳、洪江、沅陵）、湘西州（吉首、花垣、永顺、龙山、凤凰）、张家界（桑植）、郴州（桂东、安仁）等。

| **资源情况** | 野生资源一般。药材来源于野生。

| **采收加工** | 夏季采集，洗净，切碎，晒干。

| **功能主治** | 苦，寒。归肝、肾、膀胱经。清热利湿，解毒，疏肝通络，祛瘀止痛。用于淋病，肝炎，感冒，扁桃体炎，疝气偏坠，筋骨疼痛，跌打损伤。

| **用法用量** | 内服煎汤，6 ~ 15 g。外用适量，捣敷；或炒，研末撒。

藤黄科 Clusiaceae 金丝桃属 Hypericum

贯叶金丝桃
Hypericum perforatum L.

药材名

贯叶连翘（药用部位：全草。别名：贯叶金丝桃、千层楼、过路黄）。

形态特征

多年生草本，高 20 ~ 60 cm，全体无毛。茎直立，多分枝，茎及分枝两侧各有 1 纵线棱。叶无柄；叶彼此靠近，椭圆形至线形，长 1 ~ 2 cm，宽 0.3 ~ 0.7 cm，先端钝形，基部近心形而抱茎，全缘，背卷，坚纸质。聚伞花序顶生；萼片长圆形或披针形，长 3 ~ 4 mm，宽 1 ~ 1.2 mm，先端渐尖至锐尖，边缘有黑色腺点，全面有 2 行腺条和腺斑，果时直立，略增大，长达 4.5 mm；花瓣黄色，长圆形或长圆状椭圆形，两侧不相等，长约 1.2 mm，宽 0.5 mm，边缘及上部常有黑色腺点。蒴果长圆状卵珠形，长约 5 mm，宽 3 mm，背生腺条，侧生黄褐色囊状腺体；种子黑褐色，圆柱形，长约 1 mm，具纵条棱，两侧无龙骨状突起，表面有细蜂窝纹。花期 7 ~ 8 月，果期 9 ~ 10 月。

生境分布

生于海拔 500 ~ 2 000 m 的山坡、路旁、草地、林下及河边等。分布于湖南株洲（攸县）、邵阳（新邵、绥宁、武冈）、常德（澧县）、郴州（临武、安仁）、怀化（麻阳、洪江、沅陵）、娄底（新化）、湘西州（永顺、凤凰）、张家界（桑植）、永州（江华）等。

| **资源情况** | 野生资源一般。药材来源于野生。

| **采收加工** | 7 ~ 10 月采收，洗净，晒干或鲜用。

| **功能主治** | 苦、涩，平。归肝经。收敛止血，调经通乳，清热解毒，利湿。用于咯血，吐血，肠风下血，崩漏，外伤出血，月经不调，乳汁不下，黄疸，咽喉疼痛，目赤肿痛，尿路感染，口鼻生疮，痈疖肿毒，烫火伤。

| **用法用量** | 内服煎汤，9 ~ 15 g。外用适量，鲜品捣敷；或研末敷。

藤黄科 Clusiaceae 金丝桃属 *Hypericum*

短柄小连翘

Hypericum petiolulatum Hook. f. et Thoms. ex Dyer

| 药 材 名 | 短柄小连翘（药用部位：果实。别名：有柄金丝桃、涩疙瘩、短柄遍地金）。

| 形态特征 | 多年生草本，高 0.25 ～ 0.3 m，全体无毛。茎圆柱形，多少铺散，多分枝，分枝细弱而能育。叶远离，具柄，叶柄长约 1 mm；叶片卵形至倒卵形，长 0.6 ～ 1.4 cm，宽 0.4 ～ 0.8 cm，最宽处在叶片中部或中部以上，先端钝形，基部宽楔形或渐狭，全缘，波状，上面绿色，下面淡绿色，边缘有黑色腺点，各面散生浅色腺点。花序顶生，聚伞状，除顶生单花外通常呈一回二歧状；苞片和小苞片叶状，略小；花瓣黄色，长圆形，长约 5 mm，宽 1 mm，先端锐尖，无黑色腺点；宿存；雄蕊 3 束，每束有雄蕊约 7，花丝长约 4 mm，花药黄色，

有黑色腺点。子房卵珠形，长约 2 mm，3 室，花柱 3，长约 0.5 mm，自基部分离，开张。蒴果宽卵珠形或近圆球形，长约 4 mm，宽 3.5 mm，成熟时呈紫红色，外面有多数腺纹；种子淡黄褐色，圆柱形，长约 0.5 mm，两侧无龙骨状突起，先端无附属物，表面有不明显的细蜂窝纹。花期 7 ~ 8 月，果期 9 ~ 10 月。

| 生境分布 | 生于山坡灌丛或草地上。分布于湖南益阳（安化）等。

| 资源情况 | 野生资源稀少。药材来源于野生。

| 功能主治 | 苦，寒。清热解毒，祛风除湿。

藤黄科 Clusiaceae 金丝桃属 Hypericum

元宝草
Hypericum sampsonii Hance

| 药 材 名 | 元宝草（药用部位：全草。别名：蛇开口、莽子草、野旱烟）。

| 形态特征 | 多年生草本，高 0.2 ～ 0.8 m，全体无毛。茎单一或少数，圆柱形，无腺点，上部分枝。叶对生，无柄，基部完全合生为一体而茎贯穿其中心，宽或狭披针形至长圆形或倒披针形，长（2 ～）2.5 ～ 7（～ 8）cm，宽（0.7 ～）1 ～ 3.5 cm，先端钝形或圆形，基部较宽，全缘，坚纸质。花序顶生，多花，伞房状，连同其下方常有 6 腋生花枝，形成一个庞大的疏松伞房状至圆柱状圆锥花序；花直径 6 ～ 10（～ 15）mm；萼片各面散布浅色（稀黑色）的腺点及腺斑，果时伸直；花瓣淡黄色，椭圆状长圆形。蒴果宽卵珠形至宽或狭卵珠状圆锥形，长 6 ～ 9 mm，宽 4 ～ 5 mm，散布卵珠状黄褐色囊状

腺体；种子黄褐色，长卵柱形，长约 1 mm，两侧无龙骨状突起，先端无附属物，表面有明显的细蜂窝纹。花期 5 ~ 6 月，果期 7 ~ 8 月。

| 生境分布 | 生于海拔 1 200 m 以下的路旁、山坡、草地、灌丛、田边、沟边等。湖南各地均有分布。

| 资源情况 | 野生资源丰富。药材来源于野生。

| 采收加工 | 夏、秋季采收，洗净，晒干或鲜用。

| 药材性状 | 本品根细圆柱形，稍弯曲，长 3 ~ 7 cm，支根细小；表面淡棕色。茎圆柱形，直径 2 ~ 5 mm，长 30 ~ 80 cm；表面光滑，棕红色或黄棕色；质坚硬，断面中空。叶对生，两叶基部合生为一体，茎贯穿其间；叶多皱缩，展平后叶片呈长椭圆形，上表面灰绿色或灰棕色，下表面灰白色，有众多黑色腺点。聚伞花序顶生；花小，黄色。蒴果卵圆形，红棕色；种子细小，多数。气微，味淡。以叶多，带花、果者为佳。

| 功能主治 | 苦、辛，寒。归肝、脾经。凉血止血，清热解毒，活血调经，祛风通络。用于吐血，咯血，衄血，血淋，创伤出血，肠炎，痢疾，乳痈，痈肿疔毒，烫伤，蛇咬伤，月经不调，痛经，带下，跌打损伤，风湿痹痛，腰腿痛；外用于头癣，口疮，目翳。

| 用法用量 | 内服煎汤，9 ~ 15 g，鲜品 30 ~ 60 g。外用适量，鲜品捣敷；或研末敷。

茅膏菜科 | Droseraceae | 茅膏菜属 | Drosera

茅膏菜
Drosera peltata Smith

| 药 材 名 | 茅膏菜（药用部位：全草。别名：石龙芽草、夏无踪、白花叶）。

| 形态特征 | 多年生草本，直立或攀缘，高 9 ~ 32 cm，淡绿色，具紫红色汁液。鳞茎状球茎紫色，球形，直径 1 ~ 8 mm。基生叶密集成近 1 轮或最上面几片叶着生于节间伸长的茎上，退化基生叶线状钻形，长约 2 mm，不退化基生叶圆形或扁圆形，叶柄长 2 ~ 8 mm，叶片长 2 ~ 4 mm；茎生叶稀疏，盾状，互生，叶柄长 8 ~ 13 mm，叶片半月形或半圆形，长 2 ~ 3 mm，基部近平截，叶缘密具单一或 1 长 1 短的头状黏腺毛，背面无毛。螺状聚伞花序生于枝顶和茎顶，分叉或二叉分枝，或不分枝，具花 3 ~ 22；花萼长约 4 mm，5 ~ 7 裂，背面疏被或密被长腺毛，边缘全部或仅中部以上密被长腺毛，整齐

或仅顶部稍缺裂；花瓣楔形，白色、淡红色或红色，基部有黑点或无；雄蕊 5，长约 5 mm；子房近球形，淡绿色，无毛，1 室，胚珠多数，花柱 3～5，稀 6，各 2 深裂，裂条顶部分别为 2～3 浅裂和 3～5 浅裂。蒴果长 2～4 mm，3～5 裂，稀 6 裂；种子椭圆形、卵形或球形，种皮脉纹加厚，呈蜂房格状。花果期 6～9 月。

| 生境分布 | 生于海拔 1 200～2 000 m 的疏林、草丛或灌丛中，田边、水旁、草坪亦可见。分布于湖南株洲（攸县、茶陵）、郴州（宜章、汝城、安仁、桂东）、永州（道县、江华）等。

| 资源情况 | 野生资源一般。药材来源于野生。

| 采收加工 | 5～6 月采收，鲜用或晒干。

| 功能主治 | 甘、辛，平；有毒。归脾经。祛风止痛，活血，解毒。用于风湿痹痛，跌打损伤，腰肌劳损，胃痛，感冒，咽喉肿痛，痢疾，疟疾，疳积，目翳，瘰疬，湿疹，疥疮。

| 用法用量 | 内服煎汤，3～9 g；或浸酒。外用适量，捣敷；或研末撒敷。

罂粟科 Papaveraceae 白屈菜属 Chelidonium

白屈菜 *Chelidonium majus* L.

| 药 材 名 | 白屈菜（药用部位：地上部分。别名：地黄连、牛金花、大花白屈菜）、白屈菜根（药用部位：根）。

| 形态特征 | 多年生草本，高 30 ～ 60（～ 100）cm。主根粗壮，圆锥形，侧根多，暗褐色。茎聚伞状，多分枝，分枝常被短柔毛，节上毛较密，后变无毛。基生叶少，早凋落，叶片倒卵状长圆形或宽倒卵形，长 8 ～ 20 cm，羽状全裂，全裂片 2 ～ 4 对，倒卵状长圆形，不规则深裂或浅裂，裂片边缘圆齿状，表面绿色，无毛，背面具白粉，疏被短柔毛，叶柄长 2 ～ 5 cm，被柔毛或无毛，基部扩大成鞘；茎生叶叶片长 2 ～ 8 cm，宽 1 ～ 5 cm，叶柄长 0.5 ～ 1.5 cm，其他同基生叶。伞形花序多花；花芽卵圆形，直径 5 ～ 8 mm；萼片卵圆形，舟状，

长 5 ~ 8 mm，无毛或疏生柔毛，早落；花瓣倒卵形，长约 1 cm，全缘，黄色。蒴果狭圆柱形，长 2 ~ 5 cm，直径 2 ~ 3 mm，通常具比果实短的柄；种子卵形，长不超过 1 mm，暗褐色，具光泽及蜂窝状小格。花果期 4 ~ 9 月。

| 生境分布 | 生于海拔 500 ~ 2 000 m 的山坡、山谷林缘草地、路旁或石缝中。分布于湖南怀化（新晃）等。

| 资源情况 | 野生资源稀少。药材来源于野生。

| 采收加工 | 白屈菜：盛花期采收，晒干或鲜用。
白屈菜根：夏季采挖，洗净泥沙，阴干。

| 药材性状 | 白屈菜：本品根呈圆锥形，密生须根。茎呈圆柱形，中空；表面黄绿色，有白粉；质轻，易折断。叶互生，多皱缩破碎；叶片完整者羽状分裂，裂片先端钝，边缘具不整齐的缺刻，上面黄绿色，下面灰绿色，具白色柔毛，尤以叶脉为多。花瓣 4，卵圆形，黄色，常脱落。蒴果细圆柱形，有众多细小、黑色且具光泽的卵形种子。气微，味微苦。

| 功能主治 | 白屈菜：苦，凉；有毒。镇痛，止咳，利尿，解毒。用于胃痛，腹痛，肠炎，痢疾，慢性支气管炎，百日咳，黄疸，水肿，腹水，疥癣疮肿，蛇虫咬伤。
白屈菜根：苦、涩，温。散瘀，止血，止痛，解蛇毒。用于劳伤血瘀，脘腹痛，月经不调，痛经，蛇咬伤。

| 用法用量 | 白屈菜：内服煎汤，3 ~ 6 g。外用适量，捣汁涂；或研末调涂。
白屈菜根：内服煎汤，3 ~ 6 g。

罂粟科 Papaveraceae　紫堇属 Corydalis

川东紫堇

Corydalis acuminata Franch.

| **药 材 名** | 川东紫堇（药用部位：全草。别名：地丁、苦地丁）。

| **形态特征** | 多年生草本，高 20 ～ 50 cm。须根多数，粗线形，具少数纤维状细根；根茎短，盖以残枯的叶柄基，叶基卵圆形，长 0.7 ～ 1.5 cm，增厚。茎直立，上部具少数分枝。基生叶数枚，叶柄长 5 ～ 8 cm，基部扩大成鞘，鞘长卵形，中部厚，边缘宽膜质，叶片宽卵形，长 4 ～ 5.5 cm，3 回羽状分裂，第 1 回全裂片具柄，3 对，疏离，近对生，第 2 回裂片无柄，2 ～ 4 深裂，末回裂片披针形或倒披针形，表面绿色，背面具白色粉；茎生叶 2 ～ 3，疏离，互生，下部叶具柄，最上部叶近无柄，其他与基生叶相同。总状花序顶生和侧生，长 5 ～ 8 cm，有 8 ～ 12 花；苞片最下部者同上部茎生叶，下部者羽状分裂，最上

部者倒披针形、浅裂至全缘；花梗等长于或稍长于苞片，果期花梗远长于苞片；萼片鳞片状，白色，具缺刻状齿；花瓣紫色，上花瓣长 2 ～ 2.3 cm，花瓣片舟状卵形，先端极尖，有时渐尖，具尖头，边缘波状，背部具极矮的鸡冠状突起，距圆筒形，末端稍下弯，与花瓣片近等长或略长，下花瓣长 1 ～ 1.1 cm，上部舟状卵形，先端极尖，有时渐尖，具尖头，背部鸡冠状突起极矮，中部缢缩，下部呈囊状，内花瓣提琴形，长 0.7 ～ 0.9 cm，花瓣片倒卵状长圆形，一侧生囊，基部耳垂，爪狭楔形，略长于花瓣片；雄蕊束长 0.6 ～ 0.8 cm，花药极小，花丝狭披针形，蜜腺体贯穿距的 1/3 ～ 2/5；子房狭椭圆形，长 0.3 ～ 0.4 cm，胚珠多数，排成 2 列，花柱长 0.2 ～ 0.3 cm，向上渐狭，先端弯曲，柱头双卵形，具 8 乳突。蒴果狭椭圆形，长 1.5 ～ 2 cm，成熟时自果柄先端反折，具多数种子；种子近圆形，直径约 1.5 mm，黑色，具光泽。花果期 4 ～ 8 月。

| **生境分布** | 生于海拔 1 600 ～ 2 000 m 的原常绿、落叶阔叶混交林破坏后的草地或荒地。分布于湖南张家界（桑植、永定）等。

| **资源情况** | 野生资源稀少。药材来源于野生。

| **功能主治** | 清热解毒，活血消肿。

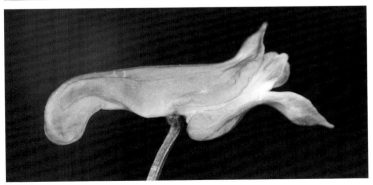

罂粟科 Papaveraceae 紫堇属 Corydalis

北越紫堇
Corydalis balansae Prain

| 药 材 名 | 黄花地锦苗（药用部位：全草。别名：台湾黄堇、鸡屎草、臭虫草）。

| 形态特征 | 丛生草本，灰绿色，高 30 ～ 50 cm，具主根。茎具棱，疏散分枝，枝条花葶状，常对叶生。下部茎生叶长 15 ～ 30 cm，具长柄，叶片上面绿色，下面苍白色，长 7.5 ～ 15 cm，宽 6 ～ 10 cm，2 回羽状全裂，一回羽片 3 ～ 5 对，具短柄，二回羽片常 1 ～ 2 对，近无柄，长 2 ～ 2.5 cm，宽 1.2 ～ 2 cm，卵圆形，基部楔形至平截，2 回 3 裂至具 3 ～ 5 圆齿状裂片，裂片先端圆钝，多少具短尖。总状花序多花而疏离，具明显花序轴；花黄色至黄白色，近平展；萼片卵圆形，长约 2 mm，边缘具小齿；花冠黄色，长 12 ～ 18 mm，具鸡冠状突起，距约占上瓣全长的 1/3，末端略下弯。蒴果线状长圆形，长

约 3 cm，宽 3 mm，斜伸或多少下垂，具 1 列种子；种子黑亮，扁圆形，具印痕状凹点和大而呈舟状的种阜。

| **生境分布** | 生于海拔 200 ～ 700 m 的山谷或沟边湿地。分布于湖南长沙（岳麓）、株洲（荷塘）、邵阳（邵阳）、永州（零陵、道县）、怀化（鹤城、辰溪）、湘西州（龙山）等。

| **资源情况** | 野生资源较少。药材来源于野生。

| **采收加工** | 春、夏季采收，洗净，鲜用。

| **功能主治** | 苦，凉。清热解毒，消肿止痛。用于痈疮肿毒，顽癣，跌打损伤。

| **用法用量** | 外用适量，捣敷。

| 罂粟科 | Papaveraceae | 紫堇属 | *Corydalis*

地柏枝
Corydalis cheilanthifolia Hemsl.

| 药 材 名 |　地柏枝（药用部位：全草）。

| 形态特征 |　丛生草本。高 10 ~ 25（~ 45）cm。具主根。茎花葶状，约与叶等长或稍长于叶，分枝或不分枝，无叶，侧枝基部具苞片。基生叶具长柄，叶片披针形，宽约 5 cm，2 回羽状全裂，一回羽片约 10 对，近无柄，二回羽片 5 ~ 7 对，无柄，卵圆形至披针形，下部的 3 ~ 5 裂，上部的全缘。总状花序疏具多花；苞片狭披针形，与花梗等长或稍长于花梗；花黄色，长 1.2 ~ 1.6 cm，近 "U" 形，有时伴生较小的败育的无距花；外花瓣渐尖，无鸡冠状突起；距向上斜伸，长约占花瓣全长的 1/3；蜜腺体占距长的 1/2 以上；内花瓣具浅鸡冠状突起，爪短于瓣片；雄蕊束披针形；子房线形，约与花柱等长，柱头宽浅，

具 4 乳突，顶生 2 乳突广角状叉分，侧生 2 乳突呈二臂状伸向两侧，先下延，后弧形上弯。蒴果线形，伸展或弧形下弯，具 1 列种子。

| 生境分布 | 生于海拔 850 ~ 1 700 m 的阴湿山坡或石缝中。分布于湖南张家界（桑植）、湘西州（花垣）、常德（石门）等。

| 资源情况 | 野生资源稀少。药材来源于野生。

| 功能主治 | 清热解毒，泻火。

罂粟科 Papaveraceae 紫堇属 Corydalis

伏生紫堇 *Corydalis decumbens* (Thunb.) Pers.

| 药 材 名 |

夏天无（药用部位：块茎。别名：一粒金丹、野延胡、飞来牡丹）。

| 形态特征 |

多年生草本。块茎小，圆形或多少伸长，直径 4 ~ 15 mm；新块茎形成于老块茎先端的分生组织和基生叶腋，向上常抽出多茎。茎高 10 ~ 25 cm，柔弱，细长，不分枝，具 2 ~ 3 叶，无鳞片。叶二回三出，小叶片倒卵圆形，全缘或深裂成卵圆形或披针形的裂片。总状花序疏具 3 ~ 10 花；花梗长 10 ~ 20 mm；花近白色至淡粉红色或淡蓝色；萼片早落；外花瓣先端下凹，常具狭鸡冠状突起，上花瓣长 14 ~ 17 mm，瓣片多少上弯，距稍短于瓣片，渐狭，平直或稍上弯，蜜腺体短，占距长的 1/3 ~ 1/2，末端渐尖，下花瓣宽匙形，通常无基生的小囊，内花瓣具超出先端的宽而圆的鸡冠状突起。蒴果线形，多少扭曲，长 13 ~ 18 mm，具 6 ~ 14 种子；种子具龙骨状突起和泡状小突起。

| 生境分布 |

生于海拔 80 ~ 300 m 的山坡或路边。分布于湖南长沙（开福、宁乡）、株洲（攸县）、邵阳（洞口、新宁）、岳阳（华容）、常德（武陵、鼎城、汉寿、桃源）、张家界（桑植）、益阳（赫山）、郴州（苏仙）、怀化（鹤城、中方、辰溪、麻阳、通道、溆浦）、湘西州（吉首）等。

| **资源情况** | 野生资源一般。药材来源于野生。

| **采收加工** | 4 月上旬至 5 月初茎叶变黄时选晴天采挖，除去须根，洗净泥土，鲜用或晒干。

| **药材性状** | 本品类球形、长圆形或不规则块状，长 0.5 ~ 3 cm，直径 0.4 ~ 1.5 cm。表面灰黄色、暗绿色或黑褐色，有瘤状突起和不明显的细皱纹，上端钝圆，可见茎痕，四周有淡黄色点状叶痕及须根痕。质硬，断面黄白色或黄色，颗粒状或角质样，有的略带粉性。气无，味苦。以个大、质坚、断面黄白色者为佳。

| **功能主治** | 苦、微辛，温。归肝、肾经。祛风除湿，舒筋活血，通络止痛，降血压。用于风湿性关节炎，中风偏瘫，坐骨神经痛，脊髓灰质炎后遗症，腰肌劳损，跌扑损伤，高血压。

| **用法用量** | 内服煎汤，4.5 ~ 15 g；或研末，1 ~ 3 g；或入丸剂。

刻叶紫堇
Corydalis incisa (Thunb.) Pers.

| 药 材 名 | 紫花鱼灯草（药用部位：全草或根。别名：天奎草、千年老鼠矢、爆竹花）。

| 形态特征 | 直立草本，灰绿色，高 15 ~ 60 cm。根茎短而肥厚，椭圆形，长 1 cm，直径 5 mm，具束生的须根。茎不分枝或少分枝，具叶。叶具长柄，基部具鞘；叶片二回三出，一回羽片具短柄，二回羽片近无柄，菱形或宽楔形，长约 2 cm，宽 1 cm，3 深裂，裂片具缺刻状齿。总状花序长 3 ~ 12 cm，多花，花先密集，后疏离；苞片约与花梗等长，菱形或楔形，具缺刻状齿；花梗长约 1 cm；萼片小，长约 1 mm，丝状深裂；花紫红色至紫色，稀淡蓝色至苍白色，平展，大小的变异幅度较大；外花瓣先端圆钝，平截至多少下凹，先端稍后具陡峭

的鸡冠状突起，上花瓣长（1.6 ~ ）2 ~ 2.5 cm，距圆筒形，近直，约与瓣片等长或较瓣片稍短，蜜腺体短，占距长的1/4 ~ 1/3，末端稍圆钝，下花瓣基部常具小距或浅囊，有时发育不明显，内花瓣先端深紫色。蒴果线形至长圆形，长1.5 ~ 2 cm，具1列种子。

| **生境分布** | 生于海拔 1 800 m 以下的林缘、路边或疏林下。湖南有广泛分布。

| **资源情况** | 野生资源较丰富。药材来源于野生。

| **采收加工** | 花期采收全草，夏季采挖根，除去泥土，鲜用或晒干。

| **功能主治** | 苦、辛，寒；有毒。解毒，杀虫。用于疮疡肿毒，疥癞顽癣，湿疹，毒蛇咬伤。

| **用法用量** | 外用适量，捣敷；或煎汤洗；亦可用酒或醋磨汁外搽。

蛇果黄堇

Corydalis ophiocarpa Hook. f. et Thoms.

| **药 材 名** | 蛇果黄堇（药用部位：全草。别名：巴夏嘎、扭果黄堇、断肠草）。 |

| **形态特征** | 丛生草本，灰绿色，高 30 ~ 120 cm，具主根。茎多条，具叶，分枝，枝条花葶状，对叶生。基生叶多数，具长柄，叶片长圆形，1 ~ 2 回羽状全裂，一回羽片 4 ~ 5 对，具短柄，二回羽片约 2 ~ 3 对，无柄，倒卵圆形至长圆形，3 ~ 5 裂，裂片长 3 ~ 10 mm，宽 1 ~ 5 mm，具短尖；茎生叶与基生叶同形，下部茎生叶具长柄，上部茎生叶具短柄，近 1 回羽状全裂。总状花序长 10 ~ 30 cm，多花，具短花序轴；苞片线状披针形，长约 5 mm；花梗长 5 ~ 7 mm；花淡黄色至苍白色，平展；外花瓣先端着色较深，渐尖，上花瓣长 9 ~ 12 mm，距短囊状，占花瓣全长的 1/4 ~ 1/3，多少上升，蜜腺 |

体约贯穿距长的 1/2，下花瓣舟状，多少向前伸出，内花瓣先端暗紫红色至暗绿色，具伸出先端的鸡冠状突起，爪短于瓣片。蒴果线形，长 1.5 ～ 2.5 cm，宽约 1 mm，蛇形弯曲，具 1 列种子；种子小，黑亮，具伸展、狭直的种阜。

| **生境分布** | 生于海拔 200 ～ 2 000 m 的沟谷林缘。分布于湖南郴州（安仁）等。

| **资源情况** | 野生资源稀少。药材来源于野生。

| **采收加工** | 春、夏季采收，洗净，晒干或鲜用。

| **功能主治** | 苦、辛，温；有毒。活血止痛，祛风止痒。用于跌打损伤，皮肤瘙痒。

| **用法用量** | 内服煎汤，6 ～ 10 g。外用适量，捣敷。

罂粟科 Papaveraceae 紫堇属 Corydalis

黄堇

Corydalis pallida (Thunb.) Pers.

| 药材名 | 深山黄堇（药用部位：全草。别名：石莲、断肠草、田饭酸）。

| 形态特征 | 丛生草本，灰绿色，高 20 ～ 60 cm，具主根，少数侧根发达，呈须根状。茎 1 至多条，发自基生叶腋，具棱，常上部分枝。基生叶多数，莲座状，花期枯萎；茎生叶稍密集，下部茎生叶具柄，上部茎生叶近无柄，上面绿色，下面苍白色，2 ～ 3 回羽状全裂，一回羽片 4 ～ 6 对，具短柄至无柄，二回羽片无柄，卵圆形至长圆形，顶生者较大，长 1.5 ～ 2 cm，宽 1.2 ～ 1.5 cm，3 深裂，裂片先端圆钝，具短尖，侧生者较小，常具 4 ～ 5 圆齿。总状花序顶生和腋生，有时对叶生，长约 5 cm，疏具多花和或长或短的花序轴；外花瓣先端勺状，具短尖，无鸡冠状突起，或有时仅上花瓣具浅鸡冠状突起，

上花瓣长 1.7 ～ 2.3 cm，距约占花瓣全长的 1/3，背部平直，腹部下垂，稍下弯，下花瓣长约 1.4 cm，内花瓣长约 1.3 cm，具鸡冠状突起，爪约与瓣片等长。蒴果线形，念珠状，长 2 ～ 4 cm，宽约 2 mm，斜伸至下垂，具 1 列种子；种子黑亮，直径约 2 mm，表面密具圆锥状突起，中部较低平，种阜帽状，约包裹种子的 1/2。

| **生境分布** | 生于林间空地、火烧迹地、林缘、河岸或多石坡地。湖南有广泛分布。

| **资源情况** | 野生资源一般。药材来源于野生。

| **采收加工** | 春、夏季采收，鲜用或晒干。

| **药材性状** | 本品茎无毛。叶 2 ～ 3 回羽状全裂。总状花序较长，花大，距圆筒形，长约 5 mm。蒴果串珠状；种子黑色，密生圆锥形小突起。

| **功能主治** | 微苦，凉；有毒。清热利湿，解毒。用于湿热泄泻，赤白痢疾，带下，痈疮热疖，丹毒，风火赤眼。

| **用法用量** | 内服煎汤，3 ～ 9 g，鲜品 30 g；或捣烂绞汁服。外用适量，捣敷。

罂粟科 Papaveraceae 紫堇属 Corydalis

小花黄堇
Corydalis racemosa (Thunb.) Pers.

| 药 材 名 | 黄堇（药用部位：全草或根。别名：鱼子草、黄花鱼灯草、粪桶草）。

| 形态特征 | 丛生草本，灰绿色，高 30 ~ 50 cm，具主根。茎具棱，分枝，具叶，枝条花葶状，对叶生。基生叶具长柄，常早枯萎；茎生叶具短柄，叶片三角形，上面绿色，下面灰白色，2 ~ 3 回羽状全裂，一回羽片 3 ~ 4 对，二回羽片 1 ~ 2 对，卵圆形至宽卵圆形，长约 2 cm，宽 1.5 cm，通常 2 回 3 深裂，末回裂片圆钝，具短尖。总状花序长 3 ~ 10 cm，密具多花，后花渐疏离；苞片披针形至钻形，渐尖至具短尖，约与花梗等长；花梗长 3 ~ 5 mm；花黄色至淡黄色；萼片小，卵圆形，早落；外花瓣不宽展，无鸡冠状突起，先端通常近圆形，具宽短尖，有时近下凹，有时具较长的短尖，上花瓣长 6 ~ 7 mm；

距短囊状，约占花瓣全长的 1/6 ~ 1/5；蜜腺体约占距长的 1/2。蒴果线形，具 1 列种子；种子黑亮，近肾形，具短刺状突起，种阜三角形。

| 生境分布 | 生于海拔 400 ~ 2 000 m 的林缘阴湿地或多石溪边。湖南各地均有分布。

| 资源情况 | 野生资源丰富。药材来源于野生。

| 采收加工 | 夏季采收，洗净，晒干或鲜用。

| 药材性状 | 本品茎光滑无毛。叶 2 ~ 3 回羽状全裂，末回裂片近卵形，浅裂至深裂。总状花序；花黄棕色，上花瓣延伸成距，末端圆形。蒴果条形；种子黑色，扁球形。味苦。

| 功能主治 | 苦，寒；有毒。清热利湿，解毒杀虫。用于湿热泄泻，痢疾，黄疸，目赤肿痛，聤耳流脓，疮毒，疥癣，毒蛇咬伤。

| 用法用量 | 内服煎汤，3 ~ 6 g，鲜品 15 ~ 30 g；或捣汁。外用适量，捣敷；或取根以酒、醋磨汁搽。

罂粟科 Papaveraceae 紫堇属 Corydalis

石生黄堇
Corydalis saxicola Bunting

| 药 材 名 | 岩黄连（药用部位：全草。别名：岩胡、岩连、菊花黄连）。

| 形态特征 | 易萎软草本，淡绿色，高 30 ~ 40 cm。具粗大主根和单头至多头的根茎。茎分枝或不分枝；枝条与叶对生，花葶状。基生叶长 10 ~ 15 cm，具长柄，叶片约与叶柄等长，2 回羽状全裂，1 回裂片 5，具短柄，2 回裂片常为 3，菱形或卵形，长 2 ~ 4 cm，宽 2 ~ 3 cm，不等大 2 ~ 3 裂或边缘具粗圆齿。总状花序长 7 ~ 15 cm，多花，花先密集，后疏离；苞片椭圆形至披针形，全缘，下部苞片长约 1.5 cm，宽 1 cm，上部苞片渐狭小，全部长于花梗；花梗长约 5 mm；花金黄色，平展；萼片近三角形，全缘，长约 2 mm；外花瓣较宽展，渐尖，鸡冠状突起仅限于龙骨状突起之上，不伸达先端，上花瓣长约 2.5 cm，

距约占花瓣全长的 1/4，稍下弯，末端囊状，蜜腺体短，约贯穿距长的 1/2，下花瓣长约 1.8 cm，基部具小瘤状突起，内花瓣长约 1.5 cm，具厚而伸出先端的鸡冠状突起。蒴果线形，下弯，长约 2.5 cm，具 1 列种子。

| **生境分布** | 生于海拔 600 ～ 1 690 m 的石灰岩缝隙中。分布于湖南张家界（武陵源）、怀化（麻阳）、湘西州（花垣、古丈）等。

| **资源情况** | 野生资源稀少。药材来源于野生。

| **采收加工** | 秋后采收，除去杂质，洗净，晒干。

| **药材性状** | 本品根类圆柱形或圆锥形，稍扭曲，下部有分枝，直径 0.5 ～ 2 cm；表面淡黄色至棕黄色，具纵裂纹或纵沟，栓皮发达，易剥落；质松，断面不整齐，似朽木状，皮部与木部界限不明显。叶具长柄，柔软卷曲，长 10 ～ 15 cm；叶片多皱缩破碎，淡黄色，完整者 2 回羽状分裂，一回裂片 5，奇数对生，末回裂片菱形或卵形。气微，味苦、涩。

| **功能主治** | 苦，凉。清热解毒，利湿，止痛止血。用于肝炎，口舌糜烂，火眼，目翳，痢疾，腹泻，腹痛，痔疮出血。

| **用法用量** | 内服煎汤，3 ～ 15 g。外用适量，研末点。

| **附　注** | 在《国家重点保护野生植物名录》中，本种被列为国家二级保护野生植物。

罂粟科 Papaveraceae 紫堇属 Corydalis

地锦苗
Corydalis sheareri S. Moore

| 药 材 名 | 护心胆（药用部位：全草或块茎。别名：地锦苗、紫花荷包牡丹、七寸高）。

| 形态特征 | 多年生草本，高（10 ~）20 ~ 40（~ 60）cm。主根明显，具多数纤维根，棕褐色；根茎粗壮，干时呈黑褐色，被残枯的叶柄基。茎 1 ~ 2，上部分枝。基生叶数枚，长 12 ~ 30 cm，具带紫色的长叶柄，叶片三角形或卵状三角形，长 3 ~ 13 cm；茎生叶数枚，互生于茎上部，与基生叶同形，但较小，且具较短的柄。总状花序生于茎及分枝先端，长 4 ~ 10 cm，有花 10 ~ 20，通常排列稀疏；苞片下部者近圆形，全缘；花梗通常短于苞片；萼片鳞片状，近圆形，具缺刻状流苏；花瓣紫红色，上花瓣长 2 ~ 2.5（~ 3）cm，瓣片舟状卵形，

背部具短鸡冠状突起，边缘具不规则的齿裂，距圆锥形，末端极尖，长为瓣片的 1.5 倍。蒴果狭圆柱形，长 2 ～ 3 cm，直径 1.5 ～ 2 mm；种子近圆形，直径约 1 mm，黑色，具光泽，表面具多数乳突。花果期 3 ～ 6 月。

| **生境分布** | 生于海拔 170 ～ 2 000 m 的水边或林下潮湿地。湖南各地均有分布。

| **资源情况** | 野生资源丰富。药材来源于野生。

| **采收加工** | 春、夏季采集全草，冬、春季采挖块茎。

| **药材性状** | 本品块茎倒卵圆形至长椭圆形，基部狭小而渐尖，长 1 ～ 3 cm，直径 0.5 ～ 1.5 cm。表面黄棕色或灰褐色，具多数类三角状凸起的侧芽，可见须根及须根痕。质坚脆，受潮后稍变软，断面深黄色至暗绿色。略具焦糖气，味极苦。

| **功能主治** | 苦、辛，寒；有小毒。活血止痛，清热解毒。用于胃痛，腹痛泄泻，跌打损伤，痈疮肿毒，目赤肿痛。

| **用法用量** | 内服煎汤，3 ～ 6 g；或研末，1.5 ～ 3 g。外用适量，捣敷。

罂粟科 Papaveraceae 紫堇属 *Corydalis*

大叶紫堇
Corydalis temulifolia Franch.

| 药 材 名 |

山臭草（药用部位：全草或根。别名：断肠草、闷头花）。

| 形态特征 |

多年生草本，高（20～）30～60（～90）cm。根纤细，具多数纤维状细根；根茎粗壮，密盖残枯的叶柄基。茎2～3，淡红绿色，具5棱，不分枝或分枝。基生叶数枚，叶柄长6～14（～37）cm，通常粗壮，基部膨大，叶片三角形，长4～10（～18）cm，2回3出羽状全裂；茎生叶2～4，与基生叶同形，但叶片较小且具较短的叶柄。总状花序生于茎及分枝先端，长3～7（～12）cm，多花，排列稀疏；萼片鳞片状，撕裂状分裂，早落；花瓣紫蓝色，平伸，上花瓣长2.5～3 cm，花瓣片舟状菱形，先端具小尖头，边缘开展，背部鸡冠状突起矮，短或无。蒴果线状圆柱形，长4～5 cm，直径1.5～2 mm，劲直，近念珠状；种子近圆形，直径1～1.5 mm，黑色，具光泽。花果期3～6月。

| 生境分布 |

生于海拔1 800～2 000 m的常绿阔叶林或混交林下、灌丛中或溪边。分布于湖南张家界（永定、武陵源）等。

| **资源情况** | 野生资源稀少。药材来源于野生。

| **采收加工** | 春、夏季采收全草，秋季采挖根，洗净，晒干或鲜用。

| **功能主治** | 苦、辛，微寒。活血止痛，清热解毒。用于劳伤，胸脘刺痛，坐板疮。

| **用法用量** | 内服煎汤，2 ~ 10 g；或以根浸酒。外用适量，捣汁涂。

罂粟科 Papaveraceae 紫堇属 Corydalis

毛黄堇
Corydalis tomentella Franch.

| 药 材 名 | 干岩矸（药用部位：全草。别名：岩黄连、毛黄堇、干岩千）。

| 形态特征 | 丛生草本，高 20 ~ 25 cm，具白色而卷曲的短绒毛。主根先端常具少数叶残基。茎花葶状，约与叶等长，不分枝或少分枝，无叶或下部具少数叶。基生叶具长柄，基部具鞘，叶片披针形，2 回羽状全裂；一回羽片 5 ~ 6 对，疏离，具短柄；二回羽片近无柄，卵圆形至近圆形，顶生的较大，长约 1 cm，宽约 1.2 cm，3 深裂，侧生的长 5 ~ 6 mm，宽 5 mm，全缘至 2 ~ 3 裂。总状花序约具 10 花，先密集，后疏离；苞片披针形，长约 9 mm，具短绒毛；花梗长 5 ~ 10 mm，花黄色，近平展；萼片卵圆形，长约 1.5 mm，全缘或下部多少具齿；外花瓣先端多少微凹，无或具浅鸡冠状突起；上花瓣长

1.5 ~ 1.7 cm；距圆钝，约占花瓣全长的 1/4；蜜腺体约贯穿距长的 1/2，末端近渐尖；下花瓣长约 1.2 cm；内花瓣长约 1 cm，具高而伸出先端的鸡冠状突起；子房线形，具细长的花柱；柱头 2 叉状分裂，各枝先端具 2 ~ 3 并生的乳突。蒴果线形，长 3 ~ 4 cm，被毛；种子黑亮，平滑。

| **生境分布** | 生于海拔 700 ~ 950 m 的岩石缝隙。分布于湖南湘西州（龙山）等。

| **资源情况** | 野生资源稀少。药材来源于野生。

| **采收加工** | 夏季采集，洗净，晒干。

| **药材性状** | 全草常皱缩成团，被毛。主根圆锥形，直径 5 ~ 10 mm，表面棕黄色，有明显的皱纹及须根痕，质硬而脆，断面黄绿色。茎多成束卷曲，灰绿色。叶多已碎落。有的可见黄色小花。气微，味苦。

| **功能主治** | 苦，凉。清热解毒，凉血散瘀。用于流行性感冒，咽喉肿痛，目赤疼痛，咯血，吐血，胃热脘痛，肝郁胁痛，湿热泻痢，痈肿疮毒，跌打肿痛。

| **用法用量** | 内服煎汤，3 ~ 9 g；或泡茶饮；或研末冲服，1.5 g，每日 3 次。

罂粟科 Papaveraceae 紫堇属 Corydalis

延胡索

Corydalis yanhusuo W. T. Wang ex Z. Y. Su et C. Y. Wu

| 药 材 名 | 延胡索（药用部位：块茎。别名：延胡、玄胡索、元胡索）。

| 形态特征 | 多年生草本，高 10 ~ 30 cm。块茎圆球形，直径（0.5 ~）1 ~ 2.5 cm。茎直立，常分枝，基部以上具 1 鳞片，有时具 2 鳞片，通常具 3 ~ 4 茎生叶，鳞片和下部茎生叶常具腋生块茎。叶二回三出或近三回三出，小叶 3 裂或 3 深裂，具全缘的披针形裂片，裂片长 2 ~ 2.5 cm，宽 5 ~ 8 mm，下部茎生叶常具长柄；叶柄基部具鞘。总状花序疏生 5 ~ 15 花；花梗花期长约 1 cm，果期长约 2 cm；花紫红色；萼片小，早落；外花瓣宽展，具齿，先端微凹，具短尖；上花瓣长（1.5 ~）2 ~ 2.2 cm，瓣片与距常上弯；距圆筒形，长 1.1 ~ 1.3 cm，蜜腺体约贯穿距长的 1/2，末端钝，下花瓣具短爪，

向前渐增大成宽展的瓣片，内花瓣长 8 ~ 9 mm，爪长于瓣片。蒴果线形，长 2 ~ 2.8 cm，具 1 列种子。

| **生境分布** | 生于丘陵草地。分布于湖南邵阳（邵东）、长沙（浏阳）等。

| **资源情况** | 野生资源稀少。药材来源于野生。

| **采收加工** | 栽种第 2 年 5 月上旬至下旬，当地上部分枯萎后选晴天采挖，摊放于室内，除去须根，擦去老皮，洗净，过筛，倒入沸水中煮烫，不断搅拌，大块茎煮 4 ~ 5 分钟，小块茎煮 3 分钟，以无白心为度，捞起，晾晒，晒 3 ~ 4 天，再于室内堆放 2 ~ 3 天，反复 2 ~ 3 次即可干燥，亦可在 50 ~ 60 ℃下烘干。

| **药材性状** | 本品扁球形，直径 5 ~ 8 mm。表面灰黄色或黄棕色，有不规则网状细皱纹，底部微凹处为茎痕或根痕，其周围有数个小突起，上部或侧面有数个大小不一的疙瘩状侧块茎，主、侧块茎上部中央凹陷处有茎痕及芽痕，有的块茎呈分瓣状或上部分成 2 ~ 3 瓣。质坚硬，难折断，断面黄色或黄棕色，角质，有蜡样光泽。气微，味苦。以个大、饱满、质坚实、断面色黄者为佳。

| **功能主治** | 辛、苦，温。归心、肝、脾经。活血散瘀，行气止痛。用于胸痹心痛，脘腹疼痛，腰痛，疝气疼痛，痛经，经闭，癥瘕，产后瘀滞腹痛，跌打损伤。

| **用法用量** | 内服煎汤，3 ~ 10 g；或研末，1.5 ~ 3 g；或入丸、散剂。

罂粟科 Papaveraceae 荷包牡丹属 Dicentra

大花荷包牡丹
Dicentra macrantha Oliv.

| **药 材 名** | 大花荷包牡丹（药用部位：根。别名：黄药、黄三七、丁三七）。

| **形态特征** | 直立草本，高 60 ~ 90 cm，有时达 1.5 m。根茎横走，具多数有分枝的侧根，色黄，味苦。茎圆柱形，黄绿色，基部直径 0.5 ~ 1.3 cm。叶 2 ~ 4，互生于茎上部，叶片卵形，长 10 ~ 20 cm，3 回 3 出分裂，第 1 回裂片具长柄，第 2 回裂片具短柄，第 3 回裂片具极短柄或无柄，小裂片卵形、菱状卵形或披针形，长 3 ~ 8 cm，宽 2 ~ 6 cm，先端渐尖或急尖，齿端具尖头，边缘具 4 ~ 8 粗齿，表面绿色，背面具白粉，中脉凸起，具约 7 对平行的侧脉；叶柄长 5 ~ 9 cm。总状花序聚伞状，腋生或有时腋外生，3 ~ 14 花，下垂；花梗长 1 ~ 1.5 cm；苞片钻形，长 3 ~ 8 mm；花美丽，长 4 ~ 5 cm，宽 1 ~ 1.5 cm，长约为宽的 4 ~ 5 倍，基部近平截；萼片狭长圆状披

针形，长 1.2 ~ 2 cm，宽 2 ~ 5 mm；外花瓣舟状，长 3.5 ~ 4.5 cm，宽 0.8 ~ 1.5 cm，淡黄绿色或绿白色，中部缢缩，上部长圆形，具网状横脉，下部椭圆形，具数条纵脉，纵脉自基部向外弧曲上升，至先端汇合，内花瓣长 3.5 ~ 4.5 cm，花瓣片长 2 ~ 2.5 cm，宽约 3 mm，上半部披针形，下半部长圆形，背部鸡冠状突起高约 3 mm，爪线形至条形，长 1.5 ~ 2 cm；花丝线状披针形，花药狭长圆形，长约 2 mm；子房狭椭圆形，长 2.5 ~ 2.8 cm，中部直径约 5 mm，胚珠多数，花柱圆柱形，基部略加粗，向上渐狭，长 0.7 ~ 1 cm，柱头近提琴状长方形，长约 3 mm，4 角均突出。蒴果狭椭圆形，长 3 ~ 4 cm，直径 5 ~ 7 mm，具宿存花柱；种子近圆形，直径 1 ~ 1.5 mm，黑色，具光泽。花果期 4 ~ 7 月。

| **生境分布** | 生于海拔 1 500 ~ 1 900 m 的湿润林下。分布于湖南永州（东安）、邵阳（新邵）等。

| **资源情况** | 野生资源稀少。药材来源于野生。

| **功能主治** | 用于头痛，腹痛。

罂粟科 Papaveraceae 血水草属 Eomecon

血水草

Eomecon chionantha Hance

| 药 材 名 | 血水草（药用部位：全草。别名：一口血、小号筒、小绿号筒）、血水草根（药用部位：根及根茎）。

| 形态特征 | 多年生无毛草本，具红黄色液汁。根橙黄色，根茎匍匐。叶全部基生，叶片心形或心状肾形，稀心状箭形，长 5 ~ 26 cm，宽 5 ~ 20 cm，先端渐尖或急尖，基部耳垂状，边缘呈波状，表面绿色，背面灰绿色，掌状脉 5 ~ 7，网脉细，明显；叶柄条形或狭条形，长 10 ~ 30 cm，带蓝灰色，基部略扩大成狭鞘。花葶灰绿色略带紫红色，高 20 ~ 40 cm，有 3 ~ 5 花，排列成聚伞状伞房花序；苞片和小苞片卵状披针形，长 2 ~ 10 mm，先端渐尖，边缘薄膜质；花梗直立，长 0.5 ~ 5 cm；花芽卵珠形，长约 1 cm，先端渐尖；萼片长 0.5 ~

1 cm，无毛；花瓣倒卵形，长 1 ～ 2.5 cm，宽 0.7 ～ 1.8 cm，白色。蒴果狭椭圆形，长约 2 cm，宽约 0.5 cm，果实未成熟时花柱长达 1 cm。花期 3 ～ 6 月，果期 6 ～ 10 月。

| 生境分布 | 生于海拔 1 400 ～ 1 800 m 的林下、灌丛中或溪边、路旁。湖南有广泛分布。

| 资源情况 | 野生资源较丰富。药材来源于野生。

| 采收加工 | **血水草：**秋季采集，晒干或鲜用。
血水草根：9 ～ 10 月采挖，晒干或鲜用。

| 药材性状 | **血水草根：**本品根茎细圆柱形，弯曲或扭曲，长可达 50 cm，直径 1.5 ～ 5 mm。表面红棕色或灰棕色，平滑，有细纵纹，节间长 2 ～ 5 cm，节上着生纤细的须根。质脆，易折断，折断面不平坦，皮部红棕色，中柱淡棕色，有棕色小点（维管束）。气微，味微苦。

| 功能主治 | **血水草：**苦，寒；有小毒。归肝、肾经。清热解毒，活血止痛，止血。用于目赤肿痛，咽喉疼痛，口腔溃疡，疔疮肿毒，毒蛇咬伤，癣疮，湿疹，跌打损伤，腰痛，咯血。

血水草根：苦、辛，凉；有小毒。清热解毒，散瘀止痛。用于风热目赤肿痛，咽喉疼痛，尿路感染，疮疡疖肿，毒蛇咬伤，产后小腹疼痛，跌打损伤，湿疹，疥癣等。

| 用法用量 |　血水草：内服煎汤，6 ~ 30 g；或浸酒。外用适量，鲜品捣敷；或研末调敷；或煎汤洗。

血水草根：内服煎汤，5 ~ 15 g；或浸酒。外用适量，捣敷；或研末调敷。

| 罂粟科 | Papaveraceae | 花菱草属 | *Eschscholzia* |

花菱草 *Eschscholzia californica* Cham.

| 药 材 名 |

花菱草（药用部位：全草。别名：金英花、金英草）。

| 形态特征 |

多年生（栽培者常为一年生）草本，无毛，植株带蓝灰色。茎直立，高 30 ~ 60 cm，具明显纵肋，分枝多，开展，呈二歧状。基生叶数枚，长 10 ~ 30 cm，叶柄长，叶片灰绿色，多回 3 出羽状细裂，裂片形状多变，线形锐尖、长圆形锐尖或钝、匙状长圆形，顶生 3 裂片中，中裂片大多较宽且短；茎生叶与基生叶同形，但较小且具短柄。花单生于茎和分枝先端；花梗长 5 ~ 15 cm，花托凹陷，漏斗状或近管状，长 3 ~ 4 mm，花开后呈杯状，边缘波状反折；花萼卵珠形，长约 1 cm，先端呈短圆锥状，萼片 2，花期脱落；花瓣 4，三角状扇形，长 2.5 ~ 3 cm，黄色，基部具橙黄色斑点；雄蕊 40 以上，花丝丝状，基部加宽，长约 3 mm，花药条形，长 5 ~ 6 mm，橙黄色；子房狭长，花柱短，柱头 4，钻状线形，不等长。蒴果狭长圆柱形，长 5 ~ 8 cm，自花托上脱落后，2 瓣自基部向上开裂，具多数种子；种子球形，直径 1 ~ 1.5 mm，具明显的网纹。

花期 4 ~ 8 月，果期 6 ~ 9 月。

| **生境分布** | 栽培种。分布于湖南长沙（宁乡）、郴州（汝城）等。

| **资源情况** | 栽培资源稀少。药材来源于栽培。

| **功能主治** | 催眠，镇痛。

罂粟科 Papaveraceae 荷青花属 Hylomecon

荷青花
Hylomecon japonica (Thunb.) Prantl et Küdig

| 药 材 名 | 拐枣七（药用部位：根及根茎。别名：荷青花根、刀豆三七、水菖三七）。

| 形态特征 | 多年生草本，高 15 ~ 40 cm，具黄色液汁。根茎斜生，长 2 ~ 5 cm。茎直立，不分枝，具条纹，无毛，草质，绿色转红色至紫色。基生叶少数，叶片长 10 ~ 15（~ 20）cm，羽状全裂，裂片 2 ~ 3 对，宽披针状菱形、倒卵状菱形或近椭圆形，长 3 ~ 7（~ 10）cm，宽 1 ~ 5 cm，先端渐尖，基部楔形，边缘具锯齿；茎生叶通常 2，稀 3，叶片形同基生叶，具短柄。1 ~ 2（~ 3）花排列成伞房状，顶生或腋生；萼片卵形，长 1 ~ 1.5 cm，外面散生卷毛或无毛，芽时覆瓦状排列，花期脱落；花瓣倒卵圆形或近圆形，长 1.5 ~ 2 cm，

芽时覆瓦状排列，花期突然增大，基部具短爪。蒴果长 5 ～ 8 cm，直径约 3 mm，无毛，2 瓣裂，具长达 1 cm 的宿存花柱；种子卵形，长约 1.5 mm。花期 4 ～ 7 月，果期 5 ～ 8 月。

| 生境分布 | 生于海拔 300 ～ 2000 m 的林下、林缘或沟边。分布于湖南湘西州（龙山）等。

| 资源情况 | 野生资源稀少。药材来源于野生。

| 采收加工 | 秋季采挖，除去须根，洗净，晒干。

| 功能主治 | 苦，平。祛风通络，散瘀消肿。用于风湿痹痛，跌打损伤。

| 用法用量 | 内服煎汤，3 ～ 10 g；或浸酒。

罂粟科 Papaveraceae 荷青花属 Hylomecon

多裂荷青花

Hylomecon japonica (Thunb.) Prantl et Kündig var. *dissecta* (Franch. et Savat.) Fedde

| 药 材 名 | 多裂荷青花（药用部位：根茎。别名：一枝花、菜子七）。

| 形态特征 | 多年生草本，高 15 ～ 40 cm，具黄色液汁，疏生柔毛，老时无毛。根茎斜生，长 2 ～ 5 cm，白色，果时橙黄色，肉质，盖以褐色、膜质的鳞片，鳞片圆形，直径 4 ～ 8 mm。茎直立，不分枝，具条纹，无毛，草质，绿色转红色至紫色。基生叶少数，叶片长 10 ～ 15 cm，叶全裂片羽状深裂，裂片再次不整齐的锐裂，裂片 2 ～ 3 对，宽披针状菱形、倒卵状菱形或近椭圆形，长 3 ～ 7 cm，宽 1 ～ 5 cm，先端渐尖，基部楔形，边缘具不规则的圆齿状锯齿或重锯齿，表面深绿色，背面淡绿色，两面无毛；具长柄；茎生叶通常 2，稀 3，叶片同基生叶，具短柄。花 1 ～ 2 排列成伞房状，顶生，有时也腋生；

花梗直立，纤细，长 3.5 ～ 7 cm；花芽卵圆形，长 8 ～ 10 mm，无毛或疏被毛；萼片卵形，长 1 ～ 1.5 cm，外面散生卷毛或无毛，芽时覆瓦状排列，花期脱落；花瓣倒卵圆形或近圆形，长 1.5 ～ 2 cm，芽时覆瓦状排列，花期突然增大，基部具短爪；雄蕊黄色，长约 6 mm，花丝丝状，花药圆形或长圆形；子房长约 7 mm，花柱极短，柱头 2 裂。蒴果长 5 ～ 8 cm，直径约 3 mm，无毛，2 瓣裂，具长达 1 cm 的宿存花柱；种子卵形，长约 1.5 mm。花期 4 ～ 7 月，果期 5 ～ 8 月。

| **生境分布** | 生于海拔 1 000 ～ 2 000 m 的林下。分布于湖南张家界（永定）等。

| **资源情况** | 野生资源稀少。药材来源于野生。

| **功能主治** | 用于毒蛇咬伤，小儿湿气，高热，咳嗽。

罂粟科 Papaveraceae 博落回属 *Macleaya*

博落回

Macleaya cordata (Willd.) R. Br.

| 药 材 名 | 博落回（药用部位：全草或根。别名：通大海、泡通珠、边天蒿）。

| 形态特征 | 直立草本，基部木质化，具乳黄色浆汁。茎高 1 ~ 4 m，绿色，光滑，多白粉，中空，上部多分枝。叶片宽卵形或近圆形，长 5 ~ 27 cm，宽 5 ~ 25 cm，先端急尖、渐尖、钝或圆形，通常 7 或 9 深裂或浅裂，裂片半圆形、方形、三角形或其他形状，边缘波状、缺刻状或具粗齿，或多细齿，表面绿色，无毛，背面多白粉，被易脱落的细绒毛。大型圆锥花序多花，长 15 ~ 40 cm，顶生和腋生；萼片倒卵状长圆形，长约 1 cm，舟状，黄白色；花瓣无；雄蕊 24 ~ 30，花丝丝状，长约 5 mm，花药条形，与花丝等长。蒴果狭倒卵形或倒披针形，长 1.3 ~ 3 cm，直径 5 ~ 7 mm，先端圆或钝，基部渐狭，无毛；种子

4 ～ 6（～ 8），卵珠形，长 1.5 ～ 2 mm，生于缝线两侧，无柄，种皮具排列整齐的蜂窝状孔穴，有狭的种阜。花果期 6 ～ 11 月。

| **生境分布** | 生于海拔 150 ～ 830 m 的丘陵或低山林下、灌丛或草丛中。栽培于排水良好，土质疏松、肥沃的砂壤土中。湖南各地均有分布。

| **资源情况** | 野生资源丰富。栽培资源丰富。药材来源于野生和栽培。

| **采收加工** | 秋、冬季采收，将根茎与茎叶分开晒干，放干燥处保存。也可随用随采。

| **药材性状** | 本品根及根茎肥壮。茎圆柱形，中空，表面有白粉，易折断，新鲜时断面有黄色浆汁流出。单叶互生，有柄，柄基部略抱茎；叶片广卵形或近圆形，长 13 ～ 27 cm，宽 12 ～ 25 cm，7 ～ 9 掌状浅裂，裂片边缘波状或具波状牙齿。花序圆锥状。蒴果狭倒卵形或倒披针形而扁平，下垂；种子 4 ～ 6。

| **功能主治** | 辛、苦，寒；有大毒。散瘀，祛风，解毒，止痛，杀虫。用于痈疮疔肿，臁疮，痔疮，湿疹，蛇虫咬伤，跌打肿痛，风湿关节痛，龋齿痛，顽癣，滴虫性阴道炎，酒渣鼻。

| **用法用量** | 外用适量，捣敷；或煎汤洗；或研末调敷。

小果博落回

Macleaya microcarpa (Maxim.) Fedde

| 药 材 名 | 博落回（药用部位：全草或根。别名：通大海、泡通珠、边天蒿）。

| 形态特征 | 直立草本，基部木质化，具乳黄色浆汁。茎高 0.8 ~ 1 m，通常呈淡黄绿色，光滑，多白粉，中空，上部多分枝。叶片宽卵形或近圆形，长 5 ~ 14 cm，宽 5 ~ 12 cm，先端急尖、钝或圆形，基部心形，通常 7 或 9 深裂，或浅裂，裂片半圆形、扇形或其他形状，边缘波状、缺刻状或具粗齿，或多细齿，表面绿色，无毛，背面多白粉，被绒毛；叶柄长 4 ~ 11 cm，上面平坦，通常不具沟槽。大型圆锥花序多花，长 15 ~ 30 cm，生于茎和分枝先端；花梗长 2 ~ 10 mm；萼片狭长圆形，长约 5 mm，舟状；花瓣无；雄蕊 8 ~ 12，花丝丝状，极短，花药条形，长 3 ~ 4 mm；子房倒卵形，长 1 ~ 3 mm，花柱极短，

柱头 2 裂。蒴果近圆形，直径约 5 mm；种子 1，卵珠形，基着，直立，长约 1.5 mm，种皮具孔状雕纹，无种阜。花果期 6 ~ 10 月。

| **生境分布** | 生于海拔 450 ~ 1 600 m 的山坡路边草地或灌丛中。分布于湖南永州（双牌）等。

| **资源情况** | 野生资源稀少。药材来源于野生。

| **采收加工** | 秋、冬季采收，将根茎与茎叶分开晒干，放干燥处保存。也可随用随采。

| **功能主治** | 辛、苦，寒；有大毒。散瘀，祛风，解毒，止痛，杀虫。用于痈疮疔肿，臁疮，痔疮，湿疹，蛇虫咬伤，跌打肿痛，风湿关节痛，龋齿痛，顽癣，滴虫性阴道炎，酒渣鼻。

| **用法用量** | 外用适量，捣敷；或煎汤洗；或研末调敷。

罂粟科 Papaveraceae 罂粟属 Papaver

虞美人 *Papaver rhoeas* L.

| 药 材 名 |

丽春花（药用部位：全草或花、果实。别名：赛牡丹、锦被花、百般娇）。

| 形态特征 |

一年生草本，全体被伸展的刚毛，稀无毛。茎直立，高 25 ~ 90 cm，具分枝，被淡黄色刚毛。叶互生，叶片披针形或狭卵形，长 3 ~ 15 cm，宽 1 ~ 6 cm，羽状分裂，下部叶全裂，全裂片披针形，2 回羽状浅裂，上部叶深裂或浅裂，裂片披针形，最上部叶粗齿状羽状浅裂；下部叶具柄，上部叶无柄。花单生于茎和分枝先端；花梗长 10 ~ 15 cm，被平展的淡黄色刚毛；花蕾长圆状倒卵形，下垂；萼片 2，宽椭圆形，长 1 ~ 1.8 cm，绿色，外面被刚毛；花瓣 4，圆形、横向宽椭圆形或宽倒卵形，长 2.5 ~ 4.5 cm，全缘，稀圆齿状或先端缺刻状，紫红色，基部通常具深紫色斑点；子房倒卵形，长 7 ~ 10 mm，无毛。蒴果宽倒卵形，长 1 ~ 2.2 cm，无毛，具不明显的肋；种子多数，肾状长圆形，长约 1 mm。花果期 3 ~ 8 月。

| **生境分布** | 栽培种。分布于湖南长沙（雨花、长沙、望城、宁乡）、株洲（石峰）、湘潭（岳塘）、岳阳（湘阴、汨罗、临湘）、常德（汉寿、津市）、益阳（南县）、永州（祁阳）、怀化（辰溪、新晃）、娄底（娄星）等。 |

| **资源情况** | 栽培资源丰富。药材来源于栽培。 |

| **采收加工** | 全草，夏、秋季采集，晒干。果实，待蒴果干枯、种子呈褐色时采摘，因果实成熟期不一致，可分批采收，放干燥阴凉处保存。 |

| **功能主治** | 苦、涩，微寒；有毒。归肺、大肠经。镇咳，镇痛，止泻。用于咳嗽，偏头痛，腹痛，痢疾。 |

| **用法用量** | 内服煎汤，全草 3 ~ 6 g，花 1.5 ~ 3 g。 |

罂粟科 Papaveraceae 罂粟属 Papaver

罂粟 Papaver somniferum L.

药材名

罂粟（药用部位：种子。别名：罂子粟、罂粟米、象谷）、罂粟嫩苗（药用部位：茎叶）、罂粟壳（药用部位：果壳。别名：御米壳、米囊皮、米罂皮）、鸦片（药用部位：果实中的液汁。别名：阿芙蓉、阿片）。

形态特征

一年生草本，无毛，稀在植株下部或总花梗上被极少的刚毛，高 30 ~ 60（~ 100）cm，栽培者高可达 1.5 m。主根近圆锥状，垂直。茎直立，不分枝，无毛，具白粉。叶互生，叶片卵形或长卵形，长 7 ~ 25 cm，先端渐尖至钝，基部心形，边缘有不规则的波状锯齿，两面无毛，具白粉，叶脉明显，略凸起；下部叶具短柄，上部叶无柄，抱茎。花单生；花梗长达 25 cm，无毛，稀散生刚毛；花蕾卵圆状长圆形或宽卵形，长 1.5 ~ 3.5 cm，宽 1 ~ 3 cm，无毛；萼片 2，宽卵形，绿色，边缘膜质；花瓣 4，近圆形或近扇形，长 4 ~ 7 cm，宽 3 ~ 11 cm，边缘浅波状或分裂，白色、粉红色、红色、紫色或杂色；子房球形，直径 1 ~ 2 cm，绿色，无毛。蒴果球形或长圆状椭圆形，长 4 ~ 7 cm，直径 4 ~ 5 cm，无毛，成熟时呈褐色；种

子多数，黑色或深灰色，表面呈蜂窝状。花果期 3 ～ 11 月。

| 生境分布 | 栽培种。栽培于湖南常德（临澧）、邵阳（大祥、洞口）、张家界（武陵源）、益阳（赫山）、郴州（宜章）、怀化（辰溪、麻阳、靖州）、娄底（新化）等。

| 资源情况 | 栽培资源较少。药材来源于栽培。

| 采收加工 | **罂粟**：6 ～ 8 月果实焦黄时采摘果实，剥取种子，晒干。

罂粟嫩苗：2 ～ 3 月采摘，洗净。

罂粟壳：6 ～ 8 月采摘成熟果实，取果壳，晒干。

鸦片：一般于果实近成熟、果皮由绿转黄而显蜡被时采收。采时用利刃或特制的锯齿切伤器，于晴天傍晚浅割（直割或斜割）果皮，将散布于果皮中的乳汁管切断，此时有白色乳汁自割缝渗出，乳汁暴露于空气中后则由白色转为微红色或棕色，并逐渐凝固成黏稠状物，翌晨用涂油的竹篾或竹刀刮取，每枚果实可刮取 3 ～ 4 次。刮得的鸦片以罂粟叶包裹，置暗处阴干。

| 功能主治 | **罂粟**：甘，平。归脾、胃、大肠经。健脾开胃，清热利水。用于泄泻，痢疾，反胃。

罂粟嫩苗：甘，平。归胃、大肠经。清热润燥，开胃厚肠。用于泻痢。

罂粟壳：酸、涩，微寒。归肺、肾、大肠经。敛肺，涩肠，止痛。用于久咳劳嗽，喘息，泄泻，痢疾，脱肛，遗精，带下，心腹及筋骨疼痛。

鸦片：苦，温；有毒。归肺、肾、大肠经。止痛，涩肠，镇咳。用于心腹痛，久泻，久痢，咳嗽无痰。

| 用法用量 | **罂粟**：内服煎汤，3 ~ 6 g；或入丸、散剂。

罂粟壳：内服煎汤，3 ~ 10 g；或入丸、散剂。

鸦片：内服入丸、散剂，0.15 ~ 0.3 g。

山柑科 Papaveraceae 山柑属 Capparis

小绿刺 *Capparis urophylla* F. Chun

| 药 材 名 | 尾叶山柑（药用部位：叶。别名：尾叶槌果藤）。

| 形态特征 | 小乔木或灌木，高 2 ～ 7 m。树皮黑色，有长圆形或线形淡黄白色皮孔；新生枝无毛或有极细浅褐色星状毛，后变无毛；小枝圆柱形，纤细，干后绿色或黄绿色，有纵行细条纹，无刺或有长约 1 mm 上举微内弯的小刺；茎上刺粗壮，长达 5 mm，基部膨大，直或微外弯。叶卵形或椭圆形，幼时膜质，老时草质，基部圆形或急尖，先端渐狭延成长尾，连尾长 3 ～ 7 cm；尾长 1.5 ～ 2.5 cm，中部宽约 2 mm，镰弯或直；中脉表面微凹成细沟或与叶面平齐，在背面凸起，网状脉不明显；叶柄纤细，长 3 ～ 5 mm。花单出腋生或 2 ～ 3 排成 1 短纵列，腋上生；花梗长 6 ～ 12 mm；萼片长 3 ～ 5 mm，宽

2 ～ 3 mm，外面无毛，边缘及内面有绒毛，外轮卵形，近轴萼片基部浅囊状，内轮椭圆形；花瓣白色，外面近无毛，内有绒毛，长 6 ～ 7 mm，宽 3 ～ 4 mm，上面 1 对卵形，相邻一侧中部以下彼此贴合，基部向外反折，下面 1 对椭圆形，分离；雄蕊 12 ～ 20；雌蕊柄长 1.4 ～ 2.5 cm，丝状，无毛；子房长约 1 mm，无毛，1 室，胎座 2。果球形，直径 6 ～ 10 mm，成熟后橘红色，表面近平滑；花梗与雌蕊柄果时均不增粗；种子 1 ～ 2。花期 3 ～ 6 月，果期 8 ～ 12 月。

| **生境分布** | 生于海拔可达 1850 m 的山坡道旁、河旁或溪边、山谷疏林或石山灌丛。分布于湖南益阳（沅江）等。

| **资源情况** | 野生资源稀少。药材来源于野生。

| **采收加工** | 夏、秋季采摘，洗净，鲜用或晒干。

| **功能主治** | 微辛，温。解毒消肿。用于毒蛇咬伤。

| **用法用量** | 外用，30 ～ 90 g，捣敷。

山柑科 Cleomaceae 白花菜属 Cleome

白花菜 *Cleome gynandra* L.

| 药 材 名 | 白花菜（药用部位：全草。别名：羊角菜、屡析草、臭花菜）、白花菜根（药用部位：根）、白花菜子（药用部位：种子）。

| 形态特征 | 一年生直立分枝草本，高 1 m 左右，常被腺毛，有时茎上变无毛，无刺。掌状复叶；小叶 3 ~ 7，倒卵状椭圆形、倒披针形或菱形，先端渐尖、急尖、钝形或圆形，基部楔形至渐狭延成小叶柄，两面近无毛，边缘有细锯齿或有腺纤毛，中央小叶最大，长 1 ~ 5 cm，宽 8 ~ 16 mm，侧生小叶依次变小；叶柄长 2 ~ 7 cm，小叶柄长 2 ~ 4 mm，在会合处彼此连生成蹼状；无托叶。总状花序长 15 ~ 30 cm，花少数至多数；苞片由 3 小叶组成，在花蕾时期不覆盖雄蕊和雌蕊；雄蕊 6，伸出花冠外；雌雄蕊柄长 5 ~ 18（~ 22）mm。果实圆柱形，斜举，长 3 ~ 8 cm，中部直径 3 ~ 4 mm；

种子近扁球形，黑褐色，长 1.2 ～ 1.8 mm，宽 1.1 ～ 1.7 mm，高 0.7 ～ 1 mm，表面有横向皱纹或具疣状小突起，爪开张，近彼此连生，不具假种皮。花果期 7 ～ 10 月。

| **生境分布** | 生于村边、道旁、荒地或田野间。分布于湖南长沙（望城）、株洲（醴陵）、湘潭（湘潭）、衡阳（祁东）、常德（石门）等。

| **资源情况** | 野生资源较少。药材来源于野生。

| **采收加工** | **白花菜**：夏季采收，鲜用或晒干。
白花菜根：夏、秋季采挖，晒干。
白花菜子：当果实呈黄白色、种子呈黑褐色时分批采收，以防脱落；也可待果实全部成熟后割取全草，晒干脱粒。

| **功能主治** | **白花菜**：辛、甘，平。祛风除湿，清热解毒。用于风湿痹痛，跌打损伤，淋浊，带下，痔疮，疟疾，痢疾，蛇虫咬伤。
白花菜根：苦、辛，平。祛风止痛，利湿通淋。用于跌打骨折，小便淋痛。
白花菜子：苦、辛，温；有小毒。祛风散寒，活血止痛。用于风寒所致筋骨麻木，肩背酸痛，腰痛，腿寒，外伤所致瘀肿疼痛，骨结核，痔漏。

| **用法用量** | **白花菜**：内服煎汤，9 ～ 15 g。外用适量，煎汤洗；或捣敷。
白花菜根：内服煎汤，9 ～ 15 g。
白花菜子：内服煎汤，9 ～ 15 g。外用适量，煎汤熏洗。

| **附　　注** | 本种的拉丁学名在 FOC 中被修订为 *Gynandropsis gynandra* (Linnaeus) Briquet。

山柑科 Cleomaceae 白花菜属 Cleome

醉蝶花
Cleome spinosa Jacq.

| 药 材 名 |

醉蝶花（药用部位：全草。别名：紫龙须、西洋白花菜）。

| 形态特征 |

一年生粗壮草本，高 1 ~ 1.5 m，全株被黏质腺毛，有异味。掌状复叶；小叶 5 ~ 7，近花序的小叶常较少，草质，椭圆状披针形或倒披针形，先端渐窄，基部楔形，下延，中间小叶长 4 ~ 6 cm，宽 1 ~ 2.5 cm，侧生小叶渐小，侧脉 10 ~ 15 对，托叶刺状；叶柄长 2 ~ 10 cm，常有淡黄色皮刺。总状花序顶生，长达 40 cm；苞片叶状，单生，无柄；花梗长 2 ~ 3.5 cm；萼片长约 5 mm；花瓣红色、淡红色或白色，爪长 0.5 ~ 2 cm，无毛，瓣片倒卵状匙形，长 1 ~ 1.5 cm；雄蕊 6，花丝长 3.5 ~ 4 cm；雌雄蕊柄长 1 ~ 3 mm，雌蕊柄长 4 ~ 5 cm；子房无毛。果实长 5 ~ 6.5 cm，中部直径约 4 mm，密布网状纹；种子褐色，直径约 2 mm，近平滑。花果期 3 ~ 8 月。

| 生境分布 |

栽培种。湖南各地均有栽培。

| **资源情况** | 栽培资源一般。药材来源于栽培。

| **功能主治** | 辛、涩，平；有小毒。祛风散寒，杀虫止痒。

| **附　　注** | 本种的拉丁学名在 FOC 中被修订为 *Tarenaya hassleriana* (Chodat) Iltis。

山柑科 Cleomaceae 白花菜属 Cleome

黄花草 *Cleome viscosa* L.

药材名

黄花菜（药用部位：全草。别名：臭矢菜、羊角菜、向天癀）、黄花菜子（药用部位：种子）。

形态特征

一年生直立草本，高 0.3 ～ 1 m。茎基部常木质化，干后呈黄绿色，有纵细槽纹，全株密被黏质腺毛与淡黄色柔毛，无刺，有恶臭气味。叶为具 3 ～ 5（～ 7）小叶的掌状复叶；小叶薄草质，近无柄，倒披针状椭圆形，中央小叶最大，长 1 ～ 5 cm，宽 5 ～ 15 mm，侧生小叶依次减小，全缘，但边缘有腺纤毛。花单生于茎上部逐渐变小与简化的叶腋内，但近先端则成总状或伞房状花序；花瓣淡黄色或橘黄色，无毛，有数条明显的纵行脉，倒卵形或匙形。果实直立，圆柱形，劲直或稍镰弯，密被腺毛，基部宽阔，无柄，先端渐狭成喙，长 6 ～ 9 cm，中部直径约 3 mm，成熟后果瓣自先端向下开裂，果瓣宿存，表面有多条多少呈同心弯曲且纵向平行凸起的棱与凹陷的槽，2 胎座框特别凸起，宿存的花柱长约 5 mm；种子黑褐色，直径 1 ～ 1.5 mm，表面有约 30 横向平行的皱纹。无明显的花果期，通常 3 月出苗，7 月果实成熟。

| 生境分布 | 生于荒地、路旁及田野间。分布于湖南长沙（长沙）、株洲（天元）、衡阳（雁峰、石鼓、蒸湘、衡阳、衡南）、岳阳（岳阳、湘阴）、郴州（苏仙、永兴、桂东）、永州（冷水滩）、怀化（辰溪、麻阳）、常德（临澧）、娄底（涟源）等。

| 资源情况 | 野生资源一般。药材来源于野生。

| 采收加工 | **黄花菜**：秋季采收，鲜用或晒干。
黄花菜子：7 月果实成熟时割取全草，晒干，打下种子，扬净。

| 功能主治 | **黄花菜**：苦、辛，温；有毒。散瘀消肿，祛风止痛，生肌疗疮。用于跌打肿痛，劳伤腰痛，疝气疼痛，头痛，痢疾，疮疡溃烂，耳内流脓，眼红痒痛，带下，淋浊。
黄花菜子：驱虫消疳。用于肠道寄生虫病，疳积。

| 用法用量 | **黄花菜**：内服煎汤，6 ~ 9 g。外用适量，捣敷；或煎汤洗；或研末撒敷。
黄花菜子：内服煎汤，9 ~ 15 g。

| 附　　注 | 本种的拉丁学名在 FOC 中被修订为 *Arivela viscosa* (Linnaeus) Rafinesque。

山柑科 Capparaceae 鱼木属 Crateva

鱼木
Crateva formosensis (Jacobs) B. S. Sun

| 药 材 名 | 鱼木（药用部位：叶）。

| 形态特征 | 灌木或乔木，高 2 ～ 20 m。小枝与节间长度平均数均较其他种为大，有稍栓质化的纵皱肋纹。小叶干后呈淡灰绿色至淡褐绿色，质地薄而坚实，不易破碎，两面色稍异，侧生小叶基部两侧极不对称；花枝上的小叶长 10 ～ 11.5 cm，宽 3.5 ～ 5 cm，先端渐尖至长渐尖，有急尖的尖头，侧脉纤细，4 ～ 6（～ 7）对，干后呈淡红色，叶柄长 5 ～ 7 cm，干后呈褐色至浅黑色，腺体明显；营养枝上的小叶略大，长 13 ～ 15 cm，宽 6 cm，叶柄长 8 ～ 13 cm。花序顶生，花枝长 10 ～ 15 cm，花序长约 3 cm，有 10 ～ 15 花；花梗长 2.5 ～ 4 cm；雌蕊柄长 3.2 ～ 4.5 cm。果实球形至椭圆形，红色。花期 6 ～ 7 月，

果期 10 ~ 11 月。

| **生境分布** | 生于海拔 400 m 以下的沟谷、平地、水旁或石山密林中。分布于湖南永州（江永）等。

| **资源情况** | 野生资源稀少。药材来源于野生。

| **功能主治** | 用于肠炎，痢疾，感冒。

十字花科 Brassicaceae 鼠耳芥属 Arabidopsis

鼠耳芥 *Arabidopsis thaliana* (L.) Heynh.

| 药 材 名 |

鼠耳芥（药用部位：种子。别名：拟南芥）。

| 形态特征 |

一年生细弱草本，高 20 ～ 35 cm，被单毛与分枝毛。茎不分枝或自中上部分枝，下部有时为淡紫白色，茎上常有纵槽，上部无毛，下部被单毛，偶杂有 2 叉毛。基生叶莲座状，倒卵形或匙形，长 1 ～ 5 cm，宽 3 ～ 15 mm，先端钝圆或略急尖，基部渐窄成柄，边缘有少数不明显的齿，两面均有 2 ～ 3 叉毛；茎生叶无柄，披针形、条形、长圆形或椭圆形，长 5 ～ 15(～ 50) mm，宽 1 ～ 2(～ 10) mm。花序为疏松的总状花序，果时可达 20 cm；萼片长圆卵形，长约 1.5 mm，先端钝，外轮萼片基部呈囊状，外面无毛或有少数单毛；花瓣白色，长圆条形，长 2 ～ 3 mm，先端钝圆，基部线形。角果长 10 ～ 14 mm，宽小于 1 mm，果瓣两端钝或钝圆，有 1 中脉与稀疏的网状脉，多为橘黄色或淡紫色；果柄伸展，长 3 ～ 6 mm；种子每室 1 行，小，卵形，红褐色。花期 4 ～ 6 月。

| 生境分布 |

生于平地、山坡、河边、路边。分布于湖南

常德（汉寿）、张家界（武陵源）、长沙（浏阳）等。

| **资源情况** | 野生资源稀少。药材来源于野生。

| **功能主治** | 清热化痰，润肺止咳。

十字花科 Brassicaceae 南芥属 Arabis

圆锥南芥 *Arabis paniculata* Franch.

| 药 材 名 |

圆锥南芥（药用部位：种子。别名：高山南芥、小花南芥）。

| 形态特征 |

二年生草本，高 30 ~ 60 cm。茎直立，自中部以上常呈圆锥状分枝，被 2 ~ 3 叉毛及星状毛。基生叶簇生，叶片长椭圆形，长 3 ~ 8 cm，宽 1.5 ~ 2 cm，与茎生叶均为先端渐尖，边缘具疏锯齿，基部下延成有翅的叶柄；茎生叶多数，叶片长椭圆形至倒披针形，长 1.5 ~ 7.5 cm，宽 10 ~ 25 mm，基部呈心形或肾形，半抱茎或抱茎，两面密生 2 ~ 3 叉毛及星状毛，无柄。总状花序顶生或腋生，呈圆锥状；萼片长卵形至披针形，长 2 ~ 3.5 mm，背面近无毛；花瓣白色，长匙形，长 4 ~ 6 mm，基部呈爪状；柱头头状。长角果线形，长 3 ~ 5 cm，宽约 1 mm，排列疏松，斜向外展，果瓣具中脉，先端宿存花柱短；果柄长约 1.4 cm；种子椭圆形或形状不规则，长约 1.2 mm，黄褐色，具狭翅，表面密具小颗粒而呈条纹状。花期 5 ~ 6 月，果期 7 ~ 9 月。

| **生境分布** | 生于山坡林下荒地。分布于湖南长沙（宁乡）、张家界（永定）等。

| **资源情况** | 野生资源稀少。药材来源于野生。

| **功能主治** | 清热。用于发热。

十字花科 Brassicaceae 芸苔属 Brassica

芥蓝 *Brassica alboglabra* L. H. Bailey

| 药 材 名 |

芥蓝（药用部位：根、茎、叶。别名：芥蓝菜、芥兰、白花甘蓝）。

| 形态特征 |

一年生草本，高 0.5 ~ 1 m，无毛，具粉霜。茎直立，有分枝。基生叶卵形，长达10 cm，边缘有微小且不整齐的裂齿，不裂或基部有小裂片，叶柄长 3 ~ 7 cm；茎生叶卵形或圆卵形，长 6 ~ 9 cm，边缘波状或有不整齐尖锐齿，基部耳状，沿叶柄下延，有少数显著裂片，茎上部叶长圆形，长8 ~ 15 cm，先端圆钝，不裂，边缘有粗齿，不下延或有显著叶柄。总状花序长，直立；花白色或淡黄色，直径 1.5 ~ 2 cm；花梗长1 ~ 2 cm，开展或上升；萼片披针形，长4 ~ 5 mm，边缘透明；花瓣长圆形，长 2 ~2.5 cm，有显著脉纹，先端全缘或微凹，基部成窄爪。长角果线形，长 3 ~ 9 cm，先端骤缩成长 5 ~ 10 mm 的喙；种子凸球形，直径约 2 mm，红棕色，有微小窝点。花期3 ~ 4 月，果期 5 ~ 6 月。

| 生境分布 |

生于向阳、排水良好、肥沃而疏松的土壤中。

分布于湖南衡阳（雁峰、石鼓、衡南）、郴州（北湖）、株洲（渌口）等。

| **资源情况** | 野生资源稀少。药材来源于野生。

| **采收加工** | 2 ~ 5 月采收，鲜用或晒干。

| **功能主治** | 甘、辛，凉。归肺经。解毒利咽，顺气化痰，平喘。用于风热感冒，咽喉痛，气喘，白喉。

| **用法用量** | 内服煎汤，9 ~ 15 g。

| **附　　注** | 本种的拉丁学名在 FOC 中被修订为 *Brassica oleracea* var. *albiflora* Kuntze。

十字花科 Brassicaceae 芸苔属 Brassica

芸苔 *Brassica campestris* L.

| 药 材 名 | 芸薹（药用部位：根、茎、叶。别名：油菜、菜薹、芸苔）、芸薹子（药用部位：种子）、芸薹子油（药材来源：种子经压榨所得的脂肪油）。

| 形态特征 | 二年生草本，高 30 ~ 90 cm。茎粗壮，直立，分枝或不分枝，无毛或近无毛，稍带粉霜。基生叶大头羽裂，顶裂片圆形或卵形，边缘有不整齐的弯缺牙齿，侧裂片 1 至数对，卵形，叶柄宽，长 2 ~ 6 cm，基部抱茎；下部茎生叶羽状半裂，长 6 ~ 10 cm，基部扩展且抱茎，两面有硬毛及缘毛，上部茎生叶长圆状倒卵形、长圆形或长圆状披针形，长 2.5 ~ 8（~ 15）cm，宽 0.5 ~ 4（~ 5）cm，基部心形，抱茎，两侧有垂耳，全缘或有波状细齿。总状花序在花期呈伞房状，以后伸长；花鲜黄色，直径 7 ~ 10 mm；萼片长圆形，

长 3 ~ 5 mm，直立开展，先端圆形，边缘透明，稍有毛；花瓣倒卵形，长 7 ~ 9 mm，先端近微缺，基部有爪。长角果线形，长 3 ~ 8 cm，宽 2 ~ 4 mm，果瓣有中脉及网纹，萼直立，长 9 ~ 24 mm；果柄长 5 ~ 15 mm；种子球形，直径约 1.5 mm，紫褐色。花期 3 ~ 4 月，果期 5 月。

| 生境分布 | 栽培种。湖南各地均有栽培。

| 资源情况 | 栽培资源丰富。药材来源于栽培。

| 采收加工 | 芸薹：2 ~ 3 月采收，鲜用。

芸薹子：4 ~ 6 月种子成熟时割下地上部分，晒干，打下种子，除去杂质，晒干。

芸薹子油：4 ~ 6 月采收成熟种子，榨取油。

| 功能主治 | 芸薹：辛、甘，平。归肺、肝、脾经。凉血散血，解毒消肿。用于血痢，丹毒，热毒疮肿，乳痈，风疹，吐血。

芸薹子：辛、甘，平。归肝、大肠经。活血化瘀，消肿散结，润肠通便。用于产后恶露不尽，瘀血腹痛，痛经，肠风下血，血痢，风湿关节肿痛，痈肿，丹毒，乳痈，便秘，粘连性肠梗阻。

芸薹子油：辛、甘，平。归肺、胃经。解毒消肿，润肠。用于风疮，痈肿，烫火伤，便秘。

| 用法用量 | 芸薹：内服煮食，30 ~ 300 g；或捣汁，20 ~ 100 ml。外用适量，煎汤洗；或捣敷。

芸薹子：内服煎汤，5 ~ 10 g；或入丸、散剂。外用适量，研末调敷。

芸薹子油：内服，10 ~ 15 ml。外用适量，涂搽。

| 附　　注 | 本种的拉丁学名在 FOC 中被修订为 *Brassica rapa* var. *oleifera* de Candolle。

十字花科 Brassicaceae 芸苔属 Brassica

青菜

Brassica chinensis L.

| 药 材 名 | 菘菜（药用部位：叶。别名：白菜、青菜、夏菘）、菘菜子（药用部位：种子）。

| 形态特征 | 一年生或二年生草本，高 25 ～ 70 cm，无毛，带粉霜。根粗，坚硬，常呈纺锤形，先端常有短根颈；基直立，有分枝。基生叶倒卵形或宽倒卵形，长 20 ～ 30 cm，坚实，深绿色，有光泽，基部渐狭成宽柄，全缘或有不明显圆齿或波状齿，中脉白色，宽达 1.5 cm，有多条纵脉，叶柄长 3 ～ 5 cm，有或无窄边；下部茎生叶和基生叶相似，基部渐狭成叶柄，上部茎生叶倒卵形或椭圆形，长 3 ～ 7 cm，宽 1 ～ 3.5 cm，基部抱茎，宽展，两侧有垂耳，全缘，微带粉霜。总状花序顶生，呈圆锥状；花浅黄色，长约 1 cm，授粉后长达 1.5 cm；花瓣长圆形，

长约 5 mm，先端圆钝，有脉纹，具宽爪。长角果线形，长 2 ～ 6 cm，宽 3 ～ 4 mm，坚硬，无毛，果瓣有明显中脉及网结侧脉，喙先端细，基部宽，长 8 ～ 12 mm；果柄长 8 ～ 30 mm；种子球形，直径 1 ～ 1.5 mm，紫褐色，有蜂窝纹。花期 4 月，果期 5 月。

| 生境分布 | 栽培种。湖南各地均有栽培。

| 资源情况 | 栽培资源丰富。药材来源于栽培。

| 采收加工 | 菘菜：3 ～ 5 月采收，鲜用或晒干。
菘菜子：当种子六七成熟时，于晴天早晨割取植株，置席上干燥 2 天，待充分干燥后打下种子，再干燥 1 ～ 2 天，贮存备用。

| 功能主治 | 菘菜：甘，凉。归肺、胃、大肠经。解热除烦，生津止渴，清肺消痰，通利肠胃。用于肺热咳嗽，消渴，便秘，食积，丹毒，漆疮。
菘菜子：甘，平。归肺、胃经。清肺化痰，消食醒酒。用于痰热咳嗽，食积，醉酒。

| 用法用量 | 菘菜：内服适量，煮食；或捣汁饮。外用适量，捣敷。
菘菜子：内服煎汤，5 ～ 10 g；或入丸、散剂。

| 附　　注 | 本种的拉丁学名在 FOC 中被修订为 *Brassica rapa* var. *chinensis* (Linnaeus) Kitamura。

十字花科 Brassicaceae 芸苔属 Brassica

油白菜 *Brassica chinensis* var. *oleifera* Makino et Nemoto

| 药 材 名 |

油白菜（药用部位：种子。别名：矮脚白菜）。

| 形态特征 |

一年生或二年生草本，高 25 ~ 70 cm，无毛，带粉霜。根粗，坚硬，纺锤形，先端常有短根颈，基直立，有分枝。基生叶倒卵形，全缘或有不明显钝齿，幼时有单毛，中脉白色，宽达 1.5 cm，有多条纵脉，叶柄长 3 ~ 5 cm，有或无窄边；下部茎生叶和基生叶相似，基部渐狭成叶柄；上部茎生叶倒卵形或椭圆形，长 3 ~ 7 cm，宽 1 ~ 3.5 cm，基部抱茎，宽展，两侧有垂耳，全缘，微带粉霜。总状花序顶生，呈圆锥状；花浅黄色，长约 1 cm，授粉后长达 1.5 cm；花梗细，与花等长或较花短；花瓣长圆形，长约 5 mm，先端圆钝，有脉纹，具宽爪。长角果线形，长 2 ~ 6 cm，宽 3 ~ 4 mm，坚硬，无毛，果瓣有明显中脉及网结侧脉，喙先端细，基部宽，长 8 ~ 12 mm；果柄长 8 ~ 30 mm；种子球形，直径 1 ~ 1.5 mm，紫褐色，有蜂窝纹。花期 4 月，果期 5 月。

| 生境分布 |

栽培种。分布于湖南株洲（攸县、醴陵）、

衡阳（珠晖、雁峰、石鼓、蒸湘、衡阳、衡南、衡山）等。

| **资源情况** | 栽培资源较少。药材来源于栽培。

| **功能主治** | 用于难产，产后瘀阻，心腹作痛，绞肠痧，痈肿丹毒，小儿游风。

十字花科 Brassicaceae 芸苔属 Brassica

芥

Brassica juncea (L.) Czern. et Coss.

药材名

芥菜（药用部位：嫩茎和叶。别名：芥、大芥、冲菜）、芥子（药用部位：种子）。

形态特征

一年生草本，高 30 ～ 150 cm，常无毛，有时幼茎及叶具刺毛，带粉霜，有辣味。茎直立，有分枝。基生叶宽卵形至倒卵形，长 15 ～ 35 cm，先端圆钝，基部楔形，大头羽裂，具 2 ～ 3 对裂片，或不裂，边缘均有缺刻或牙齿，叶柄长 3 ～ 9 cm，具小裂片；茎下部叶较小，边缘有缺刻或牙齿，有时具圆钝锯齿，不抱茎，茎上部叶窄披针形，长 2.5 ～ 5 cm，宽 4 ～ 9 mm，边缘具不明显疏齿，或全缘。总状花序顶生，花后延长；花黄色，直径 7 ～ 10 mm；花梗长 4 ～ 9 mm；萼片淡黄色，长圆状椭圆形，长 4 ～ 5 mm，直立开展；花瓣倒卵形，长 8 ～ 10 mm，宽 4 ～ 5 mm。长角果线形，长 3 ～ 5.5 cm，宽 2 ～ 3.5 mm，果瓣具 1 突出中脉，喙长 6 ～ 12 mm；果柄长 5 ～ 15 mm；种子球形，直径约 1 mm，紫褐色。花期 3 ～ 5 月，果期 5 ～ 6 月。

| 生境分布 | 栽培种。分布于湖南邵阳（武冈）、永州（双牌）、衡阳（衡东）、常德（石门）等。

| 资源情况 | 栽培资源稀少。药材来源于栽培。

| 采收加工 | 芥菜：秋季采收，鲜用或晒干。
芥子：当果实成熟后变为黄色时割取全株，晒干，打下种子，簸去杂质。

| 功能主治 | 芥菜：辛，温。归肺、胃、肾经。利肺豁痰，消肿散结。用于寒饮咳嗽，痰滞气逆，胸膈满闷，石淋，牙龈肿烂，乳痈，痔肿，冻疮，漆疮。
芥子：辛，热；有小毒。归肺、胃经。温中散寒，豁痰利窍，通络消肿。用于胃寒呕吐，心腹冷痛，咳喘痰多，口噤，耳聋，喉痹，风湿痹痛，肢体麻木，经闭，痈肿，瘰疬。

| 用法用量 | 芥菜：内服煎汤，10 ~ 15 g；或鲜品捣汁。外用适量，煎汤熏洗；或烧存性，研末敷。
芥子：内服煎汤，3 ~ 9 g；或入丸、散剂。外用适量，研末调敷。

十字花科 Brassicaceae 芸苔属 Brassica

油芥菜 Brassica juncea (L.) Czern. et Coss. var. gracilis Tsen et Lee

| 药 材 名 | 芥菜（药用部位：嫩茎、叶。别名：芥、大芥、冲菜）、芥子（药用部位：种子）。

| 形态特征 | 一年生草本，高 30 ～ 150 cm，常无毛，有时幼茎及叶具刺毛，带粉霜，有辣味。茎直立，有分枝。基生叶长圆形或倒卵形，边缘有重锯齿或缺刻。总状花序顶生，花后延长；花黄色，直径 7 ～ 10 mm；花梗长 4 ～ 9 mm；萼片淡黄色，长圆状椭圆形，长 4 ～ 5 mm，直立开展；花瓣倒卵形，长 8 ～ 10 mm，宽 4 ～ 5 mm。长角果线形，长 3 ～ 5.5 cm，宽 2 ～ 3.5 mm，果瓣具 1 突出中脉，喙长 6 ～ 12 mm；果柄长 5 ～ 15 mm；种子球形，直径约 1 mm，紫褐色。花期 3 ～ 5 月，果期 5 ～ 6 月。

| **生境分布** | 栽培种。分布于湖南常德（临澧）等。

| **资源情况** | 栽培资源稀少。药材来源于栽培。

| **采收加工** | 芥菜：秋季采收，鲜用或晒干。

芥子：6～7月果实成熟变黄色时割取全株，晒干，打下种子，簸去杂质。

| **功能主治** | 芥菜：辛，温。归肺、胃、肾经。利肺豁痰，消肿散结。用于寒饮咳嗽，痰滞气逆，胸膈满闷，石淋，牙龈肿烂，乳痈，痔肿，冻疮，漆疮。

芥子：辛，热；有小毒。归肺、胃经。温中散寒，豁痰利窍，通络消肿。用于胃寒呕吐，心腹冷痛，咳喘痰多，口噤，耳聋，喉痹，风湿痹痛，肢体麻木，经闭，痈肿，瘰疬。

| **用法用量** | 芥菜：内服煎汤，10～15 g；或鲜品捣汁。外用适量，煎汤熏洗；或烧存性，研末敷。

芥子：内服煎汤，3～9 g；或入丸、散剂。外用适量，研末调敷。

十字花科 Brassicaceae 芸苔属 Brassica

雪里蕻

Brassica juncea (L.) Czern. et Coss. var. *multiceps* Tsen et Lee

| 药 材 名 |

芥菜（药用部位：嫩茎、叶。别名：芥、大芥、冲菜）、芥子（药用部位：种子）。

| 形态特征 |

一年生草本，高 30 ~ 150 cm，常无毛，有时幼茎及叶具刺毛，带粉霜，有辣味。茎直立，有分枝。基生叶倒披针形或长圆状倒披针形，不裂或稍有缺刻，有不整齐锯齿或重锯齿；上部及顶部茎生叶小，长圆形，全缘，皱缩。总状花序顶生，花后延长；花黄色，直径 7 ~ 10 mm；花梗长 4 ~ 9 mm；萼片淡黄色，长圆状椭圆形，长 4 ~ 5 mm，直立开展；花瓣倒卵形，长 8 ~ 10 mm，宽 4 ~ 5 mm。长角果线形，长 3 ~ 5.5 cm，宽 2 ~ 3.5 mm，果瓣具 1 突出中脉，喙长 6 ~ 12 mm；果柄长 5 ~ 15 mm；种子球形，直径约 1 mm，紫褐色。花期 3 ~ 5 月，果期 5 ~ 6 月。

| 生境分布 |

栽培种。湖南有广泛栽培。

| 资源情况 |

栽培资源丰富。药材来源于栽培。

| 采收加工 | **芥菜**：秋季采收，鲜用或晒干。

芥子：6～7月果实成熟后变黄色时割取全株，晒干，打下种子，簸去杂质。

| 功能主治 | **芥菜**：辛，温。归肺、胃、肾经。利肺豁痰，消肿散结。用于寒饮咳嗽，痰滞气逆，胸膈满闷，石淋，牙龈肿烂，乳痈，痔肿，冻疮，漆疮。

芥子：辛，热；有小毒。归肺、胃经。温中散寒，豁痰利窍，通络消肿。用于胃寒呕吐，心腹冷痛，咳喘痰多，口噤，耳聋，喉痹，风湿痹痛，肢体麻木，经闭，痈肿，瘰疬。

| 用法用量 | **芥菜**：内服煎汤，10～15 g；或鲜品捣汁。外用适量，煎汤熏洗；或烧存性，研末敷。

芥子：内服煎汤，3～9 g；或入丸、散剂。外用适量，研末调敷。

十字花科 Brassicaceae 芸薹属 Brassica

多裂叶芥

Brassica juncea (L.) Czern. et Coss. var. *multisecta* L. H. Bailey

药材名

芥菜（药用部位：嫩茎、叶。别名：芥、大芥、冲菜）、芥子（药用部位：种子）。

形态特征

一年生草本，高 30 ～ 150 cm，常无毛，有时幼茎及叶具刺毛，带粉霜，有辣味。茎直立，有分枝。全部叶多裂，分裂成多数线形或丝状裂片。总状花序顶生，花后延长；花黄色，直径 7 ～ 10 mm；花梗长 4 ～ 9 mm；萼片淡黄色，长圆状椭圆形，长 4 ～ 5 mm，直立开展；花瓣倒卵形，长 8 ～ 10 mm，宽 4 ～ 5 mm。长角果线形，长 3 ～ 5.5 cm，宽 2 ～ 3.5 mm，果瓣具 1 突出中脉，喙长 6 ～ 12 mm；果柄长 5 ～ 15 mm；种子球形，直径约 1 mm，紫褐色。花期 3 ～ 5 月，果期 5 ～ 6 月。

生境分布

栽培种。分布于湖南邵阳（洞口）、张家界（永定）等。

资源情况

栽培资源稀少。药材来源于栽培。

| **采收加工** | **芥菜**：秋季采收，鲜用或晒干。
芥子：6～7月果实成熟后变黄色时割取全株，晒干，打下种子，簸去杂质。

| **功能主治** | **芥菜**：辛，温。归肺、胃、肾经。利肺豁痰，消肿散结。用于寒饮咳嗽，痰滞气逆，胸膈满闷，石淋，牙龈肿烂，乳痈，痔肿，冻疮，漆疮。

芥子：辛，热；有小毒。归肺、胃经。温中散寒，豁痰利窍，通络消肿。用于胃寒呕吐，心腹冷痛，咳喘痰多，口噤，耳聋，喉痹，风湿痹痛，肢体麻木，经闭，痈肿，瘰疬。

| **用法用量** | **芥菜**：内服煎汤，10～15 g；或鲜品捣汁。外用适量，煎汤熏洗；或烧存性，研末敷。

芥子：内服煎汤，3～9 g；或入丸、散剂。外用适量，研末调敷。

十字花科 Brassicaceae 芸苔属 Brassica

芥菜疙瘩

Brassica napiformis L. H. Bariley

药 材 名

芥菜疙瘩（药用部位：根、茎叶）。

形态特征

二年生草本，高 60 ~ 150 cm，全株无毛，稍有粉霜。块根圆锥形，直径 7 ~ 10 cm，一半在地上，一半在地下，外皮白色，根肉质，白色或黄色，有辣味，两侧各有 1 纵沟，纵沟内生须根。茎直立，从基部开始分枝。基生叶少数，大头羽状浅裂，长 10 ~ 20 cm，幼时下面脉上及边缘有少数刺毛，顶裂片宽卵形，长达 9 cm，先端圆钝，边缘有不整齐尖齿，基部有明显侧裂片 2 及小裂片数个，疏生，叶柄长 3 ~ 4.5 cm；茎生叶似基生叶，长 5 ~ 12 cm，上部茎生叶长圆状披针形，近全缘或全缘，无柄或稍抱茎。花浅黄色，直径 7 ~ 8 mm；萼片披针形或长圆状卵形，长约 6 mm；花瓣倒卵形，长 8 ~ 10 mm，先端微凹，有细爪。长角果线形，长 3 ~ 5 cm，稍侧扁，喙圆锥形，长 5 ~ 7 mm；果柄长 5 ~ 8 mm；种子球形，直径约 1.5 mm，黑褐色，有细网纹。花期 4 ~ 5 月，果期 5 ~ 6 月。

| **生境分布** | 栽培种。分布于湖南邵阳（绥宁）、岳阳（岳阳）、张家界（永定）、永州（江华）等。

| **资源情况** | 栽培资源稀少。药材来源于栽培。

| **功能主治** | 甘，温。泻湿热，消食下气，止咳。用于热毒风肿，肝虚目暗，乳痈，小儿头痛，便秘，腹胀，黄疸。

| **附　　注** | 本种的拉丁学名在 FOC 中被修订为 *Brassica juncea* (L.) Czern. et Coss. var. *napiformis* Pailleux et Bois。

十字花科 Brassicaceae 芸苔属 Brassica

甘蓝
Brassica oleracea var. *capitata* L.

| 药 材 名 | 甘蓝（药用部位：叶。别名：蓝菜、西土蓝、包菜）。

| 形态特征 | 二年生草本，被粉霜。一年生茎肉质，不分枝，绿色或灰绿色；二年生茎有分枝，具茎生叶，基生叶多数，质厚，层层包裹成球状体，直径 10 ~ 30 cm 或更大，乳白色或淡绿色；基生叶及下部茎生叶长圆状倒卵形至圆形，长和宽均为 30 cm，先端圆形，基部骤窄成极短且有宽翅的叶柄，边缘有不明显的波状锯齿；上部茎生叶卵形或长圆状卵形，长 8 ~ 13.5 cm，宽 3.5 ~ 7 cm，基部抱茎；最上部茎生叶长圆形，长约 4.5 cm，宽约 1 cm，抱茎。总状花序顶生及腋生；花淡黄色，直径 2 ~ 2.5 cm；花瓣宽椭圆状倒卵形或近圆形，长 13 ~ 15 mm，脉纹明显，先端微缺，基部骤窄成爪，爪长 5 ~

7 mm。长角果圆柱形，两侧稍压扁，中脉突出，喙圆锥形，长 6 ～ 10 mm；果柄粗，直立开展；种子球形，直径 1.5 ～ 2 mm，棕色。花期 4 月，果期 5 月。

| **生境分布** | 栽培种。湖南有广泛栽培。

| **资源情况** | 栽培资源丰富。药材来源于栽培。

| **采收加工** | 夏、秋季采收，鲜用。

| **功能主治** | 甘，平。归肝、胃经。清利湿热，散结止痛，益肾补虚。用于湿热黄疸，消化性溃疡，关节不利，虚损。

| **用法用量** | 内服绞汁，200 ～ 300 ml；或拌食、煮食。

十字花科 Brassicaceae 芸苔属 Brassica

花椰菜
Brassica oleracea L. var. *botrytis* L.

| 药 材 名 | 花椰菜（药用部位：叶。别名：花菜）。

| 形态特征 | 二年生草本，高 60 ~ 90 cm，被粉霜。茎直立，粗壮，有分枝。基生叶及茎下部叶长圆形至椭圆形，长 2 ~ 3.5 cm，灰绿色，先端圆形，开展，不卷心，全缘或具细牙齿，有时叶片下延，具数个小裂片，呈翅状，叶柄长 2 ~ 3 cm；茎中、上部叶较小且无柄，长圆形至披针形，抱茎。茎先端有一由总花梗、花梗和未发育的花芽密集成的乳白色肉质头状体；总状花序顶生及腋生；花淡黄色，后变成白色。长角果圆柱形，长 3 ~ 4 cm，有 1 中脉，喙下部粗，上部细，长 10 ~ 12 mm；种子宽椭圆形，长近 2 mm，棕色。花期 4 月，果期 5 月。

| **生境分布** | 栽培于土质疏松、排灌良好的土壤中。分布于湖南长沙（长沙、望城）、株洲（醴陵、渌口）、衡阳（雁峰、石鼓、衡南）、邵阳（新邵）、岳阳（岳阳）、益阳（桃江）、郴州（苏仙、汝城）、永州（冷水滩）、怀化（鹤城、辰溪）等。

| **资源情况** | 栽培资源丰富。药材来源于栽培。

| **采收加工** | 夏、秋季采收，鲜用。

| **功能主治** | 清热。

十字花科 Brassicaceae 芸苔属 Brassica

羽衣甘蓝
Brassica oleracea var. *acephala* L. f. *tricolor* Hort.

| 药 材 名 | 羽衣甘蓝（药用部位：茎、叶）。

| 形态特征 | 二年生或多年生草本，高 60 ~ 150 cm。叶皱缩，呈白黄色、黄绿色、粉红色或红紫色等，有长叶柄；下部叶大，大头羽状深裂，长达40 cm，具有色叶脉，有柄，顶裂片大，先端圆形，基部歪心形，边缘波状，具细圆齿，顶裂片 3 ~ 5 对，倒卵形；上部叶长圆形，全缘，抱茎；所有叶肉质，无毛，具白粉霜。总状花序在果期长 30 cm 或更长；花浅黄色，直径 10 ~ 15 mm；萼片长圆形，直立，长 8 ~ 11 mm；花瓣倒卵形，长 15 ~ 20 mm，先端圆形，有爪。长角果圆筒形，长5 ~ 10 cm，喙长 5 ~ 10 mm；果柄长约 2 cm；种子球形，直径约2 mm，灰棕色。

| **生境分布** | 栽培种。分布于湖南长沙（长沙）、衡阳（雁峰、衡南）、岳阳（云溪）、常德（澧县、津市）、怀化（辰溪）等。

| **资源情况** | 栽培资源稀少。药材来源于栽培。

| **功能主治** | 抗菌。

十字花科 Brassicaceae 芸薹属 Brassica

白菜

Brassica pekinensis (Lour.) Rupr.

| 药 材 名 | 黄芽白菜（药用部位：叶、根。别名：黄芽菜、黄矮菜、花交菜）。

| 形态特征 | 二年生草本，高40～60 cm，常全株无毛，有时叶下面中脉上有少数刺毛。基生叶多数，大型，倒卵状长圆形至宽倒卵形，长30～60 cm，宽不及长的一半，先端圆钝，边缘皱缩、波状，有时具不明显牙齿，中脉白色，很宽，有多数粗壮侧脉，叶柄白色，扁平，长5～9 cm，宽2～8 cm，边缘有具缺刻的宽薄翅；上部茎生叶长圆状卵形、长圆状披针形至长披针形，长2.5～7 cm，先端圆钝至短急尖，全缘或有裂齿，有柄或抱茎，有粉霜。花鲜黄色，直径1.2～1.5 cm；萼片长圆形或卵状披针形，长4～5 mm，直立，淡绿色至黄色；花瓣倒卵形，长7～8 mm，基部渐窄成爪。长角果

较粗短，长 3 ~ 6 cm，宽约 3 mm，两侧压扁，直立，喙长 4 ~ 10 mm，宽约 1 mm，先端圆；果柄开展或上升，长 2.5 ~ 3 cm，较粗；种子球形，直径 1 ~ 1.5 mm，棕色。花期 5 月，果期 6 月。

| 生境分布 | 栽培于土质疏松、排灌良好的土壤中。湖南有广泛栽培。

| 资源情况 | 栽培资源丰富。药材来源于栽培。

| 采收加工 | 秋、冬季采收，鲜用。

| 功能主治 | 甘，平。归胃经。通利肠胃，养胃和中，利小便。

| 用法用量 | 内服适量，煮食；或捣汁饮。

| 附　　注 | 本种的拉丁学名在 FOC 中被修订为 *Brassica rapa* var. *glabra* Regel。

十字花科 Brassicaceae 荠属 Capsella

荠

Capsella bursa-pastoris (L.) Medic.

药 材 名

荠菜（药用部位：全草。别名：荠、靡草、护生草）、荠菜花（药用部位：花序。别名：荠花、地米花）、荠菜子（药用部位：种子。别名：荠实、荠熟干实、荠子）。

形态特征

一年生或二年生草本，高（7～）10～50 cm，无毛、有单毛或有分叉毛。茎直立，单一或从下部分枝。基生叶丛生，呈莲座状，大头羽状分裂，长可达 12 cm，宽可达 2.5 cm，顶裂片卵形至长圆形，长 5～30 mm，宽 2～20 mm，侧裂片 3～8 对，长圆形至卵形，长 5～15 mm，先端渐尖，浅裂、有不规则粗锯齿或近全缘，叶柄长 5～40 mm；茎生叶窄披针形或披针形，长 5～6.5 mm，宽 2～15 mm，基部箭形，抱茎，边缘有缺刻或锯齿。总状花序顶生及腋生，果期长可达 20 cm；花梗长 3～8 mm；萼片长圆形，长 1.5～2 mm；花瓣白色，卵形，长 2～3 mm，有短爪。短角果倒三角形或倒心状三角形，长 5～8 mm，宽 4～7 mm，扁平，无毛，先端微凹，裂瓣具网脉，花柱长约 0.5 mm；果柄长 5～15 mm；种子 2 行，长椭圆形，长约 1 mm，浅褐色。

花果期 4 ~ 6 月。

| **生境分布** | 生于山坡、田边及路旁。栽培于排水良好、疏松肥沃的土壤中。湖南各地均有分布。

| **资源情况** | 野生资源丰富。栽培资源一般。药材来源于野生和栽培。

| **采收加工** | 荠菜：3 ~ 5 月采收，除去杂质，洗净，鲜用或晒干。
荠菜花：4 ~ 5 月采收，晒干。
荠菜子：6 月果实成熟时采摘，晒干，揉出种子。

| **功能主治** | 荠菜：甘、淡，凉。归肝、脾、膀胱经。凉肝止血，平肝明目，清热利湿。用于吐血，衄血，咯血，尿血，崩漏，眼底出血，高血压，赤白痢疾，肾炎性水肿，乳糜尿。
荠菜花：甘，凉。归肝、脾经。凉血止血，清热利湿。用于崩漏，尿血，吐血，咯血，衄血，小儿乳积，痢疾，赤白带下。
荠菜子：甘，平。归肝经。祛风明目。用于目痛，青盲翳障。

| **用法用量** | 荠菜：内服煎汤，15 ~ 30 g，鲜品 60 ~ 120 g；或入丸、散剂。外用适量，捣汁点眼。
荠菜花：内服煎汤，10 ~ 15 g；或研末。
荠菜子：内服煎汤，10 ~ 30 g。

十字花科 Brassicaceae 碎米荠属 Cardamine

光头山碎米荠 *Cardamine engleriana* O. E. Schulz

| 药 材 名 | 野荠菜（药用部位：全草）。

| 形态特征 | 多年生草本，高达 26 cm，有 1 至数条线形根状匍匐茎。茎单一，通常不分枝，有时自根茎处丛生，直立或仅基部稍倾斜，表面有沟棱，下部有白色柔毛，上部光滑无毛。生于匍匐茎上的叶小，单叶，肾形，长 3.5 ~ 6 mm，宽 6 ~ 8 mm，边缘波状，质薄，叶柄柔弱，长 2 ~ 10 mm；基生叶亦为单叶，肾形，长 6 ~ 12 mm，宽 6 ~ 16 mm，边缘波状，叶柄长 10 ~ 12 mm；茎生叶无柄，具 3 小叶，顶生小叶大，肾形、心形或卵形，先端钝圆，基部心形或阔楔形，通常向叶柄下延，边缘有波状圆齿 3 ~ 7，先端有小尖头，侧生的 1 对小叶着生于顶生小叶的基部，小型，略呈菱状卵形，有时呈肾

形，边缘具波状钝齿；全部小叶无毛。总状花序有花 3～10，花梗细，长 5～16 mm；萼片卵形，长约 2.5 mm，边缘膜质，内轮萼片基部呈囊状；花瓣白色，倒卵状楔形，长约 7 mm。长角果稍扁平，长 15～20 mm，宽约 1 mm，无毛；种子长圆形，稍扁平，长约 1.8 mm，宽约 0.7 mm，黄褐色，一端有窄翅。花期 4～6 月，果期 6～7 月。

| **生境分布** | 生于海拔 800～2 000 m 的山坡林下阴处、山谷沟边或路旁潮湿地。分布于湖南郴州（永兴）等。

| **资源情况** | 野生资源稀少。药材来源于野生。

| **功能主治** | 止咳平喘，利水。

十字花科 Brassicaceae 碎米荠属 Cardamine

弯曲碎米荠 Cardamine flexuosa With.

| 药 材 名 | 白带草（药用部位：全草。别名：雀儿菜、野荠菜、米花香荠菜）。

| 形态特征 | 一年生或二年生草本，高达 30 cm。茎自基部多分枝，斜升，呈铺散状，表面疏生柔毛。基生叶有叶柄，小叶 3 ~ 7 对，顶生小叶卵形、倒卵形或长圆形，长与宽均为 2 ~ 5 mm，先端 3 齿裂，基部宽楔形，有小叶柄，侧生小叶卵形，较顶生小叶小，1 ~ 3 齿裂，有小叶柄；茎生叶有小叶 3 ~ 5 对，小叶多为长卵形或线形，1 ~ 3 裂或全缘，小叶柄有或无，全部小叶近无毛。总状花序多数，生于枝顶；花小，花梗纤细，长 2 ~ 4 mm；萼片长椭圆形，长约 2.5 mm，边缘膜质；花瓣白色，倒卵状楔形，长约 3.5 mm；花丝不扩大；雌蕊柱状，花柱极短，柱头扁球状。长角果线形，扁平，长

12 ～ 20 mm，宽约 1 mm，与果序轴近平行排列，果序轴左右弯曲；果柄直立开展，长 3 ～ 9 mm；种子长圆形而扁，长约 1 mm，黄绿色，先端有极窄的翅。花期 3 ～ 5 月，果期 4 ～ 6 月。

| **生境分布** | 生于田边、路旁及草地。湖南有广泛分布。

| **资源情况** | 野生资源一般。药材来源于野生。

| **采收加工** | 2 ～ 5 月采集，晒干或鲜用。

| **功能主治** | 甘、淡，凉。清热利湿，安神，止血。用于湿热泻痢，热淋，带下，心悸，失眠，虚火牙痛，疳积，吐血，便血，疔疮。

| **用法用量** | 内服煎汤，15 ～ 30 g。外用适量，捣敷。

十字花科 Brassicaceae 碎米荠属 Cardamine

柔弯曲碎米荠

Cardamine flexuosa With. var. *debilis* (D. Don) T. Y. Cheo et R. C. Fang

| 药 材 名 | 柔弯曲碎米荠（药用部位：全草）。

| 形态特征 | 一年生或二年生草本，植株矮小。分枝极多，细弱，自基部呈铺散状。基生叶有叶柄，小叶 3 ~ 7 对，顶生小叶卵形、倒卵形或长圆形，长与宽均为 2 ~ 5 mm，先端 3 齿裂，基部宽楔形，有小叶柄，侧生小叶卵形，较顶生小叶小，1 ~ 3 齿裂，有小叶柄；茎生叶通常有小叶 2 ~ 3 对，稀有小叶 4 对。总状花序多数，生于枝顶；花小，花梗纤细，长 2 ~ 4 mm；萼片长椭圆形，长约 2.5 mm，边缘膜质；花瓣白色，倒卵状楔形，长约 3.5 mm；花丝不扩大；雌蕊柱状，花柱极短，柱头扁球状。长角果通常长 1 cm 左右；果柄细弱，长 1 ~ 3 mm；种子长圆形而扁，长约 1 mm，黄绿色，先端有极窄

的翅。花期 3 ~ 5 月，果期 4 ~ 6 月。

| **生境分布** | 生于田边、路旁及草地。分布于湖南永州（零陵）、怀化（麻阳）等。

| **资源情况** | 野生资源稀少。药材来源于野生。

| **功能主治** | 清热利湿，健胃，止泻。

十字花科 Brassicaceae 碎米荠属 Cardamine

山芥碎米荠 *Cardamine griffithii* Hook. f. et Thoms.

| 药 材 名 | 山芥碎米荠（药用部位：全草。别名：山芥菜）。

| 形态特征 | 多年生草本，高 20 ~ 70 cm，全体无毛。根茎匍匐，有少数匍匐茎，生有多数须根。茎直立，不分枝，表面有纵棱。叶为羽状复叶；基生叶有叶柄，小叶 2 ~ 4 对；茎中部以上的叶无柄，小叶 2 ~ 5 对，顶生小叶近圆形或卵形，长 7 ~ 25 mm，宽 5 ~ 13 mm，先端钝圆，基部宽楔形，全缘或有 3 ~ 5 钝齿，小叶柄长 2 ~ 10 mm，侧生小叶近圆形或卵形，长 5 ~ 14 mm，宽 4 ~ 10 mm，先端圆，基部圆或宽楔形，全缘或呈浅波状，生于叶柄基部的 1 对小叶抱茎。总状花序顶生；萼片卵形，长约 3 mm，内轮萼片基部囊状；花瓣紫色或淡红色，倒卵形，先端微凹，基部狭窄成楔形。长角果线形而扁，

长 2.5 ~ 4 cm，宽约 1 mm；果柄长 1 ~ 2 cm，直立或稍弯、平展或上举；种子椭圆形或长圆形，长约 1.5 mm。花期 5 ~ 6 月，果期 6 ~ 7 月。

| 生境分布 | 生于海拔 800 ~ 2 000 m 的山坡林下、山沟溪边、多岩石的阴湿处。分布于湖南邵阳（绥宁）、湘西州（龙山）、长沙（浏阳）等。

| 资源情况 | 野生资源稀少。药材来源于野生。

| 功能主治 | 清热泻火。

十字花科 Brassicaceae 碎米荠属 Cardamine

碎米荠 *Cardamine hirsuta* L.

| 药 材 名 | 白带草（药用部位：全草。别名：雀儿菜、野荠菜、米花香荠菜）。

| 形态特征 | 一年生小草本，高 15 ～ 35 cm。茎直立或斜升，分枝或不分枝，下部有时呈淡紫色，被较密柔毛，上部毛渐少。基生叶具叶柄，有小叶 2 ～ 5 对，顶生小叶肾形或肾圆形，长 4 ～ 10 mm，宽 5 ～ 13 mm，边缘有 3 ～ 5 圆齿，小叶柄明显，侧生小叶卵形或圆形，较顶生小叶小，基部楔形而两侧稍歪斜，边缘有 2 ～ 3 圆齿，有或无小叶柄；茎生叶具短柄，有小叶 3 ～ 6 对，生于茎下部的小叶与基生叶相似，生于茎上部的顶生小叶菱状长卵形，先端 3 齿裂，侧生小叶长卵形至线形，多数全缘；全部小叶两面稍有毛。总状花序生于枝顶；花小，直径约 3 mm，花梗纤细，长 2.5 ～ 4 mm；萼片

绿色或淡紫色，长椭圆形，长约 2 mm，边缘膜质，外面有疏毛；花瓣白色，倒卵形，长 3 ~ 5 mm，先端钝，向基部渐狭。长角果线形，稍扁，无毛，长达 30 mm；果柄纤细，直立开展，长 4 ~ 12 mm；种子椭圆形，宽约 1 mm，有的先端具明显的翅。花期 2 ~ 4 月，果期 4 ~ 6 月。

| **生境分布** | 生于海拔 1 000 m 以下的山坡、路旁、荒地及耕地的草丛中。湖南有广泛分布。

| **资源情况** | 野生资源较丰富。药材来源于野生。

| **采收加工** | 2 ~ 5 月采集，晒干或鲜用。

| **功能主治** | 甘、淡，凉。清热利湿，安神，止血。用于湿热泻痢，热淋，带下，心悸，失眠，虚火牙痛，疳积，吐血，便血，疔疮。

| **用法用量** | 内服煎汤，15 ~ 30 g。外用适量，捣敷。

十字花科 Brassicaceae 碎米荠属 Cardamine

弹裂碎米荠 *Cardamine impatiens* L.

| 药 材 名 |

弹裂碎米荠（药用部位：全草。别名：水菜花、水花菜）。

| 形态特征 |

一年生或二年生草本，高 20 ～ 60 cm。茎直立，不分枝或上部分枝，表面有沟棱，有少数短柔毛或无毛，着生多数羽状复叶。基生叶叶柄长 1 ～ 3 cm，边缘通常有短柔毛，基部稍扩大，有 1 对托叶状耳，小叶 2 ～ 8 对，顶生小叶卵形，长 6 ～ 13 mm，宽 4 ～ 8 mm，边缘有不整齐的钝齿状浅裂，基部楔形，小叶柄显著，侧生小叶与顶生小叶相似，自上而下渐小，通常生于最下面的 1 ～ 2 对小叶近披针形，全缘，有显著的小叶柄；茎生叶有柄，基部也有抱茎且线形弯曲的耳，先端渐尖，缘毛显著，小叶 5 ～ 8 对，最上部的茎生叶小叶片较狭，边缘少齿裂，或近全缘；全部小叶散生短柔毛或无毛，边缘均有缘毛。总状花序顶生和腋生；花多数，小型，直径约 2 mm；萼片长椭圆形，长约 2 mm；花瓣白色，狭长椭圆形，长 2 ～ 3 mm，基部稍狭。长角果狭条形而扁，长 20 ～ 28 mm，果瓣无毛，成熟时自下而上弹性开裂；果柄直立开展或水平开展，

长 10 ~ 15 mm，无毛；种子椭圆形，长约 1.3 mm，边缘有极狭的翅。花期 4 ~ 6
月，果期 5 ~ 7 月。

| **生境分布** | 生于海拔 150 ~ 2 100 m 的路旁、山坡、沟谷、水边或阴湿地。湖南有广泛分布。

| **资源情况** | 野生资源一般。药材来源于野生。

| **采收加工** | 春季采收，鲜用或晒干。

| **功能主治** | 淡，平。活血调经，清热解毒，利尿通淋。用于月经不调，痈肿，淋证。

| **用法用量** | 内服煎汤，15 ~ 30 g。外用适量，捣敷。

十字花科 Brassicaceae 碎米荠属 Cardamine

白花碎米荠

Cardamine leucantha (Tausch) O. E. Schulz

| 药 材 名 |

菜子七（药用部位：全草或根及根茎。别名：白花石芥菜、山芥菜、假芹菜）。

| 形态特征 |

多年生草本，高 30 ~ 75 cm。根茎短而匍匐，着生多数粗线状、长短不一的匍匐茎，其上生有须根。茎单一，不分枝，有时上部有少数分枝，表面有沟棱，密被短绵毛或柔毛。基生叶有长叶柄，小叶 2 ~ 3 对，顶生小叶卵形至长卵状披针形，长 3.5 ~ 5 cm，宽 1 ~ 2 cm，先端渐尖，边缘有不整齐的钝齿或锯齿，基部楔形或阔楔形，小叶柄长 5 ~ 13 mm，侧生小叶的大小、形态和顶生小叶相似，有或无小叶柄；茎中部叶有较长的叶柄，通常有小叶 2 对，茎上部叶有小叶 1 ~ 2 对，小叶阔披针形，较小；全部小叶干后呈膜质而半透明，两面均有柔毛，下面毛尤多。总状花序顶生，分枝或不分枝，花后伸长；萼片长椭圆形，长 2.5 ~ 3.5 mm，边缘膜质，外面有毛；花瓣白色，长圆状楔形，长 5 ~ 8 mm。长角果线形，长 1 ~ 2 cm，宽约 1 mm，花柱长约 5 mm，果瓣散生柔毛，毛易脱落；果柄直立开展，长 1 ~ 2 cm；种子长圆形，长约 2 mm，栗褐色，边缘具窄翅或无。花期 4 ~ 7 月，果期 6 ~ 8 月。

| **生境分布** | 生于海拔 200 ~ 2 000 m 的路边、山坡湿草地、杂木林下及山谷沟边阴湿处。分布于湖南怀化（辰溪）、湘西州（花垣、龙山）等。

| **资源情况** | 野生资源稀少。药材来源于野生。

| **采收加工** | 秋季采收，除去泥土等杂质，晒干。

| **功能主治** | 辛、甘，平。归肺、肝经。化痰止咳，活血止痛。用于百日咳，慢性支气管炎，月经不调，跌打损伤。

| **用法用量** | 内服煎汤，6 ~ 15 g。

十字花科 Brassicaceae 碎米荠属 Cardamine

水田碎米荠

Cardamine lyrata Bunge

| 药 材 名 | 水田碎米荠（药用部位：全草。别名：水田荠、水芥菜）。

| 形态特征 | 多年生草本，高 30 ~ 70 cm，无毛。根茎较短，丛生多数须根。茎直立，不分枝，表面有沟棱，通常从近根茎处的叶腋或茎下部叶腋生出细长而柔软的匍匐茎。生于匍匐茎上的叶为单叶，心形或圆肾形，长 1 ~ 3 cm，宽 7 ~ 23 mm，先端圆形或微凹，基部心形，边缘具波状圆齿，或近全缘；茎生叶无柄，羽状复叶，小叶 2 ~ 9 对，顶生小叶大，圆形或卵形，先端圆形或微凹，基部心形、截形或宽楔形，边缘有波状圆齿，或近全缘。总状花序顶生；萼片长卵形，长约 4.5 mm，边缘膜质，内轮萼片基部呈囊状；花瓣白色，倒卵形，长约 8 mm，先端平截或微凹，基部楔形渐狭。长角果线形，长

2 ~ 3 cm，宽约 2 mm，果瓣平，自基部有一不明显的中脉；种子椭圆形，长约 1.6 mm，宽约 1 mm，边缘有显著的膜质宽翅。花期 4 ~ 6 月，果期 5 ~ 7 月。

| 生境分布 | 生于水田边、溪边及浅水处。分布于湖南长沙（宁乡、浏阳）、湘潭（雨湖）、衡阳（雁峰、石鼓）、邵阳（武冈）、张家界（武陵源）、永州（冷水滩）、怀化（中方、辰溪、通道）等。

| 资源情况 | 野生资源较少。药材来源于野生。

| 采收加工 | 春季采集，洗净，晒干或鲜用。

| 功能主治 | 甘、微辛，平。归膀胱、肝经。清热利湿，凉血调经，明目去翳。用于肾炎性水肿，痢疾，吐血，崩漏，月经不调，目赤，云翳。

| 用法用量 | 内服煎汤，15 ~ 30 g。

十字花科 Brassicaceae 碎米荠属 Cardamine

大叶碎米荠 *Cardamine macrophylla* Willd.

| 药材名 |

普贤菜（药用部位：全草。别名：石格菜、丘乳巴）。

| 形态特征 |

多年生草本，高 30 ~ 100 cm。根茎匍匐延伸，密被纤维状须根。茎较粗壮，圆柱形，直立，有时基部倾卧，不分枝或上部分枝，表面有沟棱。茎生叶通常 4 ~ 5，有叶柄，长 2.5 ~ 5 cm，小叶 4 ~ 5 对，顶生小叶与侧生小叶的形状及大小相似，小叶椭圆形或卵状披针形，长 4 ~ 9 cm，宽 1 ~ 2.5 cm，先端钝或短渐尖，边缘具较整齐的锐锯齿或钝锯齿，顶生小叶基部楔形，无小叶柄，侧生小叶基部稍不等。总状花序多花；外轮萼片淡红色，长椭圆形，长 5 ~ 6.5 mm，边缘膜质，外面有毛或无毛，内轮萼片基部囊状；花瓣通常呈淡紫色或紫红色，稀呈白色，倒卵形，长 9 ~ 14 mm，先端圆形或微凹，向基部渐狭成爪。长角果扁平，长 35 ~ 45 mm，宽 2 ~ 3 mm，果瓣平坦无毛；种子椭圆形，长约 3 mm，褐色。花期 5 ~ 6 月，果期 7 ~ 8 月。

| **生境分布** | 生于海拔 1 600 ～ 2 000 m 的山坡灌木林下、沟边、石隙、高山草坡水湿处。分布于湖南张家界（永定、武陵源）、怀化（辰溪）、长沙（浏阳）等。

| **资源情况** | 野生资源稀少。药材来源于野生。

| **采收加工** | 春、夏季采集，洗净，鲜用或晒干。

| **功能主治** | 甘、淡，平。健脾利水消肿，凉血止血。用于脾虚，水肿，小便不利，带下，崩漏，尿血。

| **用法用量** | 内服煎汤，9 ～ 15 g；或炖肉食。

十字花科 Brassicaceae 碎米荠属 *Cardamine*

三小叶碎米荠

Cardamine trifoliolata Hook. f. et Thoms.

| 药 材 名 | 三小叶碎米荠（药用部位：全草。别名：豆叶碎米荠、菱叶碎米荠）。

| 形态特征 | 多年生草本，高 12 ～ 20 cm。根茎短，具须根。茎直立或斜升，不分枝或稍分枝，无毛或基部疏生单毛。叶少数；茎下部叶长 4 ～ 4.5 cm，有小叶 1 对，顶生小叶宽卵形，长约 10 mm，宽约 13 mm，边缘上端具微波状 3 钝裂，裂片先端有小尖头，基部浅心形或近截形，小叶柄长约 5 mm，侧生小叶近卵形，长、宽均约 5 mm，小叶柄极短；茎中部叶长 3 ～ 4 cm，有小叶 2 对，顶生小叶倒卵形，上端 3 齿裂，基部楔形，侧生小叶向下渐变小。总状花序生于枝端；花少，疏生，花梗丝状，长约 4 mm；萼片长卵形，长约 2.5 mm，边缘白色，膜质，外面疏生单毛，内轮萼片基部稍呈囊状；

花瓣白色、粉红色或紫色，倒卵形，长约 5 mm，先端钝圆、平截或微凹。未成熟长角果线形，果瓣平，有稀疏单毛。花果期 5 ~ 6 月。

| 生境分布 | 生于山坡林下、山沟、水边草地。分布于湖南邵阳（绥宁）、张家界（武陵源、桑植）、湘西州（永顺）等。

| 资源情况 | 野生资源稀少。药材来源于野生。

| 功能主治 | 用于风湿痹痛。

十字花科 Brassicaceae 碎米荠属 Cardamine

堇叶碎米荠

Cardamine violifolia O. E. Schuiz

| 药 材 名 | 堇叶碎米荠（药用部位：全草）。

| 形态特征 | 一年生至二年生草本，高 10 ~ 35 cm。茎直立，不分枝或自基部有少数分枝，无毛。单叶；基生叶有长柄，叶柄基部稍扩大；叶片膜质，心形或近圆形，长 15 ~ 50 mm，宽 20 ~ 65 mm，先端圆形或微凹，有细小短尖头，基部心形，边缘有深浅不等的圆齿；茎生叶叶柄长 8 ~ 65 mm，基部稍扩大；生于茎下部的叶近圆状心形，生于茎上部的叶呈卵形，长 20 ~ 35 mm，宽 15 ~ 23 mm，先端圆形或长渐尖，基部浅心形，上部叶的基部平截或楔形，边缘有不整齐圆齿；全部叶片上面散生少数短毛或无毛，下面无毛。总状花序顶生；花梗长约 1 cm；花萼长椭圆形，长约 3 mm；花瓣白色，有香气，倒

卵状楔形，长约 5 mm；花丝稍扩大，花药长卵形；雌蕊柱状，花柱不明显，柱头扁球形。长角果线形，长 15 ～ 28 mm；果柄基部水平状开展，长 5 ～ 12 mm；种子椭圆形，长约 1 mm。花期 2 ～ 4 月，果期 3 ～ 4 月。

| 生境分布 | 生于海拔 500 m 左右的水沟、溪旁、山谷及林下湿润处。分布于湖南邵阳（邵阳）、张家界（武陵源）、怀化（麻阳）、湘西州（吉首、古丈）等。

| 资源情况 | 野生资源稀少。药材来源于野生。

| 功能主治 | 甘，平。清热利尿。用于尿痛，淋浊，带下，痢疾。

| 附　　注 | 本种与露珠碎米荠 *Cardamine circaeoides* Hook. f. et Thoms. 的区别在于本种的茎生叶叶柄基部稍扩大，叶片基部心形，生于上部的叶片基部不为心形，花比较大，果柄于果序轴上扭转，呈水平开展。

十字花科 Brassicaceae 桂竹香属 Cheiranthus

桂竹香
Cheiranthus cheiri L.

| 药 材 名 |

桂竹香（药用部位：花）。

| 形态特征 |

多年生草本，高 20 ~ 60 cm。茎直立或上升，具棱角，下部木质化，具分枝，全体有贴生长柔毛。基生叶莲座状，倒披针形、披针形至线形，长 1.5 ~ 7 cm，宽 5 ~ 15 mm，先端急尖，基部渐狭，全缘或稍具小齿，叶柄长 7 ~ 10 mm；茎生叶较小，近无柄。总状花序果期伸长；花橘黄色或黄褐色，直径 2 ~ 2.5 cm，芳香，花梗长 4 ~ 7 mm；萼片长圆形，长 6 ~ 11 mm；花瓣倒卵形，长约 1.5 cm，有长爪；雄蕊 6，近等长。长角果线形，长 4 ~ 7.5 cm，宽 3 ~ 5 mm，具扁 4 棱，直立，劲直，果瓣有 1 明显中肋；花柱长 1 ~ 1.5 mm，具稍开展的 2 裂柱头；果柄长 1 ~ 1.5 cm，上升；种子 2 行，卵形，长 2 ~ 2.5 mm，浅棕色，先端有翅。花期 4 ~ 5 月，果期 5 ~ 6 月。

| 生境分布 |

栽培于排水良好、疏松肥沃的土壤中。分布于湖南长沙（宁乡）、永州（祁阳）、怀化（辰溪）等。

| **资源情况** | 栽培资源稀少。药材来源于栽培。

| **采收加工** | 春季开花时采摘，鲜用或晒干。

| **功能主治** | 甘，平。归大肠、肝经。润肠通便，通经。用于大便秘结，月经不调，闭经，痛经。

| **附　　注** | 本种的拉丁学名在《中国植物志》中被修订为 *Erysimum × cheiri* (Linnaeus) Crantz。

十字花科 Brassicaceae 臭荠属 Coronopus

臭荠

Coronopus didymus (L.) J. E. Smith

| 药 材 名 | 臭荠（药用部位：全草。别名：肾果荠）。

| 形态特征 | 一年生或二年生匍匐草本，高 5 ~ 30 cm，全体有臭味。主茎短且不明显，基部多分枝，无毛或有长单毛。叶为 1 回或 2 回羽状全裂，裂片 3 ~ 5 对，线形或窄长圆形，长 4 ~ 8 mm，宽 0.5 ~ 1 mm，先端急尖，基部楔形，全缘，两面无毛；叶柄长 5 ~ 8 mm。花极小，直径约 1 mm；萼片具白色膜质边缘；花瓣白色，长圆形，比萼片稍长，或无花瓣；雄蕊通常 2。短角果肾形，长约 1.5 mm，宽 2 ~ 2.5 mm，2 裂，果瓣半球形，表面有粗糙皱纹，成熟时分离成 2 瓣；种子肾形，长约 1 mm，红棕色。花期 3 月，果期 4 ~ 5 月。

| 生境分布 | 生于路旁或荒地。湖南有广泛分布。

| **资源情况** | 野生资源一般。药材来源于野生。

| **功能主治** | 清热，明目，利尿。

| **附　　注** | 本种的拉丁学名在 FOC 中被修订为 *Lepidium didymum* L.。

十字花科 Brassicaceae 播娘蒿属 Descurainia

播娘蒿
Descurainia sophia (L.) Webb. ex Prantl

| 药 材 名 | 播娘蒿（药用部位：全草。别名：婆婆蒿、翁杠研、麦蒿子）、葶苈子（药用部位：种子。别名：丁历、大适、大室）。

| 形态特征 | 一年生草本，高 20 ～ 80 cm，有毛或无毛，毛为叉状毛，以下部茎生叶上为多，向上渐少。茎直立，分枝多，下部呈淡紫色。叶 3 回羽状深裂，长 2 ～ 12（～ 15）cm，末端裂片条形或长圆形，裂片长（2 ～）3 ～ 5（～ 10）mm，宽 0.8 ～ 1.5（～ 2）mm，下部叶具柄，上部叶无柄。花序伞房状，果期伸长；萼片直立，早落，长圆状条形，背面有分叉细柔毛；花瓣黄色，长圆状倒卵形，长 2 ～ 2.5 mm，或稍短于萼片，具爪；雄蕊 6，比花瓣长 1/3。长角果圆筒状，长 2.5 ～ 3 cm，宽约 1 mm，无毛，稍内曲，与果柄不形成

直线，果瓣中脉明显；果柄长 1 ~ 2 cm；种子每室 1 行，小型，多数，长圆形，长约 1 mm，稍扁，淡红褐色，表面有细网纹。花期 4 ~ 5 月。

| **生境分布** | 生于山坡、田野。分布于湖南株洲（渌口）、衡阳（衡南）、郴州（安仁）等。

| **资源情况** | 野生资源稀少。药材来源于野生。

| **采收加工** | **播娘蒿：**夏、秋季采收，鲜用或晒干。
葶苈子：4 月底至 5 月上旬果实呈黄绿色时及时收割，以免种子过熟而脱落，晒干，除去杂质。

| **功能主治** | **播娘蒿：**辛，平。利湿通淋。用于气淋，劳淋，疥癣。
葶苈子：辛、苦，寒。归肺、膀胱、大肠经。泻肺祛痰平喘，利水消肿，泻热逐邪。用于痰涎壅肺之喘咳痰多，肺痈，水肿，胸腹积水，小便不利，慢性肺源性心脏病，心力衰竭之喘肿，痈疽恶疮，瘰疬结核。

| **用法用量** | **播娘蒿：**内服煎汤，15 ~ 30 g。外用适量，煎汤熏洗。
葶苈子：内服煎汤，3 ~ 9 g；或入丸、散剂。外用适量，煎汤洗；或研末调敷。

十字花科 Brassicaceae 菘蓝属 Isatis

菘蓝 *Isatis indigotica* Fortune

药 材 名

板蓝根（药用部位：根。别名：靛青根、蓝靛根）、大青叶（药用部位：叶。别名：蓝叶、蓝菜）。

形态特征

二年生草本，高 40 ~ 100 cm。茎直立，绿色，带白粉霜，光滑无毛，顶部多分枝。基生叶莲座状，长圆形至宽倒披针形，长 5 ~ 15 cm，宽 1.5 ~ 4 cm，先端钝或尖，基部渐狭，全缘或稍具波状齿，具柄；茎生叶蓝绿色，长椭圆形或长圆状披针形，长 7 ~ 15 cm，宽 1 ~ 4 cm，基部叶的耳不明显或为圆形。萼片宽卵形或宽披针形，长 2 ~ 2.5 mm；花瓣黄白色，宽楔形，长 3 ~ 4 mm，先端近平截，具短爪。短角果近长圆形，扁平，无毛，边缘有翅；果柄细长，微下垂；种子长圆形，长 3 ~ 3.5 mm，淡褐色。花期 4 ~ 5 月，果期 5 ~ 6 月。

生境分布

栽培于排水良好、疏松肥沃的砂壤土中。分布于湖南邵阳（新邵、武冈）、常德（临澧）、永州（江华）、怀化（溆浦）、张家界（慈利）、娄底（涟源）等。

| **资源情况** | 栽培资源较丰富。药材来源于栽培。

| **采收加工** | **板蓝根**：秋季采挖，除去泥沙，晒干。

大青叶：8 ~ 10 月采收，晒干或鲜用。

| **功能主治** | **板蓝根**：苦，寒。归心、胃经。清热解毒，凉血利咽。用于温疫时毒，发热咽痛，温毒发斑，痄腮，烂喉丹痧，大头瘟疫，丹毒，痈肿。

大青叶：苦，寒。归心、胃、肝、肺经。清热解毒，凉血消斑。用于温热病高热烦渴，神昏，斑疹，吐血，衄血，黄疸，泻痢，丹毒，喉痹，口疮，痄腮。

| **用法用量** | **板蓝根**：内服煎汤，9 ~ 15 g。

大青叶：内服煎汤，10 ~ 15 g，鲜品 30 ~ 60 g；或捣汁服。外用适量，捣敷；或煎汤洗。

十字花科 Brassicaceae 独行菜属 Lepidium

北美独行菜 *Lepidium virginicum* L.

| 药 材 名 | 葶苈子（药用部位：种子。别名：丁历、大适、大室）、大叶香荠菜（药用部位：全草。别名：北美独行菜、土荆芥穗、辣菜）。

| 形态特征 | 一年生或二年生草本，高 20 ～ 50 cm。茎单一，直立，上部分枝，具柱状腺毛。基生叶倒披针形，长 1 ～ 5 cm，羽状分裂或大头羽裂，裂片大小不等，卵形或长圆形，边缘有锯齿，两面有短伏毛，叶柄长 1 ～ 1.5 cm；茎生叶有短柄，倒披针形或线形，长 1.5 ～ 5 cm，宽 2 ～ 10 mm，先端急尖，基部渐狭，有尖锯齿或全缘。总状花序顶生；萼片椭圆形，长约 1 mm；花瓣白色，倒卵形，与萼片等长或较萼片稍长；雄蕊 2 或 4。短角果近圆形，长 2 ～ 3 mm，宽 1 ～ 2 mm，扁平，有窄翅，先端微缺，花柱极短；果柄长 2 ～ 3 mm；

种子卵形，长约 1 mm，光滑，红棕色，边缘有窄翅，子叶缘倚胚根。花期 4 ~ 5 月，果期 6 ~ 7 月。

| **生境分布** | 生于田边或荒地。湖南有广泛分布。

| **资源情况** | 野生资源较丰富。药材来源于野生。

| **采收加工** | **葶苈子**：4 月底至 5 月上旬当果实呈黄绿色时及时采收，以免种子因过熟而脱落，晒干，除去杂质。

大叶香荠菜：春、夏季采收，鲜用或晒干。

| **功能主治** | **葶苈子**：辛、苦，寒。归肺、膀胱、大肠经。泻肺祛痰平喘，利水消肿，泻热逐邪。用于痰涎壅肺之喘咳痰多，肺痈，水肿，胸腹积水，小便不利，慢性肺源性心脏病，心力衰竭之喘肿，痈疽恶疮，瘰疬结核。

大叶香荠菜：甘，平。驱虫消积。用于小儿虫积腹胀。

| **用法用量** | **葶苈子**：内服煎汤，3 ~ 9 g；或入丸、散剂。外用适量，煎汤洗；或研末调敷。

大叶香荠菜：内服煎汤，9 ~ 15 g。

十字花科 Brassicaceae 豆瓣菜属 Nasturtium

豆瓣菜 *Nasturtium officinale* R. Br.

| 药 材 名 |

西洋菜干（药用部位：全草。别名：豆瓣菜、无心菜、西洋菜）。

| 形态特征 |

多年生水生草本，高 20 ~ 40 cm，全体光滑无毛。茎匍匐或浮水生，多分枝，节上生不定根。奇数羽状复叶；小叶片 3 ~ 7（~ 9），宽卵形、长圆形或近圆形，先端 1 小叶较大，长 2 ~ 3 cm，宽 1.5 ~ 2.5 cm，具钝头或微凹，近全缘或呈浅波状，基部平截，小叶柄细而扁，侧生小叶与顶生小叶相似，基部不等，叶柄基部呈耳状，略抱茎。总状花序顶生，花多数；萼片长卵形，长 2 ~ 3 mm，宽约 1 mm，边缘膜质，基部略呈囊状；花瓣白色，倒卵形或宽匙形，具脉纹，长 3 ~ 4 mm，宽 1 ~ 1.5 mm，先端圆，基部渐狭成细爪。长角果圆柱形而扁，长 15 ~ 20 mm，宽 1.5 ~ 2 mm；果柄纤细，开展或微弯；花柱短；种子每室 2 行，卵形，直径约 1 mm，红褐色，表面具网纹。花期 4 ~ 5 月，果期 6 ~ 7 月。

| 生境分布 |

生于海拔 850 ~ 2 000 m 的水中、水沟边、山涧河边、沼泽地或水田中。分布于湖南怀化（麻阳）等。

| **资源情况** | 野生资源稀少。药材来源于野生。

| **采收加工** | 冬、春季采收，晒干。

| **功能主治** | 甘、淡，凉。清肺，凉血，利尿，解毒。用于肺热燥咳，维生素 C 缺乏症，尿路感染，疔毒痈肿，皮肤瘙痒。

| **用法用量** | 内服煎汤，10 ～ 15 g；或煮食。外用适量，捣敷。

十字花科 Brassicaceae 堇叶芥属 Neomartinella

堇叶芥 *Neomartinella violifolia* (Lévl.) Pilger

| 药 材 名 |

马庭芥（药用部位：全草）。

| 形态特征 |

一年生矮小草本，高 5 ~ 9 cm。主根细长。叶全部基生，单叶，心形至肾形，长 1.8 ~ 4 cm，宽 1.7 ~ 3.8 cm，叶脉掌状，先端微凹，边缘具波状圆齿，每齿缺处均具短尖头；叶柄长 3 ~ 8 cm。总状花序数个，花排列疏松；萼片卵形，长约 1.8 mm，内轮萼片基部不呈囊状；花白色，倒卵形至长圆形，长约 3.5 mm，先端深凹；雄蕊花丝基部呈翅状；雌蕊长椭圆形，花柱短，柱头头状。长角果弯弓状线形，果瓣宽，具中脉；果柄细长，长 1.5 ~ 2 cm，直立向上；种子椭圆形，尚未成熟。花果期 3 月。

| 生境分布 |

生于海拔达 1 600 m 的石缝中。分布于湖南邵阳（邵阳、绥宁）、张家界（武陵源）、郴州（北湖、临武）、湘西州（吉首、花垣、古丈）等。

| 资源情况 |

野生资源一般。药材来源于野生。

| 功能主治 | 清热解毒。用于痈疮肿毒。

| 附　　注 | 本种的拉丁学名在《中国植物志》中被修订为 *Eutrema violifolium* (H. Lévl.) Al-Shehbaz et Warwick。

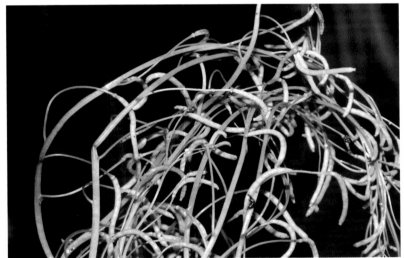

十字花科 Brassicaceae 萝卜属 Raphanus

萝卜

Raphanus sativus L.

药材名

莱菔（药用部位：鲜根。别名：地灯笼、寿星头、萝卜）、地骷髅（药用部位：开花结实后的老根。别名：仙人骨、枯萝卜、老萝卜头）、莱菔叶（药用部位：基生叶。别名：萝卜叶、萝卜杆叶、莱菔菜）、莱菔子（药用部位：种子。别名：萝卜子、芦菔子）。

形态特征

一年生或二年生草本，高 20 ~ 100 cm。直根肉质，长圆形、球形或圆锥形，外皮绿色、白色或红色。茎有分枝，无毛，稍具粉霜。基生叶和下部茎生叶大头羽状半裂，长 8 ~ 30 cm，宽 3 ~ 5 cm，顶裂片卵形，侧裂片 4 ~ 6 对，长圆形，有钝齿，疏生粗毛；上部茎生叶长圆形，有锯齿或近全缘。总状花序顶生及腋生；花白色或粉红色，直径 1.5 ~ 2 cm；花梗长 5 ~ 15 mm；萼片长圆形，长 5 ~ 7 mm；花瓣倒卵形，长 1 ~ 1.5 cm，具紫纹，下部有长 5 mm 的爪。长角果圆柱形，长 3 ~ 6 cm，宽 10 ~ 12 mm，在种子间处缢缩，并形成海绵质横隔，先端喙长 1 ~ 1.5 cm；果柄长 1 ~ 1.5 cm；种子 1 ~ 6，卵形，微扁，长约 3 mm，红棕色，有细网纹。花期 4 ~ 5 月，果期 5 ~ 6 月。

| 生境分布 | 栽培种。湖南各地均有栽培。

| 资源情况 | 栽培资源丰富。药材来源于栽培。

| 采收加工 | **莱菔：** 秋、冬季采挖，除去茎叶，洗净。
地骷髅： 待种子成熟后将根拔出，剪除地上部分，将根洗净，晒干，贮于干燥处。
莱菔叶： 冬季或早春采收，洗净，风干或晒干，或鲜用。
莱菔子： 5～8月采收成熟果实，晒干，打下种子，除去杂质，放于干燥处贮藏。

| 功能主治 | **莱菔：** 辛、甘，凉。归脾、胃、肺、大肠经。消食，下气，化痰，止血，解渴，利尿。用于消化不良，食积胀满，吞酸，腹泻，痢疾，痰热咳嗽，咽喉不利，咯血，吐血，衄血，便血，消渴，淋浊；外用于疮疡，跌打损伤，烫伤，冻疮。
地骷髅： 甘、微辛，平。归脾、胃、肺经。行气消积，化痰，解渴，利水消肿。用于食积气滞，腹胀痞满，痢疾，咳嗽痰多，消渴，脚气，水肿。
莱菔叶： 辛、苦，平。归脾、胃、肺经。消食理气，清肺利咽，散瘀消肿。用于食积气滞，腹胀痞满，呃逆，吐酸，泄泻，痢疾，咳痰，音哑，咽喉肿痛，乳房肿痛，乳汁不通；外用于跌打损伤。
莱菔子： 辛、甘，平。归脾、胃、肺、大肠经。消食导滞，降气化痰。用于食积气滞，脘腹胀痛，腹泻，下痢后重，咳嗽痰多，气逆喘满。

| **用法用量** | **莱菔**：内服捣汁饮，30 ~ 100 g；或煎汤；或煮食；或生食。外用适量，捣敷；或捣汁涂；或煎汤洗。

地骷髅：内服煎汤，10 ~ 30 g；或入丸、散剂。

莱菔叶：内服煎汤，10 ~ 15 g；或研末；或鲜品捣汁。外用适量，鲜品捣敷；或干品研末调敷。

莱菔子：内服煎汤，5 ~ 10 g；或入丸、散剂。外用适量，研末调敷。

十字花科 Brassicaceae 蔊菜属 Rorippa

广州蔊菜 *Rorippa cantoniensis* (Lour.) Ohwi

| 药 材 名 | 广州蔊菜（药用部位：全草。别名：细子蔊菜）。

| 形态特征 | 一年生或二年生草本，高 10 ~ 30 cm，无毛。茎直立或呈铺散状分枝。基生叶具柄，基部扩大，贴茎，叶片羽状深裂或浅裂，长 4 ~ 7 cm，宽 1 ~ 2 cm，裂片 4 ~ 6，边缘具 2 ~ 3 缺刻状齿，先端裂片较大；茎生叶渐缩小，无柄，基部呈短耳状，抱茎，叶片倒卵状长圆形或匙形，边缘常不规则齿裂，向上渐小。总状花序顶生；花黄色，近无梗，生于叶状苞片腋部；萼片 4，宽披针形，长 1.5 ~ 2 mm，宽约 1 mm；花瓣 4，倒卵形，基部渐狭成爪，稍长于萼片；雄蕊 6，近等长，花丝线形。短角果圆柱形，长 6 ~ 8 mm，宽 1.5 ~ 2 mm，柱头短，头状；种子极多数，细小，扁卵形，红褐色，表面具网纹，

一端凹缺，子叶缘倚胚根。花期3~4月，果期4~6月（也有秋季开花结实者）。

| 生境分布 | 生于海拔500~1 800 m的田边、路旁、山沟、河边或潮湿地。分布于湖南长沙（岳麓、浏阳）、衡阳（石鼓）、邵阳（大祥）、常德（武陵、澧县）、益阳（沅江）、郴州（桂阳、永兴、桂东）、永州（冷水滩、东安、道县）、怀化（通道）、湘西州（泸溪）等。

| 资源情况 | 野生资源一般。药材来源于野生。

| 功能主治 | 清热解毒，镇咳。

十字花科 Brassicaceae 蔊菜属 *Rorippa*

无瓣蔊菜 *Rorippa dubia* (Pers.) Hara

| 药 材 名 | 蔊菜（药用部位：全草。别名：辣米菜、野油菜、塘葛菜）。

| 形态特征 | 一年生草本，高 10 ～ 30 cm，植株较柔弱，光滑无毛，直立或呈铺散状分枝，表面具纵沟。单叶互生；基生叶与茎下部叶倒卵形或倒卵状披针形，长 3 ～ 8 cm，宽 1.5 ～ 3.5 cm，多数呈大头羽状分裂，顶裂片大，边缘具不规则锯齿，下部具 1 ～ 2 对小裂片，稀不裂，叶质薄；茎上部叶卵状披针形或长圆形，边缘具波状齿；上、下部叶形及大小多变化，具短柄或无柄。总状花序顶生或侧生；花小，多数，具细花梗；萼片 4，直立，披针形至线形，长约 3 mm，宽约 1 mm，边缘膜质；无花瓣（偶有不完全花瓣）；雄蕊 6，其中 2 较短。长角果线形，长 2 ～ 3.5 cm，宽约 1 mm，细而直；果柄纤细，

斜升或近水平开展；种子每室 1 行，多数，细小，褐色，近卵形，一端尖而微凹，表面具细网纹，子叶缘倚胚根。花期 4 ~ 6 月，果期 6 ~ 8 月。

| **生境分布** | 生于海拔 500 ~ 2 000 m 的山坡路旁、山谷、河边湿地、园圃及田野较潮湿处。分布于湖南长沙（岳麓）、邵阳（邵阳）、怀化（会同、麻阳、通道）、湘西州（吉首）、娄底（涟源）等。

| **资源情况** | 野生资源一般。药材来源于野生。

| **采收加工** | 5 ~ 7 月采收，鲜用或晒干。

| **功能主治** | 辛、苦，微温。归肺、肝经。祛痰止咳，解表散寒，活血解毒，利湿退黄。用于咳嗽痰喘，感冒发热，麻疹透发不畅，风湿痹痛，咽喉肿痛，疔疮痈肿，漆疮，闭经，跌打损伤，黄疸，水肿。

| **用法用量** | 内服煎汤，10 ~ 30 g，鲜品加倍；或捣绞汁服。外用适量，捣敷。

十字花科 Brassicaceae 蔊菜属 Rorippa

风花菜

Rorippa globosa (Turcz.) Hayek

| 药 材 名 |

风花菜（药用部位：全草。别名：银条菜、水蔓青、球果蔊菜）。

| 形 态 特 征 |

一年生或二年生直立粗壮草本，高 20 ～ 80 cm，植株被白色硬毛或近无毛。茎单一，基部木质化，下部被白色长毛，上部近无毛，分枝或不分枝。茎下部叶具柄，上部叶无柄；叶片长圆形至倒卵状披针形，长 5 ～ 15 cm，宽 1 ～ 2.5 cm，基部渐狭，下延成短耳状而半抱茎，边缘具不整齐粗齿，两面被疏毛，尤以叶脉为显。总状花序多数，呈圆锥花序状排列，果期伸长；花小，黄色，具细梗，长 4 ～ 5 mm；萼片 4，长卵形，长约 1.5 mm，开展，基部等大，边缘膜质；花瓣 4，倒卵形，与萼片等长或较萼片稍短，基部渐狭成短爪；雄蕊 6，四强或近等长。短角果近球形，直径约 2 mm，果瓣隆起，平滑无毛，有不明显网纹，先端具宿存短花柱；果柄纤细，呈水平开展或稍向下弯，长 4 ～ 6 mm；种子多数，淡褐色，极细小，扁卵形，一端微凹，子叶缘倚胚根。花期 4 ～ 6 月，果期 7 ～ 9 月。

| **生境分布** | 生于海拔 30 ~ 2 000 m 的河岸、湿地、路旁、沟边或草丛中，也生于干旱处。湖南有广泛分布。 |

| **资源情况** | 野生资源较丰富。药材来源于野生。 |

| **功能主治** | 补肾，凉血。用于乳痈。 |

十字花科 Brassicaceae 蔊菜属 Rorippa

蔊菜
Rorippa indica (L.) Hiern

| 药 材 名 | 蔊菜（药用部位：全草。别名：辣米菜、野油菜、塘葛菜）。

| 形态特征 | 一年生或二年生直立草本，高 20 ~ 40 cm，植株较粗壮，无毛或具疏毛。茎单一或分枝，表面具纵沟。叶互生；基生叶及茎下部叶具长柄，叶形多变化，通常大头羽状分裂，长 4 ~ 10 cm，宽 1.5 ~ 2.5 cm，先端裂片大，卵状披针形，边缘具不整齐牙齿，侧裂片 1 ~ 5 对；茎上部叶宽披针形或匙形，边缘具疏齿，具短柄或基部耳状抱茎。总状花序顶生或侧生；花小，多数，具细花梗；萼片 4，卵状长圆形，长 3 ~ 4 mm；花瓣 4，黄色，匙形，基部渐狭成短爪，与萼片近等长；雄蕊 6，其中 2 稍短。长角果线状圆柱形，短而粗，长 1 ~ 2 cm，宽 1 ~ 1.5 mm，直立或稍内弯，成熟时果瓣隆起；果

柄纤细，长 3 ～ 5 mm，斜升或近水平开展；种子每室 2 行，多数，细小，卵圆形而扁，一端微凹，表面褐色，具细网纹，子叶缘倚胚根。花期 4 ～ 6 月，果期 6 ～ 8 月。

| **生境分布** | 生于海拔 230 ～ 1 450 m 的路旁、田边、园圃、河边、屋边墙脚等较潮湿处。栽培于排水良好、疏松肥沃的土壤中。湖南各地均有分布。

| **资源情况** | 野生资源丰富。栽培资源丰富。药材来源于野生和栽培。

| **采收加工** | 5 ～ 7 月采收，鲜用或晒干。

| **功能主治** | 辛、苦，微温。归肺、肝经。祛痰止咳，解表散寒，活血解毒，利湿退黄。用于咳嗽痰喘，感冒发热，麻疹透发不畅，风湿痹痛，咽喉肿痛，疔疮痈肿，漆疮，闭经，跌打损伤，黄疸，水肿。

| **用法用量** | 内服煎汤，10 ～ 30 g，鲜品加倍；或捣绞汁服。外用适量，捣敷。

十字花科 Brassicaceae 蔊菜属 Rorippa

沼生蔊菜 Rorippa islandica (Oed.) Borb.

| 药 材 名 | 水前草（药用部位：全草。别名：水萝卜、蔊菜、叶香）。

| 形态特征 | 一年生或二年生草本，高（10 ~ ）20 ~ 50 cm，通常光滑无毛，稀有单毛。茎直立，单一或分枝，下部常带紫色，具棱。基生叶多数，具柄，叶片羽状深裂或大头羽裂，长圆形至狭长圆形，长 5 ~ 10 cm，宽 1 ~ 3 cm，裂片 3 ~ 7 对，边缘不规则浅裂或呈深波状，先端裂片较大，基部耳状抱茎，有时有缘毛；茎生叶向上渐小，近无柄，叶片羽状深裂或具齿，基部耳状抱茎。总状花序顶生或腋生，果期伸长；花小，多数，黄色或淡黄色，具纤细花梗，长 3 ~ 5 mm；萼片长椭圆形，长 1.2 ~ 2 mm，宽约 0.5 mm；花瓣长倒卵形至楔形，等长于或稍短于萼片；雄蕊 6，近等长，花丝线状。短角果椭圆形

或近圆柱形，有时稍弯曲，长 3 ~ 8 mm，宽 1 ~ 3 mm，果瓣肿胀；种子每室 2 行，多数，褐色，细小，近卵形而扁，一端微凹，表面具细网纹，子叶缘倚胚根。花期 4 ~ 7 月，果期 6 ~ 8 月。

| **生境分布** | 生于溪岸、路旁、田边、山坡草地及草场等潮湿环境或近水处。分布于湖南湘西州（泸溪）等。

| **资源情况** | 野生资源稀少。药材来源于野生。

| **采收加工** | 7 ~ 8 月采收，洗净，切段，晒干。

| **功能主治** | 辛、苦，凉。归肝、膀胱经。清热解毒，利水消肿。用于风热感冒，咽喉肿痛，黄疸，淋病，水肿，关节炎，痈肿，烫火伤。

| **用法用量** | 内服煎汤，6 ~ 15 g。外用适量，捣敷。

| **附　　注** | 本种的拉丁学名在 FOC 中被修订为 *Rorippa palustris* (Linnaeus) Besser。

悬铃木科 Platanaceae 悬铃木属 Platanus

法国梧桐 *Platanus orientalis* L.

| 药 材 名 |

三球悬铃木（药用部位：叶、果实。别名：悬铃木、法国梧桐）。

| 形态特征 |

落叶大乔木，高 30 余米。树皮薄片状脱落。嫩枝被黄褐色绒毛；老枝秃净，干后呈红褐色。叶阔卵形，长 8 ~ 16 cm，宽 9 ~ 18 cm，上下两面初被灰黄色毛被，后毛大部分脱落，仅背脉上有毛，掌状脉 5 或 3，从基部发出；叶柄长 3 ~ 8 cm，圆柱形，被绒毛，基部膨大；托叶小，长度小于 1 cm，基部鞘状。花序具 4 花；雄性球状花序无柄，基部有长绒毛，萼片短小，雄蕊远比花瓣长，花丝极短，花药伸长，先端盾片稍扩大；雌性球状花序常有柄，萼片被毛，花瓣倒披针形，心皮 4，花柱伸长，先端卷曲。果枝有头状果序 3 ~ 5，稀有头状果序 2；头状果序直径 2 ~ 2.5 cm，宿存花柱长 3 ~ 4 mm，小坚果之间有黄色绒毛，绒毛突出头状果序外。

| 生境分布 |

栽培种。分布于湖南长沙（芙蓉、天心）、株洲（荷塘、芦淞、渌口）、湘潭（雨湖、岳塘、湘潭）、衡阳（祁东、耒阳）、邵阳（绥宁）、岳阳（湘阴）、郴州（宜章、临武、汝城）、永州（双牌）、怀化（鹤城、中方、靖州、溆浦）等。

| **资源情况** | 栽培资源一般。药材来源于栽培。

| **功能主治** | 滋补，退热，解表发汗，止血。

悬铃木科 Platanaceae 悬铃木属 Platanus

美国梧桐 *Platanus occidentalis* L.

药材名

一球悬铃木（药用部位：树皮。别名：美国梧桐）。

形态特征

落叶大乔木，高40余米。树皮有浅沟，呈块状剥落。嫩枝有黄褐色绒毛。叶大，阔卵形，通常3浅裂，稀5浅裂，10～22 cm，长度比宽度略小，基部截形、阔心形或楔形，裂片短三角形，宽度远大于长度，边缘有数个粗大锯齿，上下两面初时被灰黄色绒毛，不久毛脱落，上面秃净，下面仅脉上有毛，掌状脉3，离基约1 cm；叶柄长4～7 cm，密被绒毛；托叶较大，长2～3 cm，基部鞘状，上部扩大，呈喇叭形，早落。花通常4～6，单性，聚成圆球状头状花序；雄花的萼片及花瓣均短小，花丝极短，花药伸长，盾状药隔无毛；雌花基部有长绒毛，萼片短小，花瓣比萼片长4～5倍，心皮4～6，花柱较花瓣长。头状果序圆球状，单生，稀2，直径约3 cm，宿存花柱极短；小坚果先端钝，基部绒毛长为坚果之半，不突出头状果序外。

生境分布

栽培种。分布于湖南长沙（岳麓）、郴州

（苏仙）等。

| **资源情况** | 栽培资源稀少。药材来源于栽培。

| **功能主治** | 用于腹泻。

金缕梅科 Hamamelidaceae 蕈树属 Altingia

蕈树
Altingia chinensis (Champ.) Oliver ex Hance

| 药 材 名 | 蕈树（药用部位：根。别名：半边枫、老虎斑）。

| 形态特征 | 常绿乔木，高 20 m，胸径达 60 cm。树皮灰色，稍粗糙；当年枝无毛，干后暗褐色；芽体卵形，有短柔毛，有多数鳞状苞片。叶革质或厚革质，二年生，倒卵状矩圆形，长 7 ~ 13 cm，宽 3 ~ 4.5 cm；先端短急尖，有时略钝，基部楔形；上面深绿色，干后稍发亮；下面浅绿色，无毛；侧脉约 7 对，在上下两面均凸起，网状小脉在上面很明显，在下面稍凸起，边缘有钝锯齿，叶柄长约 1 cm，无毛，稍粗壮；托叶细小，早落。雄花短穗状花序长约 1 cm，常多个排成圆锥花序，花序梗有短柔毛；雄蕊多数，近无柄，花药倒卵形。雌花头状花序单生或数个排成圆锥花序，有花

15 ~ 26，苞片 4 ~ 5，卵形或披针形，长 1 ~ 1.5 cm；花序梗长 2 ~ 4 cm；萼筒与子房联合，萼齿乳突状；子房藏在花序轴内，花柱长 3 ~ 4 mm，有柔毛，先端向外弯曲。头状果序近球形，基底平截，宽 1.7 ~ 2.8 cm，不具宿存花柱；种子多数，褐色有光泽。

| 生境分布 |　生于海拔 600 ~ 1 000 m 的亚热带常绿林里。分布于湖南永州（江永）、郴州（宜章、桂东）等。

| 资源情况 |　野生资源稀少。药材来源于野生。

| 功能主治 |　用于风湿痛，跌打损伤，瘫痪。

金缕梅科 Hamamelidaceae 蜡瓣花属 Corylopsis

瑞木
Corylopsis multiflora Hance

| **药 材 名** | 瑞木（药用部位：根皮、叶）。

| **形态特征** | 落叶或半常绿灌木，有时为小乔木。嫩枝有绒毛，老枝秃净，灰褐色，有细小皮孔；芽体有灰白色绒毛。叶薄革质，倒卵形、倒卵状椭圆形或卵圆形，长 7 ~ 15 cm，宽 4 ~ 8 cm，先端尖锐或渐尖，基部心形，近于等侧，上面干后呈绿色，略有光泽，脉上常有柔毛，下面带灰白色，有星毛，或仅脉上有星毛，侧脉 7 ~ 9 对，在上面下陷，在下面凸起，第 1 对侧脉较靠近叶的基部，第二次分支侧脉不强烈，边缘有锯齿，齿尖突出；叶柄长 1 ~ 1.5 cm，有星毛；托叶矩圆形，长 2 cm，有绒毛，早落。总状花序长 2 ~ 4 cm，基部有 1 ~ 5 叶；总苞状鳞片卵形，长 1.5 ~ 2 cm，外面有灰白色柔毛；苞片卵形，

长 6 ~ 7 mm，有毛，小苞片 1，矩圆形，长 5 mm，有毛；花序轴及花序梗均被毛；花梗短，长约 1 mm，花后稍伸长；萼筒无毛，萼齿卵形，长 1 ~ 1.5 mm；花瓣倒披针形，长 4 ~ 5 mm，宽 1.5 ~ 2 mm；雄蕊长 6 ~ 7 mm，突出花冠外，退化雄蕊不分裂，先端截形，约与萼齿等长；子房半下位，壁厚，无毛，下半部与萼筒合生，花柱比雄蕊稍短。果序长 5 ~ 6 cm；蒴果硬木质，果皮厚，长 1.2 ~ 2 cm，宽 8 ~ 14 mm，无毛，有短柄，颇粗壮；种子黑色，长达 1 cm。

| **生境分布** | 生于海拔 1 000 ~ 1 500 m 的森林、山坡、路旁。分布于湘西北、湘西南、湘南等。

| **资源情况** | 野生资源一般。药材来源于野生。

| **功能主治** | 用于恶性发热，恶心呕吐，心悸不安，烦乱昏迷，白喉，内伤出血。

金缕梅科 Hamamelidaceae 蜡瓣花属 Corylopsis

蜡瓣花 *Corylopsis sinensis* Hemsl.

| 药 材 名 | 蜡瓣花（药用部位：根或根皮。别名：连盒子）。

| 形态特征 | 落叶灌木。嫩枝有柔毛，老枝秃净，有皮孔；芽体椭圆形，外面有柔毛。叶薄革质，倒卵圆形或倒卵形，有时为长倒卵形，长 5 ~ 9 cm，宽 3 ~ 6 cm，先端急短尖或略钝，基部不等侧心形，上面秃净无毛，或仅中肋有毛，下面有灰褐色星状柔毛，侧脉 7 ~ 8 对，最下面 1 对侧脉靠近基部，第二次分支侧脉不强烈，边缘有锯齿，齿尖刺毛状；叶柄长约 1 cm，有星毛；托叶窄矩形，长约 2 cm，略有毛。总状花序长 3 ~ 4 cm；花序梗长约 1.5 cm，被毛，花序轴长 1.5 ~ 2.5 cm，有长绒毛；总苞状鳞片卵圆形，长约 1 cm，外面有柔毛，内面有长丝毛；苞片卵形，长 5 mm，外面有毛；小苞片矩

圆形，长 3 mm；萼筒有星状绒毛，萼齿卵形，先端略钝，无毛；花瓣匙形，长 5 ~ 6 mm，宽约 4 mm；雄蕊比花瓣略短，长 4 ~ 5 mm，退化雄蕊 2 裂，先端尖，与萼齿等长或较萼齿略长；子房有星毛，花柱长 6 ~ 7 mm，基部有毛。果序长 4 ~ 6 cm；蒴果近圆球形，长 7 ~ 9 mm，被褐色柔毛；种子黑色，长 5 mm。

| 生境分布 | 生于山地灌丛。湖南有广泛分布。

| 资源情况 | 野生资源一般。药材来源于野生。

| 采收加工 | 夏季采收，洗净，晒干。

| 功能主治 | 疏风和胃，宁心安神。用于外感风邪，头痛，恶心呕吐，心悸，烦躁不安。

| 用法用量 | 内服煎汤，3 ~ 10 g。

金缕梅科 Hamamelidaceae 蜡瓣花属 *Corylopsis*

秃蜡瓣花

Corylopsis sinensis Hemsl. var. *calvescens* Rehd. et Wils.

| 药 材 名 | 秃蜡瓣花（药用部位：根或根皮）。

| 形态特征 | 嫩枝及芽体无毛。叶阔卵形或矩圆状倒卵形，先端尖或渐尖，基部不等侧心形，或近平截，下面灰色，秃净无毛，或仅背脉上有毛，边缘有刺状齿突。总状花序长 3 ~ 4 cm，花序梗及花序轴均有绒毛，总苞状鳞片有毛，萼筒及子房有毛，萼齿无毛。蒴果有星毛。

| 生境分布 | 生于海拔 1 000 m 以上的山脊。分布于湖南湘西州（保靖）等。

| 资源情况 | 野生资源一般。药材来源于野生。

| 采收加工 | 夏季采收，洗净，晒干。

| **功能主治** | 疏风和胃，宁心安神。用于外感风邪，头痛，恶心呕吐，心悸，烦躁不安。

| **用法用量** | 内服煎汤，3 ~ 10 g。

金缕梅科 Hamamelidaceae 蚊母树属 Distylium

小叶蚊母树

Distylium buxifolium (Hance) Merr.

| 药 材 名 | 小叶蚊母树果（药用部位：果实）。

| 形态特征 | 常绿灌木，高 1 ~ 2 m。嫩枝秃净或略有柔毛，纤细，节间长 1 ~ 2.5 cm，老枝无毛，有皮孔，干后呈灰褐色；芽体有褐色柔毛。叶薄革质，倒披针形或矩圆状倒披针形，长 3 ~ 5 cm，宽 1 ~ 1.5 cm，先端锐尖，基部狭窄下延，上面绿色，干后晦暗无光泽，下面秃净无毛，干后稍带褐色，侧脉 4 ~ 6 对，在上面不明显，在下面略凸起，网脉在两面均不显著，边缘无锯齿，仅在最尖端有由中肋突出的小尖突；叶柄极短，长不到 1 mm，无毛；托叶短小，早落。雌花或两性花的穗状花序腋生，长 1 ~ 3 cm，花序轴有毛，苞片线状披针形，长 2 ~ 3 mm，萼筒极短，萼齿披针形，长 2 mm；雄蕊未见；

子房有星毛，花柱长 5 ～ 6 mm。蒴果卵圆形，长 7 ～ 8 mm，有褐色星状绒毛，先端尖锐，宿存花柱长 1 ～ 2 mm；种子褐色，长 4 ～ 5 mm，发亮。

| 生境分布 |　生于山溪边或河边。分布于湖南长沙（岳麓）、衡阳（雁峰、石鼓）、岳阳（华容）、怀化（鹤城）等。

| 资源情况 |　野生资源稀少。药材来源于野生。

| 功能主治 |　用于癥瘕痞块。

金缕梅科 Hamamelidaceae 蚊母树属 Distylium

杨梅叶蚊母树

Distylium myricoides Hemsl.

| 药 材 名 |

杨梅叶蚊母树根（药用部位：根）。

| 形态特征 |

常绿灌木或小乔木。嫩枝有鳞垢，老枝无毛，有皮孔，干后呈灰褐色；芽体无鳞状苞片，外面有鳞垢。叶革质，矩圆形或倒披针形，长 5 ~ 11 cm，宽 2 ~ 4 cm，先端锐尖，基部楔形，上面绿色，干后晦暗无光泽，下面秃净无毛，侧脉约 6 对，干后在上面下陷，在下面凸起，网脉在上面不明显，在下面稍明显，边缘上半部有数个小齿突；叶柄长 5 ~ 8 mm，有鳞垢；托叶早落。总状花序腋生，长 1 ~ 3 cm，两性花与雄花同在 1 花序上；两性花位于花序先端，花序轴有鳞垢，苞片披针形，长 2 ~ 3 mm，萼筒极短，萼齿 3 ~ 5，披针形，长约 3 mm，有鳞垢，雄蕊 3 ~ 8，花药长约 3 mm，红色，花丝长不及 2 mm，子房上位，有星毛，花柱长 6 ~ 8 mm；雄花的萼筒很短，雄蕊长短不一，无退化子房。蒴果卵圆形，长 1 ~ 1.2 cm，有黄褐色星毛，先端尖，4 裂，基部无宿存萼筒；种子长 6 ~ 7 cm，褐色，有光泽。

| 生境分布 | 生于亚热带常绿林中。分布于湖南长沙（长沙）、邵阳（双清）、常德（澧县）、永州（新田）、湘西州（花垣、古丈）等。

| 资源情况 | 野生资源稀少。药材来源于野生。

| 采收加工 | 全年均可采挖，洗净，晒干。

| 药材性状 | 本品长圆锥形，长短不一，表面灰褐色。质坚硬，不易折断，断面纤维性。气微，味淡。

| 功能主治 | 利水渗湿，祛风活络。用于水肿，风湿关节痛，跌打损伤。

| 用法用量 | 内服煎汤，6 ~ 12 g。

金缕梅科 Hamamelidaceae 蚊母树属 Distylium

蚊母树
Distylium racemosum Sieb. et Zucc.

| **药 材 名** | 蚊母树根（药用部位：根）。

| **形态特征** | 常绿灌木或中乔木。嫩枝有鳞垢，老枝秃净，干后呈暗褐色；芽体裸露，无鳞状苞片，被鳞垢。叶革质，椭圆形或倒卵状椭圆形，长 3 ~ 7 cm，宽 1.5 ~ 3.5 cm，先端钝或略尖，基部阔楔形，上面深绿色，发亮，下面初时有鳞垢，后变秃净，侧脉 5 ~ 6 对，在上面不明显，在下面稍凸起，网脉在上下两面均不明显，边缘无锯齿；叶柄长 5 ~ 10 mm，略有鳞垢；托叶细小，早落。总状花序长约 2 cm，花序轴无毛，总苞片 2 ~ 3，卵形，有鳞垢，苞片披针形，长 3 mm，雌、雄花在同一花序上，雌花位于花序的先端；萼筒短，萼齿大小不等，被鳞垢；雄蕊 5 ~ 6，花丝长约 2 mm，花药

长 3.5 mm，红色；子房有星状绒毛，花柱长 6 ~ 7 mm。蒴果卵圆形，长 1 ~ 1.3 cm，先端尖，外面有褐色星状绒毛，上半部 2 片裂开，每片 2 浅裂，不具宿存萼筒，果柄短，长不及 2 mm；种子卵圆形，长 4 ~ 5 mm，深褐色，发亮，种脐白色。

| 生境分布 | 生于山地溪旁杂木林。湖南有广泛分布。

| 资源情况 | 野生资源一般。药材来源于野生。

| 功能主治 | 活血化瘀，抗肿瘤。

金缕梅科 Hamamelidaceae 马蹄荷属 Exbucklandia

大果马蹄荷

Exbucklandia tonkinensis (Lec.) Steenis

| 药 材 名 | 马蹄荷（药用部位：根）。

| 形态特征 | 常绿乔木，高达 30 m。嫩枝有褐色柔毛，老枝变秃净，节膨大，有环状托叶痕。叶革质，阔卵形，长 8 ~ 13 cm，宽 5 ~ 9 cm，先端渐尖，基部阔楔形，全缘或幼叶掌状 3 浅裂，上面深绿色，发亮，下面无毛，常有细小瘤状突起，掌状脉 3 ~ 5，在上面显著，在下面隆起；叶柄长 3 ~ 5 cm，初时有柔毛，后变秃净；托叶狭矩圆形，稍弯曲，长 2 ~ 4 cm，宽 8 ~ 13 mm，被柔毛，早落。头状花序单生，或数个排成总状花序，有花 7 ~ 9，花序梗长 1 ~ 1.5 cm，被褐色绒毛；花两性，稀单性，萼齿鳞片状；无花瓣；雄蕊约 13，长约 8 mm；子房有黄褐色柔毛，花柱长 4 ~ 5 mm。头状果序宽 3 ~ 4 cm，有

蒴果 7 ~ 9；蒴果卵圆形，长 1 ~ 1.5 cm，宽 8 ~ 10 mm，表面有小瘤状突起；种子 6，下部 2 种子有翅，长 8 ~ 10 mm。

| **生境分布** | 生于海拔 800 ~ 1 000 m 的山地常绿林和山谷低洼处。分布于湖南郴州（汝城）等。

| **资源情况** | 野生资源稀少。药材来源于野生。

| **采收加工** | 全年均可采挖，洗净，晒干或鲜用。

| **功能主治** | 清热解毒，消肿。用于痤疮。

| **用法用量** | 外用适量，捣敷。

金缕梅科 Hamamelidaceae 牛鼻栓属 Fortunearia

牛鼻栓
Fortunearia sinensis Rehd. et Wils.

| 药 材 名 |

牛鼻栓（药用部位：枝叶、根。别名：千斤力）。

| 形态特征 |

落叶灌木或小乔木，高 5 m。嫩枝有灰褐色柔毛，老枝秃净无毛，有稀疏皮孔，干后呈褐色或灰褐色；芽体细小，无鳞状苞片，被星毛。叶膜质，倒卵形或倒卵状椭圆形，长 7 ~ 16 cm，宽 4 ~ 10 cm，先端锐尖，基部圆形或钝，稍偏斜，上面深绿色，除中肋外其余部位秃净无毛，下面浅绿色，脉上有长毛，侧脉 6 ~ 10 对，第 1 对侧脉第二次分支侧脉不明显，边缘有锯齿，齿尖稍向下弯；叶柄长 4 ~ 10 mm，有毛；托叶早落。两性花的总状花序长 4 ~ 8 cm，花序梗长 1 ~ 1.5 cm，花序轴长 4 ~ 7 cm，均有绒毛；苞片及小苞片披针形，长约 2 mm，有星毛；萼筒长 1 mm，无毛；萼齿卵形，长 1.5 mm，先端有毛；花瓣狭披针形，比萼齿短；花梗长 1 ~ 2 mm，有星毛；雄蕊近无柄，花药卵形，长 1 mm；子房略有毛，花柱长 1.5 mm，反卷。蒴果卵圆形，长 1.5 cm，外面无毛，有白色皮孔，沿室间 2 片裂开，每片 2 浅裂，果瓣先端尖，果柄长 5 ~ 10 mm；种子卵圆形，长约 1 cm，宽 5 ～ 6 mm，褐色，有光泽，种脐马鞍形，稍带白色。

| **生境分布** | 生于山坡杂木林或岩石缝中。分布于湖南邵阳（绥宁）等。

| **资源情况** | 野生资源稀少。药材来源于野生。

| **采收加工** | 枝叶，春、夏季采收，洗净，晒干。根，全年均可采收，洗净，晒干或鲜用。

| **药材性状** | 本品茎枝圆柱形，长短及粗细不一，表面褐色或灰褐色，有稀疏的圆形皮孔，小枝密生星状毛。叶多皱缩，完整叶片展平后呈倒卵状椭圆形，基部稍偏斜，长 6 ～ 16 cm，宽 3 ～ 9 cm，叶片下面、叶脉及叶柄均有星状毛，边缘有锯齿。气微，味微苦、涩。

| **功能主治** | 益气，止血。用于气虚，劳伤乏力，创伤出血。

| **用法用量** | 内服煎汤，10 ～ 24 g。外用适量，捣敷。

金缕梅科 Hamamelidaceae 金缕梅属 Hamamelis

金缕梅
Hamamelis mollis Oliver

| 药 材 名 | 金缕梅（药用部位：根）。

| 形态特征 | 落叶灌木或小乔木，高达 8 m。嫩枝有星状绒毛，老枝秃净；芽体长卵形，有灰黄色绒毛。叶纸质或薄革质，阔倒卵圆形，长 8 ~ 15 cm，宽 6 ~ 10 cm，先端短急尖，基部不等侧心形，上面稍粗糙，有稀疏星状毛，不发亮，下面密生灰色星状绒毛，侧脉 6 ~ 8 对，最下面 1 对侧脉有明显的第二次分支侧脉，侧脉在上面显著，在下面凸起，边缘有波状钝齿；叶柄长 6 ~ 10 mm，被绒毛；托叶早落。头状或短穗状花序腋生，有花数朵，无花梗；苞片卵形，花序梗短，长不到 5 mm；萼筒短，与子房合生，萼齿卵形，长 3 mm，宿存，均被星状绒毛；花瓣带状，长约 1.5 cm，黄白色；雄蕊 4，

花丝长 2 mm，花药与花丝几等长，退化雄蕊 4，先端平截；子房有绒毛，花柱长 1 ~ 1.5 mm。蒴果卵圆形，长 1.2 cm，宽 1 cm，密被黄褐色星状绒毛，萼筒长约为蒴果的 1/3；种子椭圆形，长约 8 mm，黑色，发亮。花期 5 月。

| **生境分布** | 生于中海拔的次生林或密林中。分布于湖南张家界（武陵源、桑植）、郴州（临武）、娄底（新化）、怀化（沅陵）、湘西州（保靖）等。

| **资源情况** | 野生资源稀少。药材来源于野生。

| **采收加工** | 秋季采挖，洗净，晒干或鲜用。

| **药材性状** | 本品呈圆锥形，直径 1 ~ 4 cm，长短不一。表面暗灰色。质坚硬，不易折断，断面纤维性，皮部暗灰色，木部白色或淡黄白色。气微，味淡。

| **功能主治** | 益气。用于劳伤乏力。

| **用法用量** | 内服煎汤，15 ~ 30 g，鲜品 60 ~ 90 g。

金缕梅科 Hamamelidaceae 枫香树属 Liquidambar

缺萼枫香树

Liquidambar acalycina Chang

| 药 材 名 |

缺萼枫香树（药用部位：根、叶、果实）。

| 形态特征 |

落叶乔木。高达 25 m。树皮黑褐色；小枝无毛，有皮孔，干后黑褐色。叶阔卵形，掌状 3 裂，长 8 ~ 13 cm，宽 8 ~ 15 cm，中央裂片较长，先端尾状渐尖，两侧裂片三角状卵形，稍平展，上下两面均无毛，暗晦无光泽，或幼嫩时基部有柔毛，下面有时稍带灰色，掌状脉 3 ~ 5，在上面显著，在下面凸起，网脉在上下两面均明显，边缘有锯齿，齿尖有腺状突；叶柄长 4 ~ 8 cm；托叶线形，长 3 ~ 10 mm，着生于叶柄基部，有褐色绒毛。雄性短穗状花序多个排成总状花序；花序梗长约 3 cm；花丝长 1.5 mm，花药卵圆形。雌性头状花序单生于短枝的叶腋内，有雌花 15 ~ 26；花序梗长 3 ~ 6 cm，略被短柔毛；萼齿不存在，或为鳞片状，有时极短；花柱长 5 ~ 7 mm，被褐色短柔毛，先端卷曲。头状果序宽 2.5 cm，干后变黑褐色，疏松易碎，宿存花柱粗而短，稍弯曲，不具萼齿；种子多数，褐色，有棱。

| 生境分布 | 生于海拔 600 m 以上的山地和常绿树混交林中。分布于湖南邵阳（邵阳）、怀化（新晃、洪江）、湘西州（保靖）等。

| 资源情况 | 野生资源稀少。药材来源于野生。

| 功能主治 | 祛风除湿，通络活血。

金缕梅科 Hamamelidaceae 枫香树属 Liquidambar

枫香树

Liquidambar formosana Hance

| 药 材 名 |

枫树（药用部位：树脂。别名：枫脂）。

| 形态特征 |

落叶乔木，高达 30 m，最大胸径可达 1 m。树皮灰褐色，方块状剥落。小枝干后呈灰色，被柔毛，略有皮孔；芽体卵形，长约 1 cm，略被微毛，鳞状苞片敷有树脂，干后呈棕黑色，有光泽。叶薄革质，阔卵形，掌状 3 裂，中央裂片较长，先端尾状渐尖，两侧裂片平展，基部心形，上面绿色，干后呈灰绿色，不发亮，下面有短柔毛，或仅脉腋有毛，掌状脉 3 ~ 5，在上下两面均显著，网脉明显可见，边缘有锯齿，齿尖有腺状突；叶柄长达 11 cm，常有短柔毛；托叶线形，游离，或略与叶柄连生，长 1 ~ 1.4 cm，红褐色，被毛，早落。雄性短穗状花序常多个排成总状，雄蕊多数，花丝不等长，花药比花丝略短；雌性头状花序有花 24 ~ 43，花序梗长 3 ~ 6 cm，偶有皮孔，无腺体，萼齿 4 ~ 7，针形，长 4 ~ 8 mm，子房下半部藏在头状花序轴内，上半部游离，有柔毛，花柱长 6 ~ 10 mm，先端常卷曲。头状果序圆球形，木质，直径 3 ~ 4 cm；蒴果下半部藏于花序轴内，有宿存花柱及针刺状萼齿；

种子多数，褐色，多角形或有窄翅。

| **生境分布** | 生于村落附近或次密林中。栽培于温暖湿润且土壤深厚的山谷、山坡下部和中部。湖南各地均有分布。湖南各地均有栽培。

| **资源情况** | 野生资源丰富。栽培资源较少。药材来源于野生和栽培。

| **采收加工** | 选择 20 年以上的粗壮大树，于 7 ~ 8 月从树根起每隔 15 ~ 20 cm 在树皮上交错凿开一洞，11 月至翌年 3 月采收流出的树脂，晒干、自然干燥或鲜用。

| **药材性状** | 本品呈不规则块状或类圆形颗粒状，大小不等，直径多为 0.5 ~ 1 cm，少数可达 3 cm。表面淡黄色至黄棕色，半透明或不透明。质脆，易碎，破碎面具玻璃光泽。气清香，燃烧时香气更浓，味淡。

| **功能主治** | 祛风活络，解毒止痛，止血，生肌。用于齿痛，吐血，外伤出血，皮肤皲裂。

| **用法用量** | 内服煎汤，15 ~ 30 g。外用适量，捣敷。

金缕梅科 Hamamelidaceae 檵木属 Loropetalum

檵木

Loropetalum chinense (R. Br.) Oliver

| 药 材 名 |

檵木（药用部位：花）。

| 形态特征 |

灌木，有时为小乔木，多分枝。小枝有星毛。叶革质，卵形，长 2 ~ 5 cm，宽 1.5 ~ 2.5 cm，先端尖锐，基部钝，不等侧，上面略有粗毛或秃净，干后呈暗绿色，无光泽，下面被星毛，稍带灰白色，侧脉约 5 对，在上面明显，在下面凸起，全缘；叶柄长 2 ~ 5 mm，有星毛；托叶膜质，三角状披针形，长 3 ~ 4 mm，宽 1.5 ~ 2 mm，早落。花 3 ~ 8 簇生，有短花梗，白色，比新叶先开放，或与嫩叶同时开放，花序梗长约 1 cm，被毛；苞片线形，长 3 mm；萼筒杯状，被星毛，萼齿卵形，长约 2 mm，花后脱落；花瓣 4，带状，长 1 ~ 2 cm，先端圆或钝；雄蕊 4，花丝极短，药隔突出，呈角状，退化雄蕊 4，鳞片状，与雄蕊互生；子房完全下位，被星毛，花柱极短，长约 1 mm，胚珠 1，垂生于心皮内上角。蒴果卵圆形，长 7 ~ 8 mm，宽 6 ~ 7 mm，先端圆，被褐色星状绒毛，萼筒长为蒴果的 2/3；种子圆卵形，长 4 ~ 5 mm，黑色，发亮。花期 3 ~ 4 月。

| 生境分布 | 生于向阳的丘陵及山地，亦常生于马尾松林及杉林下。湖南有广泛分布。

| 资源情况 | 野生资源丰富。药材来源于野生。

| 采收加工 | 清明前后采收，阴干或鲜用。

| 药材性状 | 本品常 3 ～ 8 簇生，基部有短花梗。脱落的单个花常皱缩，呈条带状，长 1 ～ 2 cm，淡黄色或浅棕色，萼筒呈杯状，长约 5 mm，4 裂，萼齿卵形，表面有灰白色星状毛，花瓣 4，带状或倒卵状匙形，淡黄色，有明显的棕色羽状脉纹，雄蕊 4，花丝极短，与鳞片状退化雄蕊互生，子房下位，花柱极短，柱头 2 裂，质柔韧。气微清香，味淡、微苦。

| 功能主治 | 清热止咳，收敛止血。用于肺热咳嗽，咯血，便血，痢疾。

| 用法用量 | 内服煎汤，6 ～ 10 g。外用适量，研末撒；或鲜品塞鼻。

金缕梅科 Hamamelidaceae 檵木属 Loropetalum

红花檵木 *Loropetalum chinense* (R. Br.) Oliver var. *rubrum* Yieh

| 药 材 名 |

檵木（药用部位：花）。

| 形态特征 |

灌木，有时为小乔木，多分枝。小枝有星毛。叶革质，卵形，长 2 ~ 5 cm，宽 1.5 ~ 2.5 cm，先端尖锐，基部钝，不等侧，上面略有粗毛或秃净，干后呈暗绿色，无光泽，下面被星毛，稍带灰白色，侧脉约 5 对，在上面明显，在下面凸起，全缘；叶柄长 2 ~ 5 mm，有星毛；托叶膜质，三角状披针形，长 3 ~ 4 mm，宽 1.5 ~ 2 mm，早落。花 3 ~ 8 簇生，有短花梗，红色，比新叶先开放，或与嫩叶同时开放，花序梗长约 1 cm，被毛；苞片线形，长 3 mm；萼筒杯状，被星毛，萼齿卵形，长约 2 mm，花后脱落；花瓣 4，带状，长 1 ~ 2 cm，先端圆或钝；雄蕊 4，花丝极短，药隔突出，呈角状，退化雄蕊 4，鳞片状，与雄蕊互生；子房完全下位，被星毛；花柱极短，长约 1 mm，胚珠 1，垂生于心皮内上角。蒴果卵圆形，长 7 ~ 8 mm，宽 6 ~ 7 mm，先端圆，被褐色星状绒毛，萼筒长为蒴果的 2/3；种子圆卵形，长 4 ~ 5 mm，黑色，发亮。花期 3 ~ 4 月。

| **生境分布** | 生于向阳的丘陵及山地，亦常生于马尾松林及杉林下。湖南各地均有分布。

| **资源情况** | 野生资源较丰富。药材来源于野生。

| **采收加工** | 清明前后采收，阴干或鲜用。

| **药材性状** | 本品常 3 ～ 8 簇生，基部有短花梗。脱落的单个花常皱缩，呈条带状，长 1 ～ 2 cm，淡黄色或浅棕色，萼筒呈杯状，长约 5 mm，4 裂，萼齿卵形，表面有灰白色星状毛，花瓣 4，带状或倒卵状匙形，淡黄色，有明显的棕色羽状脉纹，雄蕊 4，花丝极短，与鳞片状退化雄蕊互生，子房下位，花柱极短，柱头 2 裂，质柔韧。气微清香，味淡、微苦。

| **功能主治** | 清热止咳，收敛止血。用于肺热咳嗽，咯血，便血，痢疾。

| **用法用量** | 内服煎汤，6 ～ 10 g。外用适量，研末撒；或鲜品塞鼻。

半枫荷

Semiliquidambar cathayensis Chang

| 药 材 名 | 半枫荷（药用部位：根）。

| 形态特征 | 常绿乔木，高约 17 m，胸径达 60 cm。树皮灰色，稍粗糙。当年枝干后呈暗褐色，无毛，老枝灰色，有皮孔；芽体长卵形，略有短柔毛。叶簇生于枝顶，革质，异型，不分裂的叶片卵状椭圆形，长 8 ~ 13 cm，宽 3.5 ~ 6 cm，先端渐尖，尾部长 1 ~ 1.5 cm，基部阔楔形或近圆形，稍不等侧，上面深绿色，发亮，下面浅绿色，无毛，掌状 3 裂的叶中央裂片长 3 ~ 5 cm，两侧裂片卵状三角形，长 2 ~ 2.5 cm，斜行向上，有时为单侧叉状分裂，边缘有具腺锯齿，掌状脉 3，两侧脉较纤细，在不分裂的叶上常离基 5 ~ 8 mm，中央的主脉还有侧脉 4 ~ 5 对，与网状小脉在上面很明显，在下面凸起；

叶柄长 3 ～ 4 cm，较粗壮，上部有槽，无毛。雄花的短穗状花序常数个排成总状，长 6 cm，花被全缺，雄蕊多数，花丝极短，花药先端凹入，长 1.2 mm；雌花的头状花序单生，萼齿针形，长 2 ～ 5 mm，有短柔毛，花柱长 6 ～ 8 mm，先端卷曲，有柔毛，花序梗长 4.5 cm，无毛。头状果序直径 2.5 cm，有蒴果 22 ～ 28，宿存萼齿比花柱短。

| **生境分布** | 生于湿润的山中、杂木林中、溪边或路旁。分布于湖南邵阳（洞口）、永州（冷水滩、蓝山、江华）、衡阳（常宁）、郴州（桂东）、怀化（通道）等。

| **资源情况** | 野生资源稀少。药材来源于野生。

| **采收加工** | 全年均可采挖，洗净，晒干。

| **药材性状** | 本品圆柱形或不规则分枝状，长短、粗细不一。表面棕褐色，较粗糙，有纵皱纹及横向凸起的皮孔，长 2 ～ 5 mm。质坚实，不易折断，切断面皮部薄，易剥离，木部淡黄色至棕红色，较粗的根可见明显的多轮同心性圆环。气微香，味涩、微苦。

| **功能主治** | 祛风止痛，除湿，通络。用于风湿痹痛，脚气，腰腿痛，半身不遂，跌打损伤。

| **用法用量** | 内服煎汤，10 ～ 30 g。外用适量。

水丝梨
Sycopsis sinensis Oliver

| 药 材 名 | 水丝梨（药用部位：树脂）。

| 形态特征 | 常绿乔木，高 14 m。嫩枝被鳞垢，老枝暗褐色，秃净无毛；顶芽裸露。叶革质，长卵形或披针形，长 5 ~ 12 cm，宽 2.5 ~ 4 cm，先端渐尖，基部楔形或钝，上面深绿色，发亮，秃净无毛，下面橄榄绿色，略有稀疏星状柔毛，通常嫩叶两面有星状柔毛及鳞垢，老叶秃净无毛，侧脉 6 ~ 7 对，在上面干后轻微下陷，在下面不显著，全缘或中部以上有几个小锯齿；叶柄长 8 ~ 18 mm，被鳞垢。雄花穗状花序密集，近头状，长 1.5 cm，有花 8 ~ 10，花序梗长 4 mm，苞片红褐色，卵圆形，长 6 ~ 8 mm，有星毛，萼筒极短，萼齿细小，卵形，雄蕊 10 ~ 11，花丝长 1 ~ 1.2 cm，纤细，花药

长 2 mm，先端尖锐，红色，退化雌蕊有丝毛，花柱长 3 ～ 5 mm，反卷；雌花或两性花 6 ～ 14 排成短穗状花序，花序梗长 2 ～ 4 mm，萼筒壶形，长 2 mm，有丝毛，子房上位，有毛，花柱长 3 ～ 5 mm，被毛。蒴果长 8 ～ 10 mm，有长丝毛，宿存萼筒长 4 mm，被鳞垢，不规则裂开，宿存花柱短，长 1 ～ 2 mm；种子褐色，长约 6 mm。

| 生境分布 | 生于山地常绿林及灌丛中。分布于湖南常德（桃源）、郴州（临武）、张家界（慈利）、湘西州（保靖）等。

| 资源情况 | 野生资源稀少。药材来源于野生。

| 功能主治 | 祛风通窍。

景天科 Crassulaceae 八宝属 Hylotelephium

八宝 Hylotelephium erythrostictum (Miq.) H. Ohba

| 药 材 名 | 八宝（药用部位：全草。别名：戒火、火母）。

| 形态特征 | 多年生草本。块根胡萝卜状。茎直立，高 30 ～ 70 cm，不分枝。叶常对生，稀互生或 3 叶轮生，长圆形至卵状长圆形，长 4.5 ～ 7 cm，宽 2 ～ 3.5 cm，先端急尖，钝，基部渐狭，边缘有疏锯齿，无柄。伞房状花序顶生；花密生，直径约 1 cm，花梗较花短或与花等长；萼片 5，卵形，长 1.5 mm；花瓣 5，白色或粉红色，宽披针形，长 5 ～ 6 mm，渐尖；雄蕊 10，与花瓣等长或较花瓣短，花药紫色；鳞片 5，长圆状楔形，长 1 mm，先端微缺；心皮 5，直立，基部几分离。花期 8 ～ 10 月。

| 生境分布 | 生于海拔 450 ～ 1 800 m 的山坡草地或沟边。湖南有广泛分布。

| **资源情况** | 野生资源稀少。药材来源于野生。

| **采收加工** | 夏、秋季采收，除去泥土，置沸水中稍烫，晒干。

| **药材性状** | 本品根呈圆锥形，表面较粗糙，密生多数细根。茎呈圆柱形，长 30 ~ 60 cm，直径 2 ~ 10 mm，表面淡黄绿色、淡紫色或黑棕色，有细纵纹和叶痕。叶多对生，叶片多已碎落，展平后呈长卵形，无柄，有的可见顶生伞房花序或黄白色果实。气微，味甘、苦。

| **功能主治** | 清热解毒，止血。用于赤游丹毒，烦热惊狂，风疹，吐血，咯血，月经量多，外伤出血。

| **用法用量** | 内服煎汤，15 ~ 30 g。外用适量。

紫花八宝

Hylotelephium mingjinianum (S. H. Fu) H. Ohba

| 药 材 名 | 紫花八宝（药用部位：全草。别名：石蝴蝶）。

| 形态特征 | 多年生草本，无毛。茎直立，高 20 ~ 40 cm，不分枝。叶互生，上部叶线形，长 2 cm，宽 2 mm，下部叶椭圆状倒卵形，长 8.5 cm，宽 3 cm，先端急尖，基部渐狭，边缘上部具波状钝齿，下部全缘。花序顶生，伞房状，密集，长 7 cm，宽 10 cm；萼片 5，长圆状披针形，长 2 ~ 2.5 mm，宽 0.7 mm，花瓣 5，紫色，倒卵状长圆形，长 5 mm，宽 1.7 mm，急尖，直立开展；雄蕊 10，长 5 mm，鳞片 5，匙状长方形，先端圆，基部稍呈楔形，长大于宽；心皮 5，直立，卵形，长 5 mm，分离，基部有柄，柄长 1 mm，花柱长 1 mm。种子小，线形，长 1 mm，褐色。果期 10 月。

| **生境分布** | 生于海拔 700 m 的山间溪边阴湿处。分布于湖南邵阳（新宁）等。

| **资源情况** | 野生资源稀少。药材来源于野生。

| **采收加工** | 全年均可采收，鲜用或用沸水焯后晒干。

| **功能主治** | 活血止血，清热解毒。用于吐血，挫伤，腰肌劳损，烫伤，毒蛇咬伤，带状疱疹，消化不良。

| **用法用量** | 内服煎汤，10 ～ 15 g，鲜品 30 ～ 90 g。外用适量，捣敷；或研末调敷。

景天科 Crassulaceae 红景天属 Rhodiola

菱叶红景天 *Rhodiola henryi* (Diels) S. H. Fu

| 药 材 名 |

碗豆七（药用部位：全草）。

| 形态特征 |

多年生草本，高 30 ~ 40 cm，全株无毛。根颈肉质，肥厚，褐色，被披针状三角形鳞片。茎直立，单一或成丛，淡绿色。3 叶轮生，无柄；叶片卵状菱形至椭圆状菱形，长 1 ~ 3 cm，宽 0.8 ~ 2 cm，先端急尖，基部宽楔形至圆形，边缘有疏锯齿，膜质。聚伞圆锥花序，雌雄异株；雄花萼片 4，线状披针形，长约 1 mm，花瓣 4，黄绿色，长圆状披针形，长 2 mm，雄蕊 8，2 轮，淡黄绿色；雌花花萼、花瓣数同雄花，花瓣线状长圆形，鳞片 4，褐色，匙状四方形，先端微缺，心皮 4，花柱长 4.5 ~ 5 mm，基部稍合生。蓇葖果上部叉开，呈星芒状；种子狭卵形至长圆形，褐色，有翅。花期 5 ~ 6 月，果期 7 ~ 8 月。

| 生境分布 |

生于海拔 1 000 m 以上的山坡沟边岩石上或林中。分布于湖南张家界（永定）等。

| **资源情况** | 野生资源稀少。药材来源于野生。

| **采收加工** | 夏季采收，鲜用或晒干。

| **功能主治** | 散瘀止痛，解毒，强筋，长骨。用于跌打损伤，骨折。

| **用法用量** | 内服煎汤，6 ～ 9 g。外用适量，鲜品捣敷。

景天科 Crassulaceae 费菜属 Phedimus

费菜
Phedimus aizoon L.

| 药 材 名 | 景天三七（药用部位：全草或根。别名：土三七）。

| 形态特征 | 多年生草本。根茎短粗。茎 1 ~ 3，高 20 ~ 50 cm，直立，无毛，不分枝。叶互生，狭披针形、椭圆状披针形至卵状倒披针形，长 3.5 ~ 8 cm，宽 1.2 ~ 2 cm，先端渐尖，基部楔形，边缘有不整齐的锯齿；叶坚实，近革质。聚伞花序多花，水平分枝，平展，下托以苞叶；萼片 5，线形，肉质，不等长，长 3 ~ 5 mm，先端钝；花瓣 5，黄色，长圆形至椭圆状披针形，长 6 ~ 10 mm，有短尖；雄蕊 10，较花瓣短；鳞片 5，近正方形，长 0.3 mm；心皮 5，卵状长圆形，基部合生，腹面凸出，花柱长钻形。蓇葖果星芒状排列，长 7 mm；种子椭圆形，长约 1 mm。花期 6 ~ 7 月，果期 8 ~ 9 月。

| 生境分布 | 生于向阳的山坡或岩石上。湖南各地均有分布。

| 资源情况 | 野生资源一般。药材来源于野生。

| 采收加工 | 全草，随采随用，或秋季采收，晒干。根，夏、秋季采挖，洗净，晒干。

| 药材性状 | 本品根茎短小，略呈块状，表面灰棕色；根数条，粗细不等；质硬，断面暗灰色或灰白色。茎圆柱形，长 15 ~ 40 cm，直径 2 ~ 5 mm；表面暗棕色或紫棕色，有纵棱；质脆，易折断，断面常中空。叶互生或近对生，几无柄；叶片皱缩，展平后呈长披针形，长 3 ~ 8 cm，宽 1 ~ 2 cm，灰绿色或棕褐色，先端渐尖，基部楔形，边缘上部有锯齿，下部全缘。聚伞花序顶生，花黄色。气微，味微涩。

| 功能主治 | 散瘀止血，宁心安神，解毒。用于吐血，咯血，便血，尿血，崩漏，紫癜，外伤出血，跌打损伤，失眠，烫火伤，毒虫螫伤。

| 用法用量 | 内服煎汤，15 ~ 30 g；或绞汁，鲜品 30 ~ 60 g。外用适量，鲜品捣敷。

| 附　注 | 本种的拉丁学名在 FOC 中被修订为 *Phedimus aizoon* (Linnaeus) ′t Hart。

景天科 Crassulaceae 景天属 Sedum

东南景天 *Sedum alfredii* Hance

| **药 材 名** | 石上瓜子菜（药用部位：全草。别名：石板菜）。

| **形态特征** | 多年生草本。茎斜上，单生或上部有分枝，高 10 ～ 20 cm。叶互生，下部叶常脱落，上部叶常聚生，线状楔形、匙形至匙状倒卵形，长 1.2 ～ 3 cm，宽 2 ～ 6 mm，先端钝，有时微缺，基部狭楔形，有距，全缘。聚伞花序宽 5 ～ 8 cm，多花；苞片似叶而小；花无梗，直径 1 cm；萼片 5，线状匙形，长 3 ～ 5 mm，宽 1 ～ 1.5 mm，基部有距；花瓣 5，黄色，披针形至披针状长圆形，长 4 ～ 6 mm，宽 1.6 ～ 1.8 mm，有短尖，基部稍合生；雄蕊 10，对瓣的雄蕊长 2.5 mm，在基部上方 1 ～ 1.5 mm 处着生，对萼的雄蕊长 4 mm；鳞片 5，匙状正方形，长 1.2 mm，先端钝或截形；心皮 5，卵状披针形，直立，

基部合生，全长 4 mm，花柱长 1 mm。蓇葖果斜叉开；种子多数，长 0.6 mm，褐色。花期 4 ～ 5 月，果期 6 ～ 8 月。

| **生境分布** | 生于海拔 1 400 m 以下的山坡林下阴湿石上。分布于湖南郴州（苏仙、宜章、临武）、湘西州（保靖）等。

| **资源情况** | 野生资源稀少。药材来源于野生。

| **采收加工** | 全年均可采收，洗净，晒干。

| **功能主治** | 清热凉血，消肿解毒。用于血热吐血。

| **用法用量** | 内服煎汤，9 ～ 15 g。外用适量，鲜品捣敷。

景天科 Crassulaceae 景天属 Sedum

珠芽景天
Sedum bulbiferum Makino

| 药 材 名 | 珠芽半枝（药用部位：全草）。

| 形态特征 | 多年生草本。根须状。茎高 7 ～ 22 cm，茎下部常横卧。叶腋常有圆球形且呈肉质的小型珠芽着生。基部叶常对生，上部叶互生，下部叶卵状匙形，上部叶匙状倒披针形，长 10 ～ 15 mm，宽 2 ～ 4 mm，先端钝，基部渐狭。花序聚伞状，具 3 分枝，常再二叉分枝；萼片 5，披针形至倒披针形，长 3 ～ 4 mm，宽达 1 mm，有短距，先端钝；花瓣 5，黄色，披针形，长 4 ～ 5 mm，宽 1.25 mm，先端有短尖；雄蕊 10，长 3 mm；心皮 5，略叉开，基部合生，连花柱长 4 mm。花期 4 ～ 5 月。

| 生境分布 | 生于海拔 1 000 m 以下的低山、平地树荫下。湖南有广泛分布。

| 资源情况 | 野生资源较丰富。药材来源于野生。

| 采收加工 | 夏季采收，鲜用或晒干。

| 功能主治 | 清热解毒，凉血止血。用于牙龈肿痛，毒蛇咬伤，血热出血，外伤出血，疟疾。

| 用法用量 | 内服煎汤，12 ~ 24 g。

景天科 Crassulaceae 景天属 Sedum

大叶火焰草 *Sedum drymarioides* Hance

| 药 材 名 | 大叶火焰草（药用部位：全草。别名：石苋菜）。

| 形态特征 | 一年生草本，全株有腺毛。茎斜上，分枝多，细弱，高 7 ~ 25 cm。下部叶对生或 4 叶轮生，上部叶互生，卵形至宽卵形，长 2 ~ 4 cm，宽 1.4 ~ 2.5 cm，先端急尖，圆钝，基部宽楔形并下延成柄；叶柄长 1 ~ 2 cm。花序疏圆锥状；花少数，两性；花梗长 4 ~ 8 mm；萼片 5，长圆形至披针形，长 2 mm，先端近急尖；花瓣 5，白色，长圆形，长 3 ~ 4 mm，先端渐尖；雄蕊 10，长 2 ~ 3 mm；鳞片 5，宽匙形，先端有微缺至浅裂；心皮 5，长 2.5 ~ 5 mm，略叉开。种子长圆状卵形，有纵纹。花期 4 ~ 6 月，果期 8 月。

| **生境分布** | 生于海拔 940 m 以下的低山阴湿岩石上。分布于湖南湘潭（湘潭）、邵阳（新宁）、常德（汉寿、津市）、益阳（桃江）、永州（道县）、怀化（中方、新晃）等。 |

| **资源情况** | 野生资源稀少。药材来源于野生。 |

| **采收加工** | 夏季采收，洗净，鲜用。 |

| **功能主治** | 凉血止血，清热解毒。用于吐血，咯血，外伤出血，肺热咳嗽。 |

| **用法用量** | 内服煎汤，20 ~ 30 g；或绞汁，鲜品 60 ~ 90 g。外用适量，鲜品捣敷。 |

景天科 Crassulaceae 景天属 Sedum

凹叶景天 *Sedum emarginatum* Migo

| **药 材 名** | 马牙半支（药用部位：全草）。

| **形态特征** | 多年生草本。茎细弱，高 10 ~ 15 cm。叶对生，匙状倒卵形至宽卵形，长 1 ~ 2 cm，宽 5 ~ 10 mm，先端圆，微缺，基部渐狭，有短距。花序聚伞状，顶生，宽 3 ~ 6 mm，多花，常有 3 分枝；花无梗；萼片 5，披针形至狭长圆形，长 2 ~ 5 mm，宽 0.7 ~ 2 mm，先端钝；基部有短距；花瓣 5，黄色，线状披针形至披针形，长 6 ~ 8 mm，宽 1.5 ~ 2 mm；鳞片 5，长圆形，长 0.6 mm，钝圆；心皮 5，长圆形，长 4 ~ 5 mm，基部合生。蓇葖果略叉开，腹面有浅囊状隆起；种子细小，褐色。花期 5 ~ 6 月，果期 6 月。

| **生境分布** | 生于海拔 600 ～ 1 800 m 的山坡阴湿处。湖南有广泛分布。

| **资源情况** | 野生资源较丰富。药材来源于野生。

| **采收加工** | 夏、秋季采收，洗净，鲜用或晒干。

| **药材性状** | 本品长 5 ～ 15 cm。茎细，直径约 1 mm，表面灰棕色，有细皱纹，节明显，有的节上生有须根。叶对生，多已皱缩破碎，叶片展平后呈匙形。顶生聚伞花序，花黄褐色。气无，味淡。

| **功能主治** | 清热解毒，凉血止血，利湿。用于带状疱疹，咯血，吐血，便血，痢疾，淋病，黄疸，带下。

| **用法用量** | 内服煎汤，15 ～ 30 g；或捣汁，鲜品 50 ～ 100 g。外用适量，捣敷。

景天科 Crassulaceae 景天属 Sedum

小山飘风 *Sedum filipes* Hemsl.

| 药 材 名 | 小山飘风（药用部位：全草）。

| 形态特征 | 一年生或二年生草本，全株无毛。花茎常分枝，直立或上升，高 10 ~ 30 cm。叶对生，或 3 ~ 4 叶轮生，宽卵形至近圆形，长 1.5 ~ 3 cm，宽 1.2 ~ 2 cm，先端圆，基部有距，全缘，有长达 1.5 cm 的 假叶柄。伞房状花序顶生及上部腋生，宽 5 ~ 10 cm；花梗长 3 ~ 5 mm；萼片 5，披针状三角形，长 1 ~ 1.2 mm，钝；花瓣 5，淡 红紫色，卵状长圆形，长 3 ~ 4 mm，先端钝；雄蕊 10，长 3 ~ 5 mm；鳞片 5，匙形，微小，先端微缺；心皮 5，披针形，近直立， 长 3 ~ 4 mm，花柱长 1 mm。蓇葖果有种子 3 ~ 4；种子倒卵形， 长 1 mm，棕色。花期 8 ~ 10 月，果期 10 月。

| **生境分布** | 生于海拔 800 ~ 2 000 m 的山坡林下。分布于湖南永州（东安）、张家界（桑植）等。

| **资源情况** | 野生资源稀少。药材来源于野生。

| **功能主治** | 清热解毒，祛风湿，止血。

景天科 Crassulaceae 景天属 Sedum

日本景天 *Sedum japonicum* Sieb. ex Miq.

| 药 材 名 | 狗牙半支（药用部位：全草）。

| 形态特征 | 多年生草本，匍匐生根，无毛。不育枝长 2 ~ 4 cm，花茎细弱，分枝多，斜上，高 10 ~ 20 cm。叶互生，圆柱形或稍扁，长 7 ~ 10 cm，宽 1.5 ~ 2.5 mm，先端钝，有短距，无柄。聚伞花序，3 叉分枝，宽 4 ~ 8 cm；花梗短粗；萼片 5，线状长圆形或近三角形，长 2 ~ 4 mm，钝，有短距；花瓣 5，黄色，长圆状披针形，长 6 ~ 7 mm，宽 1.5 mm，渐尖；雄蕊 10，对萼的雄蕊较花瓣长或与花瓣等长，对瓣的雄蕊着生于基部以上 1.2 mm 处，较花瓣稍短；鳞片 5，细小，宽楔形，先端圆或截形；心皮 5，披针形，基部合生，连花柱长 5 mm。蓇葖果水平展开。花期 5 ~ 6 月，果期 7 ~ 8 月。

| **生境分布** | 生于海拔 1 000 m 以下的山坡阴湿处及山地石缝中。分布于湖南湘西州（永顺）等。

| **资源情况** | 野生资源稀少。药材来源于野生。

| **功能主治** | 消肿止血，祛湿热，抗癌。

景天科 Crassulaceae 景天属 Sedum

佛甲草 *Sedum lineare* Thunb.

| 药 材 名 | 鼠牙半支（药用部位：茎叶）。

| 形态特征 | 多年生草本，无毛。茎高 10 ～ 20 cm。常 3 叶轮生，稀 4 叶轮生
或对生，叶片线形，长 20 ～ 25 mm，宽约 2 mm，先端钝尖，基部
无柄，有短距。花序聚伞状，顶生，疏生花，宽 4 ～ 8 cm，中央有
1 具短梗的花，另有 2 ～ 3 分枝，分枝常再具 2 分枝，着生花无梗；
萼片 5，线状披针形，长 1.5 ～ 7 mm，不等长，无距或有短距，先
端钝；花瓣 5，黄色，披针形，长 4 ～ 6 mm，先端急尖，基部稍狭；
雄蕊 10，较花瓣短；鳞片 5，宽楔形至近四方形，长 0.5 mm，宽
0.5 ～ 0.6 mm。菁葖果略叉开，长 4 ～ 5 mm，花柱短；种子小。花
期 4 ～ 5 月，果期 6 ～ 7 月。

| 生境分布 | 生于低山或平地草坡上。湖南各地均有分布。

| 资源情况 | 野生资源一般。药材来源于野生。

| 采收加工 | 随采随用，或夏、秋季采收，洗净，放沸水中烫一下，晒干。

| 药材性状 | 本品茎弯曲，长 7 ～ 12 cm，直径约 1 mm，表面淡褐色至棕褐色，有明显的节，偶有残留的不定根。叶轮生，无柄，叶片皱缩卷曲，多脱落，展平后呈条形或条状披针形，长 1 ～ 2 cm，宽约 1 mm。气微，味淡。

| 功能主治 | 清热解毒，利尿，止血。用于咽喉肿痛，目赤肿痛，丹毒，缠腰火丹，烫火伤，毒蛇咬伤，黄疸，便血，外伤出血，扁平疣。

| 用法用量 | 内服煎汤，9 ～ 15 g，鲜品 20 ～ 30 g；或捣汁。外用适量，鲜品捣敷。

景天科 Crassulaceae 景天属 Sedum

山飘风 *Sedum majus* (Hemsl.) Migo

| **药 材 名** | 豆瓣还阳（药用部位：全草）。

| **形态特征** | 小草本，高 10 cm，基部分枝或不分枝。4 叶轮生，叶片圆形至卵状圆形，1 对大叶长和宽各 4 cm，1 对小叶先端圆或钝，基部急狭，入于假叶柄，或几无柄，全缘。伞房状花序，总梗长 1.5 ~ 3 cm；花梗长 3 ~ 5 mm；萼片 5，近正三角形，长 0.5 mm，钝；花瓣 5，白色，长圆状披针形，长 3 ~ 4 mm，宽 1 ~ 1.2 mm；雄蕊 10，长 3 mm；鳞片 5，长方形，长 0.8 mm；心皮 5，椭圆状披针形，长 3 ~ 4 mm，直立，基部合生。种子少数。花期 7 ~ 10 月。

| **生境分布** | 生于海拔 1 000 ~ 2 000 m 的山坡林下岩石上。分布于湖南湘西州（永顺、龙山）、常德（石门）等。

| **资源情况** | 野生资源稀少。药材来源于野生。 |

| **采收加工** | 夏、秋季采收，除去泥土，洗净，晒干或鲜用。 |

| **药材性状** | 本品常皱缩成团。根须状，灰棕色。茎细而弯曲。4 叶轮生，叶片多皱缩卷曲，灰绿色，展平后呈圆形或卵圆形，大叶和小叶各 1 对。有的可见顶生伞房花序，花淡棕黄色。气微，味淡。 |

| **功能主治** | 清热解毒，活血止痛。用于月经不调，劳伤腰痛，烧伤，跌打损伤，外伤出血。 |

| **用法用量** | 内服煎汤，6 ~ 9 g。外用适量，捣敷。 |

景天科 Crassulaceae 景天属 Sedum

齿叶景天

Sedum odontophyllum Frod.

| **药 材 名** | 红胡豆七（药用部位：全草）。

| **形态特征** | 多年生草本，无毛。斜升不育枝长 5 ~ 10 cm；叶对生或 3 叶轮生，常聚生于枝顶。花茎在基部生根，弧状直立，高 10 ~ 30 cm；叶互生或对生，卵形或椭圆形，长 2 ~ 5 cm，宽 12 ~ 28 mm，先端稍急尖或钝，边缘有疏而不规则的牙齿，基部急狭，入于假叶柄；假叶柄长 11 ~ 18 mm。聚伞状花序，分枝蝎尾状；花无梗；萼片 5 ~ 6，三角状线形，长 2 ~ 2.5 mm，先端钝，基部扩大，无距；花瓣 5 ~ 6，黄色，披针状长圆形或近卵形，长 5 ~ 7 mm，宽 1.7 ~ 2 mm，先端有短尖头，基部稍狭；鳞片 5 ~ 6，近四方形，长 0.5 mm，宽 0.4 ~ 0.6 mm，先端稍扩大，微缺；心皮 5 ~ 6，近直立，卵状长圆形，

长 3 ~ 4 mm，基部合生，腹面稍呈浅囊状。蓇葖果横展，长 5 mm，基部合生，腹面囊状隆起；种子多数。花期 4 ~ 6 月，果期 6 月底。

| **生境分布** | 生于海拔 300 ~ 1 200 m 的山坡阴湿石缝中。分布于湖南邵阳（邵阳）、湘西州（吉首、泸溪、凤凰）等。

| **资源情况** | 野生资源稀少。药材来源于野生。

| **采收加工** | 夏季采收，洗净，鲜用或晒干。

| **功能主治** | 散瘀止血，清热解毒。用于经闭，痛经，跌打损伤，骨折，咯血，便血，金创出血，肿毒。

| **用法用量** | 内服煎汤，9 ~ 15 g。外用适量，研末撒；或鲜品捣敷。

| **附　　注** | 本种的拉丁学名在 FOC 中被修订为 Phedimus odontophyllus (Fröderström) 't Hart。

景天科 Crassulaceae 景天属 Sedum

大苞景天 *Sedum amplibracteatum* K. T. Fu.

| 药 材 名 |

鸡爪七（药用部位：带根全草）。

| 形态特征 |

一年生草本。茎高 15 ~ 50 cm。叶互生，上部叶 3 叶轮生，下部叶常脱落，叶片菱状椭圆形，长 3 ~ 6 cm，宽 1 ~ 2 cm，两端渐狭，钝，常聚生在花序下，有叶柄；叶柄长达 1 cm。苞片圆形，与花等长或较花稍长。聚伞花序常 3 叉分枝，每枝有 1 ~ 4 花，无梗；萼片 5，宽三角形，长 0.5 ~ 0.7 mm，有钝头；花瓣 5，黄色，长圆形，长 5 ~ 6 mm，宽 1 ~ 1.5 mm，近急尖，中脉不显；雄蕊 5 或 10，较花瓣稍短；鳞片 5，近长方形至长圆状匙形，长 0.7 ~ 0.8 mm；心皮 5，略叉开，基部合生，长 5 mm，花柱长。蓇葖果有种子 1 ~ 2；种子大，纺锤形，长 2 ~ 3 mm，有微乳头状突起。花期 6 ~ 9 月，果期 8 ~ 11 月。

| 生境分布 |

生于海拔 1 800 ~ 2 000 m 的山坡石上或林中。分布于湖南怀化（靖州）、娄底（新化）、湘西州（古丈、龙山）等。

| 资源情况 | 野生资源稀少。药材来源于野生。

| 功能主治 | 活血散瘀，散寒理气，接骨，止痛。用于跌打损伤，骨折，烫伤，劳伤疼痛，月经不调，闭经。

| 附　　注 | 本种的拉丁学名在 FOC 中被修订为 *Sedum oligospermum* Maire。

景天科 Crassulaceae 景天属 Sedum

藓状景天 *Sedum polytrichoides* Hemsl.

| 药 材 名 | 藓状景天根（药用部位：根）。

| 形态特征 | 多年生草本。茎木质，细，丛生，斜上，高 5 ~ 10 cm，有多数不育枝。叶互生，线形至线状披针形，长 5 ~ 15 mm，宽 1 ~ 2 mm，先端急尖，基部有距，全缘。花序聚伞状，有 2 ~ 4 分枝，花少数；花梗短；萼片 5，卵形，长 1.5 ~ 2 mm，急尖，基部无距；花瓣 5，黄色，狭披针形，长 5 ~ 6 mm，先端渐尖；雄蕊 10，稍短于花瓣；鳞片 5，细小，宽圆楔形，基部稍狭；心皮 5，稍直立。蓇葖果星芒状叉开，基部合生，腹面有浅囊状突起，卵状长圆形，长 4.5 ~ 5 mm，喙直立，长 1.5 mm；种子长圆形，长不及 1 mm。花期 7 ~ 8 月，果期 8 ~ 9 月。

| **生境分布** | 生于海拔 1 000 m 左右的山坡石上。分布于湖南邵阳（新宁）、张家界（武陵源）、
长沙（浏阳）等。 |

| **资源情况** | 野生资源稀少。药材来源于野生。 |

| **功能主治** | 清热解毒，活血止血。 |

景天科 Crassulaceae 景天属 Sedum

垂盆草
Sedum sarmentosum Bunge

| 药 材 名 | 垂盆草（药用部位：全草）。

| 形态特征 | 多年生草本。不育枝及花茎细，匍匐而节上生根，直到花序之下，长 10 ～ 25 cm。3 叶轮生，叶片倒披针形至长圆形，长 15 ～ 28 mm，宽 3 ～ 7 mm，先端近急尖，基部急狭，有距。聚伞花序，有 3 ～ 5 分枝，花少，宽 5 ～ 6 cm；花无梗；萼片 5，披针形至长圆形，长 3.5 ～ 5 mm，先端钝，基部无距；花瓣 5，黄色，披针形至长圆形，长 5 ～ 8 mm，先端有稍长的短尖；雄蕊 10，较花瓣短；鳞片 10，楔状四方形，长 0.5 mm，先端稍微缺；心皮 5，长圆形，长 5 ～ 6 mm，略叉开，有长花柱。种子卵形，长 0.5 mm。花期 5 ～ 7 月，果期 8 月。

| 生境分布 | 生于海拔 1 600 m 以下的山坡阳处或石上。湖南各地均有分布。

| 资源情况 | 野生资源丰富。药材来源于野生。

| 采收加工 | 全年均可采收，晒干或鲜用。

| 药材性状 | 本品稍卷缩。根细且短。茎纤细，棕绿色，长 4 ~ 8 cm，直径 1 ~ 2 mm，茎上有 10 余稍向外凸的褐色环状节，节上残留不定根，先端有时带花；质较韧或脆，断面中心淡黄色。叶片皱缩，易破碎并脱落，完整叶片呈倒披针形至矩圆形，棕绿色，长 1.5 cm，宽 0.4 cm。花序聚伞状；小花黄白色。气微，味微苦。

| 功能主治 | 清热利湿，解毒消肿。用于湿热黄疸，淋病，泻痢，肺痨，毒虫咬伤，烫火伤，咽喉肿痛，口腔溃疡，湿疹，带状疱疹。

| 用法用量 | 内服煎汤，15 ~ 30 g，鲜品 50 ~ 100 g；或捣汁。外用适量，捣敷。

景天科 Crassulaceae 景天属 Sedum

四芒景天 *Sedum tetractinum* Fröd.

| 药 材 名 | 石上开花（药用部位：全草。别名：岩莲花）。

| 形态特征 | 花茎直立或平卧，分枝或不分枝，高 9 ～ 15 cm。叶互生或 3 叶轮生，下部叶常脱落，卵圆形至圆形，长 1.5 ～ 3.2 cm，宽 1 ～ 1.3 cm，先端圆，有微乳头状突起，基部突狭楔形，有长假柄。花序有总花梗，为蝎尾状聚伞花序；苞片圆形，长 4 ～ 5 mm，有短柄，先端有微乳头状突起；萼片 4，狭三角形，长 0.8 mm，钝；花瓣 4，长圆状披针形或披针状长圆形，长 3.5 ～ 5 mm，宽不及 1 mm，钝，雄蕊 8，较花瓣稍短，对瓣的在基部上 0.8 mm 处着生；鳞片 4，宽匙形，长 0.7 mm，宽 0.4 mm，先端钝；心皮 4，略叉开，全长 4 ～ 5 mm，基部 2 mm 处合生，花柱长 0.8 mm。蓇葖果有种子多数；种子卵圆形，长 1 ～ 1.2 mm，有微乳头状突起。花期 8 ～ 9 月。

| **生境分布** | 生于海拔 700 ～ 1 000 m 的溪边石上近水处。分布于湖南邵阳（洞口）等。

| **资源情况** | 野生资源稀少。药材来源于野生。

| **功能主治** | 清热凉血，补虚。用于咳嗽，虚弱，痔疮出血。

景天科 Crassulaceae 景天属 *Sedum*

短蕊景天 *Sedum yvesii* Hamet

| **药 材 名** | 短蕊景天（药用部位：全草）。

| **形态特征** | 草本。不育枝长 4 ~ 8 cm。根须状。花茎直立，长 7 ~ 13 cm，基部分枝，无毛。4 叶轮生，叶片宽线形至倒披针状线形，长 5 ~ 10 mm，宽 1 ~ 2 mm，先端钝，基部有距，无柄，全缘。伞房状花序，长 8 ~ 15 mm，宽 1.5 ~ 2.5 cm；花少数；苞片与叶相似；花梗长 1 ~ 1.5 mm；萼片 5，宽线形至倒披针形，不等长，长 3 ~ 6 mm，宽 1 ~ 1.4 mm，先端钝；花瓣 5，黄色，长圆状卵形，长 5 mm，宽 2 mm；雄蕊 10，对萼的长 3 mm，对瓣的着生于基部稍上处，长 2 mm；鳞片 10，长方状楔形，长 0.4 mm，先端稍平或稍有缺；心皮 5，长圆形，长 3 mm，基部 0.5 ~ 1 mm 合生，花柱长 1 mm。蓇

蓇葖果稍叉开，腹面浅囊状隆起；种子多数，披针状长圆形，长 1 mm，褐色，被微乳头状突起。

| **生境分布** | 生于海拔 1 000 ～ 1 250 m 的沟边阴湿石上。分布于湖南怀化（麻阳）、湘西州（永顺、花垣）等。

| **资源情况** | 野生资源稀少。药材来源于野生。

| **功能主治** | 清热解毒，泻火。

景天科 Crassulaceae 石莲属 Sinocrassula

石莲
Sinocrassula indica (Decne.) A. Berger

| 药 材 名 | 石上开花（药用部位：全草）。

| 形态特征 | 二年生草本，无毛。根须状。花茎高 15 ~ 60 cm，直立，常被微乳头状突起。基生叶莲座状，匙状长圆形，长 3.5 ~ 6 cm，宽 1 ~ 1.5 cm；茎生叶互生，宽倒披针状线形至近倒卵形，上部叶渐缩小，长 2.5 ~ 3 cm，宽 4 ~ 10 mm，渐尖。花序圆锥状或近伞房状，总梗长 5 ~ 6 cm；苞片似叶而小；萼片 5，宽三角形，长 2 mm，宽 1 mm，先端稍急尖；花瓣 5，红色，披针形至卵形，长 4 ~ 5 mm，宽 2 mm，先端常反折；雄蕊 5，长 3 ~ 4 mm；鳞片 5，正方形，长 0.5 mm，先端微缺；心皮 5，基部合生，卵形，长 2.5 ~ 3 mm，先端急狭，花柱长不及 1 mm。蓇葖果的喙反曲；种子平滑。花期 7 ~ 10 月。

| **生境分布** | 生于海拔 500 ~ 1 200 m 的河岸及山坡岩石上。分布于湖南衡阳（石鼓）、常德（石门）、怀化（沅陵）、娄底（涟源）、湘西州（保靖、龙山）等。 |

| **资源情况** | 野生资源较少。药材来源于野生。 |

| **采收加工** | 8 ~ 9 月采集，洗净，晒干。 |

| **功能主治** | 清热解毒，凉血止血，收敛生肌，止咳。用于热毒疮疡，咽喉肿痛，烫伤，痢疾，热淋，血热出血，肺热咳嗽。 |

| **用法用量** | 内服煎汤，3 ~ 9 g。外用适量，捣敷。 |

景天科 Crassulaceae 石莲属 Sinocrassula

绿花石莲

Sinocrassula indica (Decne.) Berger var. *viridiflora* K. T. Fu

| 药 材 名 | 石灯台（药用部位：全草）。

| 形态特征 | 一年生草本。根短而呈须状。花茎直立或弓曲，高 13 ～ 20 cm，分枝。基生叶莲座状，匙状长圆形，先端尖；茎生叶倒披针形，长 2.5 ～ 4 cm，宽 5 ～ 8 mm，先端尖，基部渐狭，无柄。花序圆锥状或伞房状，有长总花梗；花梗长；萼片 5，三角形至卵形，长 2 mm，先端尖；花瓣 5，绿黄色，宽披针形至狭卵形，长 2.5 mm，先端钝或近尖；雄蕊 5，长 1.5 ～ 2 mm；鳞片 5，近横长方形，长 0.5 mm，宽 0.7 mm，先端钝；心皮 5，长圆形，长 2.5 mm，花柱长 0.4 ～ 0.5 mm，心皮基部稍合生。蓇葖果有种子 12 ～ 20；种子长圆形，长 0.7 mm，褐色，有纵纹。花期 9 月，果期 10 月。

| 生境分布 | 生于海拔 500 ～ 1 200 m 的河岸及山坡岩石上。分布于湖南湘西州（永顺）等。

| 资源情况 | 野生资源较少。药材来源于野生。

| 采收加工 | 8 ～ 9 月采集，洗净，晒干。

| 功能主治 | 清热解毒，凉血止血，收敛生肌，止咳。用于热毒疮疡，咽喉肿痛，烫伤，痢疾，热淋，血热出血，肺热咳嗽。

| 用法用量 | 内服煎汤，3 ～ 9 g。外用适量，捣敷。

虎耳草科 Saxifragaceae 落新妇属 Astilbe

落新妇
Astilbe chinensis (Maxim.) Franch. et Sav.

| 药 材 名 |

落新妇（药用部位：全草）、红升麻（药用部位：根茎。别名：小升麻、金毛三七、阴阳虎）。

| 形态特征 |

多年生草本，高 50 ～ 100 cm。根茎暗褐色，粗壮，须根多数。茎无毛。基生叶为二至三回三出羽状复叶，顶生小叶叶片菱状椭圆形，侧生小叶叶片卵形至椭圆形，长 1.8 ～ 8 cm，宽 1.1 ～ 4 cm，先端短渐尖至急尖，边缘有重锯齿，基部楔形、浅心形至圆形，腹面沿脉生硬毛，背面沿脉疏生硬毛和小腺毛，叶轴仅于叶腋部具褐色柔毛；茎生叶 2 ～ 3，较小。圆锥花序长 8 ～ 37 cm，宽 3 ～ 4（ ～ 12）cm，下部第一回分枝长 4 ～ 11.5 cm，通常与花序轴成 15° ～ 30° 角，花序轴密被褐色卷曲长柔毛；苞片卵形，几无花梗；花密集；萼片 5，卵形，长 1 ～ 1.5 mm，宽约 0.7 mm，两面无毛，边缘中部以上生微腺毛；花瓣 5，淡紫色至紫红色，线形，长 4.5 ～ 5 mm，宽 0.5 ～ 1 mm，具单脉；心皮 2，仅基部合生，长约 1.6 mm。蒴果长约 3 mm；种子褐色，长约 1.5 mm。花果期 6 ～ 9 月。

| 生境分布 | 生于海拔 390 ~ 2 000 m 的山谷、溪边、林下、林缘和草甸等。分布于湖南长沙（雨花）、衡阳（衡阳、祁东）、邵阳（新邵、洞口、绥宁、武冈）、岳阳（岳阳、临湘）、常德（澧县）、张家界（武陵源、慈利）等。

| 资源情况 | 野生资源一般。栽培资源较丰富。药材来源于野生和栽培。

| 采收加工 | 落新妇：秋季采收，除去根茎，洗净，晒干或鲜用。
红升麻：夏、秋季采挖，除去杂质，洗净，晒干或鲜用。

| 功能主治 | 落新妇：苦，寒。归肺经。散瘀止痛，祛风除湿，清热止咳。用于风热感冒，头身疼痛，咳嗽。
红升麻：苦，温。活血止痛，祛风除湿，强筋健骨，解毒。用于跌打损伤，风湿痹痛，劳倦乏力，毒蛇咬伤。

| 用法用量 | 落新妇：内服煎汤，6 ~ 9 g，鲜品 10 ~ 20 g；或浸酒。
红升麻：内服煎汤，9 ~ 15 g，鲜品加倍；或鲜品捣汁，兑酒。外用适量，捣敷。

虎耳草科 Saxifragaceae 落新妇属 Astilbe

大落新妇

Astilbe grandis Stapf ex E. H. Wilson

| 药 材 名 |

落新妇（药用部位：全草。别名：马尾参、术活）、红升麻（药用部位：根茎。别名：小升麻、金毛三七、阴阳虎）。

| 形态特征 |

多年生草本，高 0.4 ~ 1.2 m。根茎粗壮。茎通常不分枝，被褐色长柔毛和腺毛。二至三回三出复叶至羽状复叶，叶轴长 3.5 ~ 32.5 cm；小叶片卵形、狭卵形至长圆形，长 1.3 ~ 9.8 cm，宽 1 ~ 5 cm，先端短渐尖至渐尖，边缘有重锯齿，基部心形、偏斜圆形至楔形，腹面被糙伏腺毛，背面沿脉生短腺毛。圆锥花序顶生，通常呈塔形，长 16 ~ 40 cm，宽 3 ~ 17 cm，下部第一回分枝长 2.5 ~ 14.5 cm，花序轴与花梗均被腺毛；小苞片狭卵形，长约 2.1 mm，宽约 1 mm，全缘或具齿；花梗长 1 ~ 1.2 mm；萼片 5，卵形、阔卵形至椭圆形，长 1 ~ 2 mm，宽 1 ~ 1.2 mm，先端钝或微凹，具微腺毛，边缘膜质，两面无毛；花瓣 5，白色或紫色，线形，长 2 ~ 4.5 mm，宽 0.2 ~ 0.5 mm，先端急尖，具单脉；雄蕊 10，长 1.3 ~ 5 mm；雌蕊长 3.1 ~ 4 mm，心皮 2，仅基部合生，子房半下位，花柱稍叉开。幼果长约

5 mm。花果期 6 ～ 9 月。

| **生境分布** | 生于海拔 450 ～ 2 000 m 的林下、灌丛或沟谷阴湿处。分布于湖南长沙（浏阳）、常德（澧县、石门）、张家界（武陵源、桑植）、娄底（新化）、郴州（桂东、安仁）等。

| **资源情况** | 野生资源一般。栽培资源较丰富。药材来源于野生和栽培。

| **采收加工** | 落新妇：秋季采收，洗净，晒干或鲜用。
红升麻：夏、秋季采挖，除去杂质，洗净，晒干或鲜用。

| **功能主治** | 落新妇：苦，寒。归肺经。散瘀止痛，祛风除湿，清热止咳。用于风热感冒，头身疼痛，咳嗽。
红升麻：苦，温。活血止痛，祛风除湿，强筋健骨，解毒。用于跌打损伤，风湿痹痛，劳倦乏力，毒蛇咬伤。

| **用法用量** | 落新妇：内服煎汤，6 ～ 9 g，鲜品 10 ～ 20 g；或浸酒。
红升麻：内服煎汤，9 ～ 15 g，鲜品加倍；或鲜品捣汁，兑酒。外用适量，捣敷。

虎耳草科 Saxifragaceae 落新妇属 Astilbe

大果落新妇 *Astilbe macrocarpa* Knoll

| 药 材 名 |

大果落新妇（药用部位：种子）。

| 形态特征 |

植株高 1 ~ 1.3 m。茎被褐色长柔毛和腺毛。一至二回三出复叶至羽状复叶；叶轴与小叶柄均被褐色长柔毛和腺毛；小叶顶生者菱状椭圆形，侧生者阔卵形或卵形，长 6 ~ 17.5 cm，宽 2.8 ~ 10.6 cm，先端渐尖，边缘有重锯齿，有时 2 浅裂，基部偏斜状心形至偏斜状圆形，两面和边缘均具腺毛。圆锥花序长 25 ~ 40 cm，宽 12 ~ 27 cm；花序轴与花梗被褐色腺毛；小苞片 3，钻形，长 1.6 ~ 3.2 mm，宽 0.2 ~ 0.5 mm，腹面无毛，背面和边缘具腺毛；萼片 5，近革质，卵形，长 1.5 ~ 2.2 mm，宽 1 ~ 1.5 mm，先端通常短渐尖，腹面无毛，背面和边缘具黄褐色腺毛；无花瓣，或有退化花瓣 2 ~ 5，花瓣白色，线形、匙状线形至钻形，长 1 ~ 1.5 mm，先端急尖；雄蕊 8 ~ 10，不等长，长 1.3 ~ 5.5 mm；心皮 2，基部合生，子房近上位，花柱 2，叉开。幼果长约 5 mm。花果期 6 ~ 9 月。

| **生境分布** | 生于 460 ～ 1 600 m 的沟谷灌丛和草丛中。分布于湖南郴州（桂东、安仁）、张家界（永定）等。

| **资源情况** | 野生资源稀少。药材来源于野生。

| **功能主治** | 苦、涩，温。归肺经。祛风，清热，止咳。用于风热感冒，头身疼痛，咳嗽。

虎耳草科 Saxifragaceae 草绣球属 Cardiandra

草绣球

Cardiandra moellendorffii (Hance) Migo

| 药 材 名 |

草绣球（药用部位：根茎。别名：紫阳花、牡丹三七）。

| 形态特征 |

亚灌木，高 0.4 ~ 1 m。茎单生，干后呈淡褐色，稍具纵条纹。叶通常单片、分散互生于茎上，纸质，椭圆形或倒长卵形，长 6 ~ 13 cm，宽 3 ~ 6 cm，先端渐尖或短渐尖，具短尖头，基部沿叶柄两侧下延，呈楔形，边缘有牙齿状粗长锯齿，上面被短糙伏毛，下面疏被短柔毛或仅脉上有疏毛；叶柄长 1 ~ 3 cm，茎上部的叶柄渐短或几乎无柄。伞房状聚伞花序顶生，苞片和小苞片线形或狭披针形，宿存；花瓣阔椭圆形至近圆形，长 2.5 ~ 3 mm，淡红色或白色；子房近下位，3 室，花柱 3。蒴果近球形或卵球形；种子棕褐色，长圆形或椭圆形，扁平，连翅长 1 ~ 1.4 mm，两端的翅颜色较深，与种子同色，不透明。花期 7 ~ 8 月，果期 9 ~ 10 月。

| 生境分布 |

生于林下或水沟旁阴湿处。分布于湖南益阳（沅江）、永州（双牌）等。

| **资源情况** | 野生资源较少。栽培资源丰富。药材来源于野生和栽培。

| **采收加工** | 夏、秋季采挖，洗净，切片，鲜用。

| **药材性状** | 本品呈不规则团块状，长 2 ～ 8 cm，直径 1 ～ 2 cm。表面棕红色，稍被小绒毛，生有细根，残留茎基有小绒毛及少数不定根。质脆，易折断，断面较平坦，淡黄色，显粉性。气微，味苦。

| **功能主治** | 苦，温。活血祛瘀。用于跌打损伤。

| **用法用量** | 内服隔水炖汁，12 ～ 15 g。

虎耳草科 Saxifragaceae 金腰属 Chrysosplenium

滇黔金腰
Chrysosplenium cavaleriei H. Lévl. et Vaniot

| **药 材 名** | 滇黔金腰（药用部位：全草）。

| **形态特征** | 多年生草本，高 9 ~ 32 cm。不育枝出自茎基，其叶对生，阔卵形，长 1.1 ~ 1.9 cm，宽 1 ~ 1.9 cm，边缘具钝齿，基部宽楔形，两面疏生盾状腺毛，顶生者近阔卵形至近椭圆形，先端钝，基部宽楔形。花茎无毛。茎生叶对生，阔卵形至近扇形，基部宽楔形至近截形，腹面疏生褐色乳头状突起；叶柄长 0.7 ~ 1 cm，疏生褐色乳头状突起。多歧聚伞花序长 1.7 ~ 6.5 cm，具 13 花；花序分枝无毛；苞叶阔卵形，先端钝，基部宽楔形、近截形至偏斜形，腹面疏生褐色乳头状突起；花梗无毛；花黄绿色；子房半下位，花柱长 0.2 ~ 0.3 mm；花盘明显，其周围具 1 圈褐色乳头状突起。蒴果长约

5.4 mm，2 果瓣不等大，喙长约 0.2 mm；种子黑褐色，近卵球形，长 0.8 ～ 0.9 mm，密生乳头状突起。花果期 4 ～ 7 月。

| **生境分布** | 生于海拔 1 300 ～ 2 000 m 的林下湿地或山谷石隙。分布于湖南邵阳（绥宁）等。

| **资源情况** | 野生资源较少。药材来源于野生。

| **功能主治** | 苦，寒。清热泻火，解毒。

虎耳草科 Saxifragaceae 金腰属 Chrysosplenium

肾萼金腰 *Chrysosplenium delavayi* Franch.

| 药 材 名 | 肾萼金腰（药用部位：全草。别名：青猫儿眼睛草）。

| 形态特征 | 多年生草本，高 4.5 ～ 13 cm。不育枝出自茎下部叶腋，其叶对生，近扁圆形，长约 7 mm，宽 8.2 ～ 9.2 mm，先端钝圆，基部宽楔形，两面无毛，叶柄长约 5 mm，顶生者阔卵形、阔椭圆形至近扁圆形，先端钝，边缘具 7 ～ 10 圆齿，基部宽楔形至心形，腹面无毛，背面疏生褐色乳头状突起，叶柄长 0.5 ～ 3 mm，花茎无毛；茎生叶对生，阔卵形、近圆形至扇形，长 0.22 ～ 1.5 cm，宽 0.3 ～ 1.6 cm，先端钝，基部宽楔形，背面疏生褐色乳头状突起，叶柄长 3 ～ 7 mm，叶腋具褐色柔毛和乳头状突起。苞腋及其近旁具褐色乳头状突起；花梗长 2.5 ～ 19 mm，无毛；花黄绿色；萼片在花期开展，近扁圆形，先端

微凹，凹处具 1 褐色乳头状突起。蒴果先端近平截而微凹，2 果瓣近等大且水平状叉开；种子黑褐色，卵球形。花果期 3 ～ 6 月。

| **生境分布** | 生于海拔 500 ～ 2 000 m 的林下、灌丛或山谷石隙。分布于湖南长沙（浏阳）、张家界（武陵源）、郴州（汝城）、永州（东安、道县）、怀化（洪江、辰溪）等。

| **资源情况** | 野生资源较少。栽培资源较少。药材来源于野生和栽培。

| **采收加工** | 夏季采收，鲜用或晒干。

| **功能主治** | 清热解毒，生肌。用于小儿惊风，烫伤，痈疮肿毒。

| **用法用量** | 内服煎汤，6 ～ 12 g。外用适量，捣敷。

虎耳草科 Saxifragaceae 金腰属 *Chrysosplenium*

日本金腰
Chrysosplenium japonicum (Maxim.) Makino

| 药 材 名 | 日本金腰（药用部位：全草。别名：珠芽金腰子）。

| 形态特征 | 多年生草本，高 8.5 ~ 15.5 cm，丛生。茎基具珠芽，茎疏生柔毛。基生叶肾形，长 0.6 ~ 1.6 cm，宽 0.9 ~ 2.5 cm，基部心形或肾形，腹面疏生柔毛，背面近无毛，叶柄长 1.5 ~ 8 cm，疏生柔毛；茎生叶与基生叶同形，长约 1.1 cm，宽约 1.3 cm，腹面疏生柔毛，背面近无毛，叶柄长约 2 cm，疏生柔毛。聚伞花序长 1.5 ~ 4 cm；花序分枝疏生柔毛；苞叶阔卵形至近扇形，基部宽楔形，无毛，柄长 0.5 ~ 6 mm，疏生柔毛；几无花梗；花密集，绿色，直径约 3 mm；萼片在花期直立，阔卵形，先端钝或急尖，无毛；雄蕊通常 4，稀 8 或 2，长 0.3 ~ 0.4 mm；子房近下位；花盘通常 4 裂。蒴果长 4 ~

5 mm，先端近平截而微凹，2 果瓣近等大而水平叉开，喙长约 0.2 mm；种子黑棕色，椭球形，被微柔毛。花果期 3 ～ 6 月。

| **生境分布** | 生于海拔 500 m 左右的林下或山谷湿地。分布于湖南郴州（汝城）、怀化（中方、麻阳）、湘西州（花垣、永顺）等。

| **资源情况** | 野生资源较少。栽培资源稀少。药材来源于野生和栽培。

| **功能主治** | 清热解毒，祛风解表。用于疔疮。

虎耳草科 Saxifragaceae 金腰属 Chrysosplenium

绵毛金腰
Chrysosplenium lanuginosum Hook. f. et Thomson

| 药 材 名 | 绵毛金腰（药用部位：全草。别名：脱叶金腰）。

| 形态特征 | 多年生小草本，高 8 ~ 25 cm。有根茎。基生叶有长 1 ~ 2 cm 的叶柄，叶片卵形、阔卵形至近扇形，长 2.8 ~ 25 mm，宽 2.5 ~ 17 mm，边缘具 5 ~ 12 圆齿，基部楔形，两面和边缘均具褐色长柔毛，不育枝有锈色长柔毛，近顶部毛较密而显著，顶部叶密集；茎生叶互生，叶片变小，长 0.2 ~ 1 cm，叶柄短小。聚伞花序分枝并铺散，直径 5 ~ 10 cm，有疏毛或近无毛；苞片肾状圆形，绿色，宽 4 ~ 7 mm；花直径约 4 mm，绿色；萼片 4，开展，肾状圆形；无花瓣；雄蕊 8，极短，花丝和花药长度略相等；心皮 2，成 1 室，子房半下位。蒴果向上膨大，先端微凹，有极短而分叉的花柱；种

子卵形，褐色，光滑，有极微小的乳头状突起。花期5～7月，果期7～10月。

| 生境分布 | 生于海拔1 130～1 600 m的山谷石隙。分布于湖南湘西州（永顺、保靖）、常德（石门）等。

| 资源情况 | 野生资源较少。栽培资源较少。药材来源于野生和栽培。

| 采收加工 | 夏、秋季采收，晒干。

| 药材性状 | 本品根茎长达20 cm，粗细不一，有多数细根。不育枝长5～25 cm，被褐色长柔毛。叶互生，完整叶片卵形至近扇形，长2.8～25 mm，宽2.5～17 mm，基部楔形，边缘具5～12圆齿，两面和边缘均具褐色长柔毛；基生叶卵形至近椭圆形，长1.3～4.5 cm，宽1.2～2.9 cm，先端钝或圆，基部宽楔形，边缘具不明显波状圆齿，两面和边缘均具褐色长柔毛，叶柄长0.8～5 cm，密被褐色柔毛；茎生叶似基生叶，长0.2～1 cm，宽0.16～1 cm，边缘具5～9圆齿，两面和边缘均多少具褐色柔毛，叶柄长0.5～1.7 cm，密被褐色柔毛。聚伞花序分枝无毛或疏生柔毛；苞片近扇形；花绿色；萼片具褐色单宁质斑点，肾状扁圆形至阔卵形。气微，味淡、微涩。

| 功能主治 | 清热解毒，收敛生肌，活血通络。用于臁疮，烫火伤，劳伤，跌打损伤，黄疸。

| 用法用量 | 内服煎汤，6～9 g。外用适量，捣敷。

| 虎耳草科 | Saxifragaceae | 金腰属 | Chrysosplenium

大叶金腰

Chrysosplenium macrophyllum Oliv.

| **药 材 名** | 虎皮草（药用部位：全草。别名：马耳朵草、龙舌草、肺心草）。

| **形态特征** | 多年生草本，高 17 ~ 21 cm。不育枝长 23 ~ 35 cm，其叶互生，具柄，叶片阔卵形至近圆形，长 0.3 ~ 1.8 cm，宽 0.4 ~ 1.2 cm，边缘具 11 ~ 13 圆齿，腹面疏生褐色柔毛，背面无毛，叶柄具褐色柔毛；基生叶数枚，具柄，叶片革质，倒卵形，长 2.3 ~ 19 cm，宽 1.3 ~ 11.5 cm，先端钝圆，基部楔形，腹面疏生褐色柔毛，背面无毛；茎生叶通常 1，叶片狭椭圆形，长 1.2 ~ 1.7 cm，宽 0.5 ~ 0.75 cm，边缘通常具 13 圆齿，背面无毛，腹面和边缘疏生褐色柔毛。多歧聚伞花序长 3 ~ 4.5 cm；花序分枝疏生褐色柔毛或近无毛；萼片近卵形至阔卵形，长 3 ~ 3.2 mm，宽 2.5 ~ 3.9 mm，先端微凹，无毛；

雄蕊高出萼片，长 4 ~ 6.5 mm；子房半下位；无花盘。蒴果长 4 ~ 4.5 mm，先端近平截而微凹；种子黑褐色，近卵球形，密被乳头状突起。花果期 4 ~ 6 月。

| 生境分布 | 生于海拔 1 000 ~ 2 000 m 的林下或沟旁阴湿处。分布于湖南长沙（浏阳）、邵阳（绥宁）、张家界（武陵源、慈利）、怀化（辰溪）、湘西州（永顺、保靖、凤凰）、郴州（汝城）、常德（石门）等。

| 资源情况 | 野生资源一般。栽培资源较少。药材来源于野生和栽培。

| 采收加工 | 夏季采收，鲜用或晒干。

| 药材性状 | 本品根茎长圆柱形，长短不一，直径约 3 mm，表面淡棕褐色，具纵皱纹，被纤维状毛，节上有黄棕色膜质鳞片及多数不定根。不育枝细长，其叶互生。茎圆柱形，疏生褐色长柔毛，通常具 1 叶；叶多皱缩卷曲，展开后叶片多呈倒卵形或宽倒卵形，上面呈灰绿色或绿褐色，疏被刺状柔毛，下面呈棕色，叶柄较长，有棕色柔毛。有时可见聚伞花序，花序分枝疏生褐色柔毛或近无毛；苞片卵形或狭卵形；萼片黄绿色，卵形。气微，味淡、微涩。

| 功能主治 | 清热解毒，止咳，止带，收敛生肌。用于小儿惊风，无名肿毒，咳嗽，带下，臁疮，烫火伤。

| 用法用量 | 内服煎汤，30 ~ 60 g。外用适量，捣敷；捣汁或熬膏涂。

虎耳草科 Saxifragaceae 金腰属 Chrysosplenium

中华金腰

Chrysosplenium sinicum Maxim.

| 药 材 名 |

华金腰子（药用部位：全草。别名：猫眼草、金钱苦叶草）。

| 形 态 特 征 |

多年生草本，高 10 ~ 20 cm。不育枝发达，出自茎基部叶腋，无毛，其叶对生，叶片通常呈阔卵形或近圆形，稀呈倒卵形，长 0.52 ~ 1.7 cm，宽 0.85 ~ 1.7 cm，先端钝，基部宽楔形至近圆形，两面无毛，有时顶生叶背面疏生褐色乳头状突起，顶生叶之腋部具长 0.2 ~ 2.5 mm、褐色、卷曲髯毛。叶通常对生，叶片近圆形至阔卵形，长 6 ~ 10.5 mm，宽 7.5 ~ 11.5 mm，先端钝圆，基部宽楔形，无毛。聚伞花序长 2.2 ~ 3.8 cm；花序分枝无毛；苞叶阔卵形、卵形至近狭卵形，基部宽楔形至偏斜形，无毛，近苞腋部具褐色乳头状突起；花梗无毛；花黄绿色；萼片在花期直立，阔卵形至近阔椭圆形；子房半下位；无花盘。蒴果长 7 ~ 10 mm，2 果瓣明显不等大；种子黑褐色，椭球形至阔卵球形，被乳头状突起，有光泽。花果期 4 ~ 8 月。

| **生境分布** | 生于海拔 450 ~ 2 000 m 的林下、灌丛、草甸和石隙。分布于湖南长沙（浏阳）、常德（石门）等。

| **资源情况** | 野生资源较少。栽培资源较少。药材来源于野生和栽培。

| **采收加工** | 8 ~ 9 月采收，洗净，晒干或鲜用。

| **功能主治** | 苦，寒。利尿退黄，清热解毒。用于黄疸，淋证，膀胱结石，胆结石，疔疮。

| **用法用量** | 内服煎汤，4 ~ 9 g。外用适量，捣敷。

虎耳草科 Saxifragaceae 赤壁木属 *Decumaria*

赤壁木 *Decumaria sinensis* Oliv.

| **药 材 名** | 赤壁木（药用部位：叶）。

| **形态特征** | 攀缘灌木，长 2 ~ 5 m。小枝圆柱形，灰棕色，嫩枝疏被长柔毛，老枝无毛，节稍肿胀。叶薄革质，倒卵形、椭圆形或倒披针状椭圆形，长 3.5 ~ 7 cm，宽 2 ~ 3.5 cm，先端钝或急尖，基部楔形；叶柄长 1 ~ 2 cm。伞房状圆锥花序长 3 ~ 4 cm，宽 4 ~ 5 cm，花序梗长 1 ~ 3 cm，疏被长柔毛；花白色，芳香；花梗长 5 ~ 10 mm，果期更长，疏被长柔毛；萼筒陀螺形，高约 2 mm，无毛，裂片卵形或卵状三角形，长约 1 mm；花瓣长圆状椭圆形，长 3 ~ 4 mm；花柱短粗，长不及 1 mm，柱头扁盘状，7 ~ 9 裂。蒴果钟状或陀螺状，长约 6 mm，直径约 5 mm，先端截形，具宿存花柱和柱头，暗褐色，

有隆起的脉纹或 10 ～ 12 棱条；种子细小，两端尖，长约 3 mm，有白翅。花期 3 ～ 5 月，果期 8 ～ 10 月。

| **生境分布** | 生于海拔 600 ～ 1 300 m 的山坡、岩石缝或灌丛中。分布于湖南张家界（永定）、湘西州（保靖）等。

| **资源情况** | 野生资源较少。栽培资源较少。药材来源于野生和栽培。

| **功能主治** | 祛风湿，强筋骨。

虎耳草科 Saxifragaceae 叉叶蓝属 Deinanthe

叉叶蓝
Deinanthe caerulea Stapf

| **药 材 名** | 银梅草（药用部位：根茎。别名：四块瓦）。

| **形态特征** | 多年生草本，高 30 ~ 50 cm。地下茎粗壮，具节和须根；地上茎单生，近基部节上有对生或近对生的膜质苞片。叶膜质，大，通常 4 聚集于茎顶部，近轮生，阔椭圆形、卵形或倒卵形，长 10 ~ 25 cm，宽 6 ~ 16 cm，先端具尾状尖头，不分裂或 2 裂，裂片较大，长 5 ~ 6 cm，基部钝圆或狭楔形，边缘具粗的锐尖齿，上面被疏糙伏毛，下面除脉上被少许毛外，其余部分几无毛；侧脉 7 ~ 9 对，在上部微弯，两面近平坦，小脉稀疏网状，在下面明显；叶柄长 2 ~ 4 cm，近无毛，上面具浅凹槽。伞房状聚伞花序顶生；总花梗长 9 ~ 15 cm，无毛；数苞片，披针形，长 1.5 ~ 2.5 cm，边缘具

小齿；不育花花梗纤细，长达 3 cm；萼片 3 ~ 4，蓝色，圆形或卵圆形，近等大，直径约 14 mm；孕性花常下垂；花梗粗壮，长 5 ~ 15 mm；花萼和花冠蓝色或稍带红色；萼筒宽陀螺状，长约 4 mm，萼齿 5，大，卵圆形，长 5 ~ 8 mm，先端略尖或骤尖；花瓣 6 ~ 8，卵圆形或扁圆形，宽 10 ~ 14 mm，内凹；雄蕊极多数，花丝和花药浅蓝色，花药长圆形，长约 1 mm；子房半下位，花柱合生，圆柱状，长 5 ~ 6 mm，先端 5 裂。蒴果扁球形，直径约 10 mm，先端突出部分宽圆锥状；种子未成熟，褐色。花期 6 ~ 7 月。

| 生境分布 | 生于海拔 800 ~ 1 600 m 的山地沟边湿润草丛中。分布于湖南湘西州（龙山）等。

| 资源情况 | 野生资源稀少。药材来源于野生。

| 功能主治 | 活血散瘀，止痛。

虎耳草科 Saxifragaceae 溲疏属 Deutzia

宁波溲疏
Deutzia ningpoensis Rehd.

| 药 材 名 |　宁波溲疏（药用部位：叶、根。别名：老鼠竹、空心副常山、细叶空心柴）。

| 形态特征 |　灌木，高 1 ~ 2.5 m。老枝灰褐色，无毛，表皮常脱落；花枝长 10 ~ 18 cm，具 6 叶，红褐色，被星状毛。叶厚纸质，卵状长圆形或卵状披针形，长 3 ~ 9 cm，宽 1.5 ~ 3 cm，先端渐尖或急尖，基部圆形或阔楔形，边缘具疏离锯齿或近全缘，上面绿色，被 4 ~ 7 辐线星状毛，下面灰白色或灰绿色，被 12 ~ 15 辐线星状毛，稀具中央长辐线；叶柄长 5 ~ 10 mm，被星状毛。聚伞状圆锥花序长 5 ~ 12 cm，直径 2.5 ~ 6 cm，多花，疏被星状毛；花冠直径 1 ~ 1.8 cm；花梗长 3 ~ 5 mm；花瓣白色，长圆形，长 5 ~ 8 mm，宽

约 2.5 mm，先端急尖，中部以下渐狭，外面被星状毛，花蕾时内向镊合状排列；花柱 3 ～ 4，长约 6 mm，柱头稍弯。蒴果半球形，直径 4 ～ 5 mm，密被星状毛。花期 5 ～ 7 月，果期 9 ～ 10 月。

| **生境分布** | 生于海拔 500 ～ 800 m 的山谷或山坡林中。分布于湖南长沙（浏阳）、张家界（永定、武陵源）、永州（冷水滩）、邵阳（新邵）等。

| **资源情况** | 野生资源较少。药材来源于野生。

| **采收加工** | 夏、秋季采收，晒干或鲜用。

| **药材性状** | 本品叶片多皱缩破碎，完整叶片狭卵形或披针形，长 3 ～ 8.5 cm，宽 1 ～ 3 cm，先端渐尖，基部宽楔形或钝，边缘有小齿，上面深灰绿色，疏生星状毛，下面浅绿灰色，密生白色星状短柔毛，叶柄长 0.5 ～ 1 cm；质脆；气微，味苦。根呈圆柱形，扭曲，长约 15 cm，直径 1 ～ 4 mm，分枝较多，淡棕褐色，密生须根；质硬，不易折断，断面黄白色，纤维性；气微，味辛。

| **功能主治** | 清热利尿。用于感冒发热，小便不利，疟疾，疥疮，骨折。

| **用法用量** | 内服煎汤，9 ～ 15 g。外用适量，叶煎汤洗，根捣敷。

虎耳草科 Saxifragaceae 溲疏属 Deutzia

四川溲疏 *Deutzia setchuenensis* Franch.

| 药 材 名 |

川溲疏（药用部位：茎叶、果实。别名：四肢通、夜胡椒）。

| 形态特征 |

灌木，高约 2 m。表皮常片状脱落，无毛。花枝长 8 ~ 12 cm，具 4 ~ 6 叶，褐色或黄褐色，疏被紧贴星状毛。叶纸质或膜质，卵形、卵状长圆形或卵状披针形，长 2 ~ 8 cm，宽 1 ~ 5 cm，先端渐尖或尾状渐尖，基部圆形或阔楔形，边缘具细锯齿，上面深绿色，被辐线星状毛，沿叶脉稀具中央长辐线，下面干后呈黄绿色，被辐线星状毛，侧脉每边 3 ~ 4，在下面明显隆起，网脉不明显隆起；叶柄长 3 ~ 5 mm，被星状毛。聚伞花序伞房状；花蕾长圆形或卵状长圆形；花冠直径 1.5 ~ 1.8 cm；花梗长 3 ~ 10 mm；花瓣白色，卵状长圆形，长 5 ~ 8 cm，宽 2 ~ 3 cm；萼筒杯状，长、宽均约 3 mm，密被 10 ~ 12 辐线星状毛，裂片阔三角形，先端急尖，外面密被星状毛；花柱 3，长约 3 mm。蒴果。花期 4 ~ 7 月，果期 6 ~ 9 月。

| 生境分布 |

生于山地灌丛中。湖南有广泛分布。

| 资源情况 | 野生资源较多。栽培资源较少。药材来源于野生和栽培。

| 采收加工 | 夏、秋季采集，切段，晒干或鲜用。

| 药材性状 | 本品叶对生，多皱缩破碎，完整叶片呈狭卵形或卵形，长 2 ～ 7.5 cm，宽 1 ～ 2.4 cm，先端渐尖或尾状渐尖，基部圆形，边缘有小齿，两面均呈褐色且有星状毛。果实近球形，直径约 4 mm，黑红色。气微，味苦。

| 功能主治 | 苦，微寒。清热除烦，利尿，消积。用于外感暑热，身热烦渴，热淋涩痛，疳积，风湿痹痛，湿热疮毒，毒蛇咬伤。

| 用法用量 | 内服煎汤，10 ～ 30 g。外用适量，煎汤洗。

| 附　　注 | 本变种与原变种的区别在于本变种外轮雄蕊的花丝齿披针形，较花药长很多，内轮雄蕊的花药从花丝内侧中部以下伸出，聚伞花序少花，花梗较长。

虎耳草科 Saxifragaceae 常山属 *Dichroa*

常山 *Dichroa febrifuga* Lour.

| **药 材 名** | 常山（药用部位：根。别名：互草、恒山、鸡骨常山）、蜀漆（药用部位：枝叶。别名：七叶、鸡尿草、鸭尿草）。

| **形态特征** | 灌木，高 1 ~ 2 m。小枝圆柱状或稍具 4 棱，无毛或被稀疏短柔毛，常呈紫红色。叶形状及大小变异大，常呈椭圆形、倒卵形、椭圆状长圆形或披针形，长 6 ~ 25 cm，宽 2 ~ 10 cm，先端渐尖，基部楔形，边缘具锯齿或粗齿，稀波状，两面绿色或一至两面紫色；叶柄长 1.5 ~ 5 cm，无毛或疏被毛。伞房状圆锥花序顶生，有时叶腋有侧生花序，直径 3 ~ 20 cm，花蓝色或白色；花蕾倒卵形，盛开时直径 6 ~ 10 mm；花梗长 3 ~ 5 mm；花萼倒圆锥形，4 ~ 6 裂；裂片阔三角形，急尖，无毛或被毛；花瓣长圆状椭圆形，稍肉质，

花后反折；花柱 4，子房 3/4 下位。浆果直径 3 ~ 7 mm，蓝色，干时呈黑色；种子长约 1 mm，具网纹。花期 2 ~ 4 月，果期 5 ~ 8 月。

| **生境分布** | 生于海拔 200 ~ 2 000 m 的阴湿林中。湖南各地均有分布。

| **资源情况** | 野生资源较丰富。栽培资源较丰富。药材来源于野生和栽培。

| **采收加工** | **常山**：栽培 4 年以上收获。秋后齐地割去茎秆，挖出根，洗去泥土，砍去残余茎秆，再砍去 7 ~ 10 cm 短节，晒或炕干后在有火焰的柴火上燎去须根，撞去灰渣。

蜀漆：夏季采收，晒干。

| **药材性状** | **常山**：本品呈圆柱形，常弯曲扭转，偶有分枝，长 9 ~ 15 cm，直径 0.5 ~ 2 cm。表面棕黄色，具细纵纹，外皮易剥落而露出淡黄色木部。质坚硬，不易折断，折断时有粉尘飞扬，断面不整齐；横切面黄白色，有放射状纹理。气微，味苦。

蜀漆：本品嫩枝圆柱形，细弱，有纵皱纹。叶皱缩破碎，褐绿色或黄褐色；完整叶片展平后呈椭圆形、广披针形或长方状倒卵形，长 5 ~ 17 cm，宽 1 ~ 6 cm，先端尖，边缘有锯齿，基部楔形，两面疏被短毛或光滑无毛；叶柄长 1 ~ 2 cm。多嗅有特殊闷气，味微苦。

| 功能主治 | **常山**：苦、辛，寒；有小毒。截疟，祛痰。用于疟疾，胸中痰饮积聚。
蜀漆：苦、辛，温；有毒。祛痰，截疟。用于癥瘕积聚，疟疾。

| 用法用量 | **常山**：内服煎汤，5～10 g；或入丸、散剂。
蜀漆：内服煎汤，3～6 g；或研末。

虎耳草科　Saxifragaceae　常山属　*Dichroa*

罗蒙常山
Dichroa yaoshanensis Y. C. Wu

| 药 材 名 |　罗蒙常山（药用部位：根。别名：人骨风）。

| 形态特征 |　亚灌木，高达 30 cm，不分枝或少分枝，上部常稍弯曲，下部通常平卧。小枝、叶柄、叶脉和花序被微细皱卷短柔毛，间有半透明长粗毛。叶纸质，椭圆形或卵状椭圆形，长 5 ～ 17 cm，宽 3 ～ 7.5 cm，先端急尖或急渐尖，基部楔形或渐狭，边缘具锯齿，除叶脉外两面均被长粗毛，下面毛较短而密；叶柄长 1 ～ 7 cm，纤细。聚伞花序伞房状，花序梗极短；花蕾长圆状倒卵形，长 5 ～ 7 mm，蓝色；花梗长约 5 mm；花萼倒圆锥形，密被皱卷短柔毛和长粗毛；花瓣长圆状披针形，先端急尖，内端具三角形尖角，两面均密被长硬毛或内面无毛；花药椭圆形或卵形；花丝线形，长短不等；花柱 4 ～ 5，

下部疏被长硬毛，柱头长圆形，子房近下位。果实近球形，疏被长柔毛。花期 5 ～ 7 月，果期 9 ～ 11 月。

| **生境分布** | 生于海拔 500 ～ 1 200 m 山谷林下。分布于湖南邵阳（邵阳）、郴州（桂阳）、永州（道县、江永）等。

| **资源情况** | 野生资源较少。栽培资源较少。药材来源于野生和栽培。

| **功能主治** | 用于风湿关节痛，产后风。

虎耳草科 Saxifragaceae 绣球属 *Hydrangea*

冠盖绣球

Hydrangea anomala D. Don

| 药 材 名 | 藤常山（药用部位：根。别名：上常山）、冠盖绣球叶（药用部位：叶）。

| 形态特征 | 攀缘藤本，长 2 ～ 4 m 或更长。小枝粗壮，淡灰褐色，无毛。树皮薄而疏松，老后片状剥落。叶纸质，椭圆形、长卵形或卵圆形，长 6 ～ 17 cm，宽 3 ～ 10 cm，先端渐尖，基部楔形、近圆形或浅心形，边缘有密而小的锯齿，上面绿色，下面浅绿色，干后呈黄褐色，两面无毛或仅中脉、侧脉上被少许淡褐色短柔毛；叶柄长 2 ～ 8 cm，无毛或被疏长柔毛。聚伞花序伞房状；不育花萼片 4，阔倒卵形或近圆形；孕性花多数，密集，萼筒钟状，基部略尖，无毛，萼齿阔卵形或三角形，先端钝；花瓣连合成一冠盖状花冠，先端圆或略尖，

花后整个冠盖立即脱落；子房下位，花柱 2，稀 3。蒴果；种子淡褐色，椭圆形或长圆形，扁平，周边具薄翅。花期 5 ～ 6 月，果期 9 ～ 10 月。

| 生境分布 | 生于海拔 500 ～ 2 000 m 的山谷溪边、山腰石旁、密林或疏林中。分布于湖南长沙（浏阳）、株洲（茶陵）、邵阳（洞口）、郴州（宜章）、永州（双牌）、怀化（洪江、溆浦）、娄底（冷水江）、湘西州（龙山）等。

| 资源情况 | 野生资源较少。栽培资源稀少。药材来源于野生和栽培。

| 采收加工 | 藤常山：夏、秋季采挖，洗净，切片，晒干。
冠盖绣球叶：夏、秋季采收，晒干。

| 功能主治 | 藤常山：祛痰，截疟，解毒，散瘀。用于久疟痞块，消渴，痢疾，泄泻。
冠盖绣球叶：清热，截疟。用于疟疾，胸腹胀满，消渴，疥癣。

| 用法用量 | 藤常山：内服煎汤，3 ～ 9 g。
冠盖绣球叶：内服煎汤，3 ～ 6 g。外用适量，捣敷。

虎耳草科 Saxifragaceae 绣球属 Hydrangea

马桑绣球 *Hydrangea aspera* D. Don

药材名

癞皮树（药用部位：树皮、枝。别名：土常山、蜡莲、甜茶）、癞皮树根（药用部位：根）。

形态特征

灌木或小乔木，通常高 2 ~ 3 m，有时高达 10 m。叶纸质，长卵形、卵状披针形或长椭圆形，先端长渐尖，基部阔楔形或圆形，边缘有具短尖头的不规则锯形小齿，上面被稀疏糙伏毛，下面密被黄褐色颗粒状腺体和灰白色、直或稍弯曲且彼此略交结的绒毛状短柔毛，脉上的毛稍粗长；叶柄长 1.5 ~ 4 cm，密被糙伏毛。聚伞花序伞房状；不育花萼片 4，阔卵形、圆形或倒卵圆形，绿白色；孕性花萼筒钟状；花瓣长卵形，长 2 ~ 2.5 mm，先端急尖，基部平截；子房下位，花柱通常 3，稀 2。蒴果坛状，不连花柱长和宽均为 3 ~ 3.5 mm，先端平截，基部略尖，具棱；种子褐色，阔椭圆形或近圆形，长 0.4 ~ 0.5 mm，稍扁，具凸起的纵脉纹，两端各具 0.15 ~ 0.2 mm 的翅。花期 8 ~ 9 月，果期 10 ~ 11 月。

| **生境分布** | 生于海拔 1 400 ～ 2 000 m 的山谷密林或山坡灌丛中。分布于湖南怀化（麻阳）等。

| **资源情况** | 野生资源较少。药材来源于野生。

| **功能主治** | **癞皮树**：苦、辛，平。祛湿，截疟，接骨续筋。用于痢疾，疟疾，骨折。
　　　　　　　癞皮树根：甘，寒。消食健脾，祛湿截疟。用于食积，泄泻，痢疾，疟疾。

| **用法用量** | **癞皮树**：内服煎汤，6 ～ 9 g。外用适量，捣敷；或研末调敷。
　　　　　　　癞皮树根：内服煎汤，6 ～ 9 g。

虎耳草科 Saxifragaceae 绣球属 Hydrangea

中国绣球
Hydrangea chinensis Maxim.

药材名

华八仙花根（药用部位：根。别名：常山、常山树、狗骨常山）。

形态特征

灌木，高 0.5 ~ 2 m。一年生、二年生小枝红褐色或褐色，初时被短柔毛，后渐无毛。叶薄纸质至纸质，长圆形或狭椭圆形，有时近倒披针形，先端渐尖或短渐尖，基部楔形；叶柄长 0.5 ~ 2 cm，被短柔毛。伞状或伞房状聚伞花序顶生，分枝 5 或 3，分枝 5 者，其长短、粗细相若，被短柔毛；不育花萼片 3 ~ 4，椭圆形、卵圆形、倒卵形或扁圆形；孕性花萼筒杯状；花瓣黄色，椭圆形或倒披针形，长 3 ~ 3.5 mm，先端略尖，基部具短爪；子房近半下位，花柱 3 ~ 4，结果时长 1 ~ 2 mm，直立或稍扩展，柱头通常增大，呈半环状。蒴果卵球形；种子淡褐色，椭圆形、卵形或近圆形，略扁，无翅，具网状脉纹。花期 5 ~ 6 月，果期 9 ~ 10 月。

生境分布

生于海拔 360 ~ 2 000 m 的山谷溪边疏林或密林，山坡、山顶灌丛或草丛中。湖南有广泛分布。

| **资源情况** | 野生资源较丰富。栽培资源较少。药材来源于野生和栽培。

| **采收加工** | 夏、秋季采挖，除去须根，洗净，切段，晒干。

| **功能主治** | 活血止痛，截疟，清热利尿。用于跌打损伤，骨折，疟疾，头痛，麻疹，小便淋痛。

| **用法用量** | 内服煎汤，3 ~ 9 g。外用适量，捣敷。

虎耳草科 Saxifragaceae 绣球属 Hydrangea

白背绣球

Hydrangea hypoglauca Rehd.

| 药 材 名 | 白背绣球（药用部位：根。别名：光皮树）。

| 形态特征 | 灌木，高 1 ～ 3 m。枝红褐色，无毛或被疏散粗伏毛，老后树皮呈薄片状剥落。叶纸质，卵形或长卵形，长 7 ～ 12 cm，宽 2.8 ～ 6.5 cm，先端渐尖，基部圆或略钝，边缘有具短尖头的小锯齿，齿尖向上，上面无毛或脉上有稀疏、紧贴的短粗毛，下面灰绿白色，有密集的颗粒状小腺体（在高倍放大镜下可见），无毛或近无毛，仅脉上密被紧贴短粗毛，脉腋间有时具髯毛；侧脉 7 ～ 8 对，直斜向上，近边缘稍弯拱，彼此以小横脉相连，并有支脉直达各个齿端，在上面平坦，在下面凸起，小脉纤细，网状，稠密，在下面稍明显；叶柄纤细，长 1.5 ～ 3 cm。伞房状聚伞花序有或无总花梗，直径 10 ～ 14 cm，先端稍弯拱，分枝 2 ～ 3，具多回分枝，疏被粗长伏

毛；不育花直径 2 ～ 4 cm；萼片 4，少有 3，阔卵形、倒卵形或扁圆形，稍不等大，长、宽均 1.1 ～ 2 cm，先端圆或略尖，白色；孕性花密集，萼筒钟状，长约 1 mm，萼齿卵状三角形，长 0.5 ～ 1 mm，渐尖；花瓣白色，长卵形，长 2 ～ 2.5 mm，内凹；雄蕊不等长，短的与花瓣近等长，长的长约 3 mm，花蕾时内折，花药近圆形，长不及 0.5 mm；子房半下位或略超过一半下位，花柱 3，长约 1 mm，钻状，基部联合，柱头不增大。蒴果卵球形，连花柱长 4 ～ 4.5 mm，宽约 3 mm，先端突出部分圆锥形，长约 1.5 mm，等于或略短于萼筒；种子淡褐色，纺锤形，略扁，不连翅长约 1 mm，具纵脉纹，两端各具 0.5 ～ 0.7 mm 的狭翅。花期 6 ～ 7 月，果期 9 ～ 10 月。

| 生境分布 | 生于海拔 900 ～ 1 900 m 的山坡密林或山顶疏林。分布于湖南张家界（桑植）、湘西州（古丈）、常德（石门）等。

| 资源情况 | 野生资源稀少。药材来源于野生。

| 功能主治 | 除风痰，截疟疾。

虎耳草科 Saxifragaceae 绣球属 Hydrangea

绣球

Hydrangea macrophylla (Thunb.) Ser.

| **药 材 名** | 绣球（药用部位：根、叶、花。别名：粉团花、紫阳花、绣球花）。 |

| **形态特征** | 灌木，高 1 ~ 4 m。茎常于基部发出多数放射枝而形成一圆形灌丛。枝圆柱形，粗壮，紫灰色至淡灰色，无毛。叶纸质或近革质，椭圆形至卵状椭圆形，先端骤尖，具短尖头，基部钝圆或阔楔形，边缘于基部以上具粗齿，两面无毛或仅下面中脉两侧被稀疏卷曲短柔毛，脉腋间常具少许髯毛，侧脉 6 ~ 8 对，直，向上斜举或上部近边缘处微弯拱；叶柄粗壮，长 1 ~ 3.5 cm，无毛。伞房状聚伞花序近球形，直径 8 ~ 20 cm；不育花萼片 4，阔倒卵形、近圆形或阔卵形；孕性花极少数，具 2 ~ 4 mm 长的花梗；萼筒倒圆锥状，长 1.5 ~ 2 mm，与花梗均疏被卷曲短柔毛，萼齿卵状三角形，长约 1 mm；花瓣长圆 |

形，长 3 ～ 3.5 mm；子房大半下位，花柱 3。种子未成熟。花期 6 ～ 8 月。

| **生境分布** | 生于海拔 380 ～ 1 700 m 的山谷溪旁或山顶疏林中。湖南有广泛分布。

| **资源情况** | 野生资源较丰富。栽培资源较丰富。药材来源于野生和栽培。

| **采收加工** | 根，秋季采挖，切片，晒干。叶，夏季采收，晒干。花，初夏至深秋采摘，晒干。

| **药材性状** | 本品叶多皱缩破碎，完整叶片呈椭圆形至宽卵形，长 7 ～ 16 cm，宽 4 ～ 10 cm，先端渐尖，基部楔形，边缘除基部外均有粗锯齿，两面均为浅黄色至黑灰色，有时下面脉上有粗毛；叶柄长 1 ～ 3 cm。革质，稍厚，易碎。气微，味苦、微辛。

| **功能主治** | 抗疟，清热，解毒，杀虫。用于疟疾，心热惊悸，烦躁，喉痹，阴囊湿疹，疥癞。

| **用法用量** | 内服煎汤，9 ～ 12 g。外用适量，煎汤洗；或研末调涂。

虎耳草科 Saxifragaceae 绣球属 Hydrangea

圆锥绣球 *Hydrangea paniculata* Sieb.

| **药 材 名** | 土常山（药用部位：叶、根）。

| **形态特征** | 灌木或小乔木，高 1 ~ 5 m，有时达 9 m。枝暗红褐色或灰褐色。叶纸质，2 ~ 3 叶对生或轮生，卵形或椭圆形，长 5 ~ 14 cm，宽 2 ~ 6.5 cm，先端渐尖或急尖，具短尖头，基部圆形或阔楔形，侧脉 6 ~ 7 对，上部微弯，小脉稠密，呈网状，在下面明显；叶柄长 1 ~ 3 cm。圆锥状聚伞花序尖塔形，长达 26 cm，序轴及分枝密被短柔毛；不育花较多，白色；萼片 4，阔椭圆形或近圆形；孕性花萼筒陀螺状，长约 1.1 mm，萼齿短三角形，长约 1 mm，花瓣白色，卵形或卵状披针形，长 2.5 ~ 3 mm，渐尖；雄蕊不等长，长的长达 4.5 mm，短的长约 0.5 mm；子房半下位，花柱 3。蒴果椭圆形，不

连花柱长 4 ~ 5.5 mm，宽 3 ~ 3.5 mm，先端凸出部分圆锥形，其长约等于萼筒；种子褐色，扁平。花期 7 ~ 8 月，果期 10 ~ 11 月。

| **生境分布** | 生于海拔 360 ~ 2 000 m 的山谷、山坡疏林下或山脊灌丛中。湖南有广泛分布。

| **资源情况** | 野生资源较丰富。栽培资源较丰富。药材来源于野生和栽培。

| **采收加工** | 夏、秋季采收，鲜用或晒干。

| **功能主治** | 截疟，解毒，散瘀止血。用于疟疾，喉咙疼痛，皮肤溃烂，跌打损伤，外伤出血。

| **用法用量** | 内服煎汤，叶 30 ~ 60 g，根 15 g。外用适量，鲜品捣敷。

虎耳草科 Saxifragaceae 绣球属 Hydrangea

蜡莲绣球
Hydrangea strigosa Rehd.

| 药 材 名 | 土常山（药用部位：根）、甜茶（药用部位：叶）。

| 形态特征 | 灌木，高 1 ~ 3 m。小枝圆柱形或微具 4 钝棱，灰褐色，密被糙伏
毛。叶纸质，长圆形、卵状披针形或倒卵状倒披针形，先端渐尖，
基部楔形、钝或圆形，中脉粗壮，在上面平坦，在下面隆起；叶柄
长 1 ~ 7 cm，被糙伏毛。伞房状聚伞花序大，直径达 28 cm，先端
稍弯拱，分枝扩展，密被灰白色糙伏毛；不育花萼片 4 ~ 5，阔卵形、
阔椭圆形或近圆形，先端钝头渐尖或近平截，基部具爪，全缘或具
数齿，白色或淡紫红色；孕性花淡紫红色，萼筒钟状，长约 2 mm，
萼齿三角形，长约 0.5 mm；花瓣长卵形，长 2 ~ 2.5 mm；子房下位，
花柱 2。蒴果坛状，不连花柱长和宽均为 3 ~ 3.5 mm，先端平截，

基部圆；种子褐色，阔椭圆形。花期 7 ～ 8 月，果期 11 ～ 12 月。

| **生境分布** | 生于海拔 500 ～ 1 800 m 的山谷密林、山坡路旁疏林或灌丛中。湖南有广泛分布。

| **资源情况** | 野生资源较丰富。栽培资源较少。药材来源于野生和栽培。

| **采收加工** | **土常山**：立冬至翌年立春间采挖，除去细根，洗净，鲜用，或擦去栓皮，切段，晒干。
甜茶：立夏前后采摘，揉搓使其出汗，晒干。

| **功能主治** | **土常山**：截疟，消食，清热解毒，祛痰散结。用于咽喉肿痛。
甜茶：截疟，利尿，降血压。用于疟疾，高血压。

| **用法用量** | **土常山**：内服煎汤，6 ～ 12 g。外用适量，捣敷；或研末调擦；或煎汤洗。
甜茶：内服煎汤，10 ～ 30 g。

虎耳草科 Saxifragaceae 鼠刺属 Itea

鼠刺
Itea chinensis Hook. et Arn.

| **药 材 名** | 老鼠刺（药用部位：根、叶）

| **形态特征** | 灌木或小乔木，高 4 ～ 10 m。幼枝黄绿色，无毛。叶薄革质，倒卵形或卵状椭圆形，长 5 ～ 12（～ 15）cm，宽 3 ～ 6 cm，先端锐尖，基部楔形，中脉在上面下陷，在下面明显凸起，侧脉 4 ～ 5 对，弧状上弯，在近缘处相连接，两面无毛；叶柄长 1 ～ 2 cm。腋生总状花序通常短于叶，长 3 ～ 7（～ 9）cm，花序轴及花梗被短柔毛；花多数，2 ～ 3 花簇生，稀单生；花梗细，长约 2 mm，被短毛；苞片线状钻形，长 1 ～ 2 mm；萼筒浅杯状，被疏柔毛，萼片三角状披针形，长约 1.5 mm，被微毛；花瓣白色，披针形，长 2.5 ～ 3 mm，花时直立，先端稍内弯，无毛；雄蕊近等长或稍长于花瓣，花丝有

微毛；子房上位，密被长柔毛，柱头头状。蒴果长圆状披针形，长 6 ~ 9 mm，被微毛，具纵条纹。花期 3 ~ 5 月，果期 5 ~ 12 月。

| **生境分布** | 生于海拔 140 ~ 2 000 m 的山地、山谷、疏林、路边及溪边。分布于湖南株洲（茶陵）、衡阳（耒阳）、邵阳（洞口）、岳阳（临湘）、益阳（桃江）、郴州（苏仙、桂阳、临武）、永州（东安、双牌、新田）、怀化（中方、新晃、沅陵）、娄底（新化）、长沙（浏阳）等。

| **资源情况** | 野生资源较丰富。栽培资源一般。药材来源于野生和栽培。

| **采收加工** | 根，夏、秋季采挖，洗净，切段，晒干。叶，随采随用。

| **功能主治** | 活血消肿，止痛。用于风湿痹痛，跌打肿痛。

| **用法用量** | 内服煎汤，9 ~ 15 g。外用适量，鲜品捣敷。

虎耳草科 Saxifragaceae 鼠刺属 *Itea*

厚叶鼠刺 *Itea coriacea* Y. C. Wu

药材名

厚叶鼠刺（药用部位：叶）。

形态特征

灌木或小乔木，高达 10 m。小枝圆柱形，无毛，具明显纵条棱。叶厚革质，椭圆形或倒卵状长圆形，长 6 ~ 13 cm，宽3 ~ 5 cm，先端急尖或短急尖，基部钝或宽楔形，边缘除近基部外均具圆齿状齿，齿端有硬腺点，中脉宽达 1 mm，在上面微凹，在下面明显凸起，侧脉 5 ~ 6 对，弧状上弯，网状脉明显；叶柄极粗壮，长1.5 ~ 2.5 cm。总状花序腋生或兼顶生，单生，长达 15 cm，具多数花，花序轴及花梗被短柔毛；花 2，稀 1，或 3 花簇生；花梗长 2.5 ~ 4 mm，开展或在花后下垂，基部有线状钻形苞片，苞片长约 1 mm；萼筒浅杯状，黄绿色，被微柔毛，萼片三角状披针形；花瓣白色，直立，先端渐尖；雄蕊明显伸出花瓣外，长约 4 mm，花药椭圆状球形；子房上位，被短柔毛。蒴果锥形。

生境分布

生于海拔 600 ~ 1 500 m 的疏林或密林、山地灌丛、山谷、路边和水旁。分布于湖南郴州（宜章）、永州（双牌）等。

| **资源情况** | 野生资源较少。栽培资源较少。药材来源于野生和栽培。

| **采收加工** | 夏、秋季采收，鲜用。

| **功能主治** | 用于刀伤出血。

| **用法用量** | 外用适量，鲜品捣敷；或干品研末敷。

虎耳草科 Saxifragaceae 鼠刺属 Itea

腺鼠刺
Itea glutinosa Hand.-Mazz.

| 药 材 名 | 腺鼠刺（药用部位：根）、腺鼠刺叶（药用部位：叶）。

| 形态特征 | 灌木或小乔木，高 3 ～ 6 m。小枝粗壮，榄绿色或栗褐色，有较密腺体。叶厚革质，长圆状椭圆形，长 8 ～ 16 cm，宽 4 ～ 7 cm，先端急尖或短渐尖，基部圆钝，边缘除近基部外均具不规则的刺状锯齿，上面亮绿色，疏生腺体，下面淡绿色，两面无毛；叶柄粗壮，长 1.2 ～ 2 cm，无毛，上面具小槽沟。总状花序单生于叶腋，短于叶片，长 7 ～ 13 cm，直立，具多数花；花序轴、花梗及萼均有具柄的红色腺体和稀疏短毛；花梗长 2 ～ 3 mm，开展至下垂；苞片叶状，有时明显伸长；萼筒浅杯状，萼片线状披针形；花瓣白色，披针形，长 3 ～ 4 mm；雄蕊明显长于花瓣及子房，长约 5 mm，花丝被微毛，

花药卵圆形；子房上位，无毛。蒴果长约 7 mm。花期 5 ~ 6 月，果期 6 ~ 11 月。

| 生境分布 | 生于林下、山坡、灌丛或路旁。分布于湖南株洲（攸县、茶陵、醴陵）、永州（祁阳、江华）。

| 资源情况 | 野生资源较少。栽培资源较少。药材来源于野生和栽培。

| 采收加工 | 腺鼠刺：夏、秋季采挖，洗净泥土，切段，晒干或鲜用。

腺鼠刺叶：夏、秋季采收，鲜用或晒干。

| 功能主治 | 腺鼠刺：续筋接骨，补虚，润肺。用于跌打损伤，骨折，劳伤乏力，身体虚弱，虚劳咳嗽。

腺鼠刺叶：解毒敛疮。用于毒蛇咬伤，刀伤。

| 用法用量 | 腺鼠刺：内服煎汤，30 ~ 60 g。

腺鼠刺叶：外用适量，鲜品捣敷；或干品研末敷。

虎耳草科 Saxifragaceae 鼠刺属 Itea

矩叶鼠刺

Itea oblonga Hand.-Mazz.

药材名

矩叶鼠刺（药用部位：根、花）、矩叶鼠刺叶（药用部位：叶）。

形态特征

灌木或小乔木，高 1.5 ~ 10 m。幼枝黄绿色，无毛；老枝棕褐色，有纵棱。叶薄革质，长圆形，稀椭圆形，长 6 ~ 12（~ 16）cm，宽 2.5 ~ 5（~ 6）cm，先端尾状尖或渐尖，基部圆形或钝，边缘有密集细锯齿，近基部近全缘，侧脉 5 ~ 7 对，在叶缘处连接，中脉和侧脉在下面显著凸起，细网脉明显；叶柄长 1 ~ 1.5 cm，粗壮。腋生总状花序长12 ~ 13 cm，稀长达 23 cm，单生或 2 ~ 3簇生，直立，上部略下弯；花梗长 2 ~ 3 mm，被微毛，基部有叶状苞片；苞片三角状披针形或倒披针形，长达 1.1 cm，宽约 1 mm；花瓣白色，披针形，长 3 ~ 3.5 mm，花时直立，先端稍内弯，略被微毛；雄蕊与花瓣等长或长于花瓣；子房上位，密被长柔毛。蒴果长6 ~ 9 mm，被柔毛。花期 3 ~ 5 月，果期 6 ~12 月。

生境分布

生于海拔 350 ~ 1 650 m 的山谷、疏林、灌丛、山坡或路旁。湖南有广泛分布。

| 资源情况 | 野生资源较多。药材来源于野生。

| 采收加工 | 矩叶鼠刺：根，秋季采挖，洗净，切段，晒干。花，夏季采摘，晒干。
矩叶鼠刺叶：夏、秋季采收，鲜用。

| 功能主治 | 矩叶鼠刺：滋补强壮，祛风除湿，接骨续筋。用于身体虚弱，劳伤乏力，咳嗽，咽痛，产后关节痛，腰痛，跌打损伤，骨折。
矩叶鼠刺叶：止血。用于外伤出血。

| 用法用量 | 矩叶鼠刺：内服煎汤，根 60 ~ 90 g，花 18 ~ 21 g。
矩叶鼠刺叶：外用适量，捣敷。

| 附　　注 | 本种的拉丁学名在 FOC 中被修订为 *Itea omeiensis* C. K. Schneider。

虎耳草科 Saxifragaceae 独根草属 *Oresitrophe*

独根草
Oresitrophe rupifraga Bunge

| **药 材 名** | 独根草（药用部位：全草）。

| **形态特征** | 多年生草本，高 12 ～ 28 cm。根茎粗壮，具芽，芽鳞棕褐色。叶 2 ～ 3，均基生，叶片心形至卵形，长 3.8 ～ 9.7（～ 25.5）cm，宽 3.4 ～ 9（～ 22）cm，先端短渐尖，边缘具不规则牙齿，基部心形，腹面近无毛，背面和边缘具腺毛；叶柄长 11.5 ～ 13.5 cm，被腺毛。花葶不分枝，密被腺毛。多歧聚伞花序长 5 ～ 16 cm，多花；无苞片；花梗长 0.3 ～ 1 cm，与花序梗均密被腺毛，有时毛极疏；萼片 5 ～ 7，不等大，卵形至狭卵形，长 2 ～ 4.2 mm，宽 0.5 ～ 2 mm，先端急尖或短渐尖，全缘，具多脉，无毛；雄蕊 10 ～ 13，长 3.1 ～ 3.3 mm；心皮 2，长约 4 mm，基部合生；子房近上位，花柱

长约 2 mm。花果期 5 ~ 9 月。

| **生境分布** | 生于海拔 590 ~ 2 050 m 的山谷、悬崖之阴湿石隙。分布于湖南张家界（永定）等。

| **资源情况** | 野生资源稀少。栽培资源稀少。药材来源于野生和栽培。

| **采收加工** | 春、夏季采收，洗去泥沙，晒干。

| **功能主治** | 补肾壮阳，强筋骨，润肠。用于肾虚阳痿，遗精，宫冷不孕，小儿佝偻病。

| **用法用量** | 内服煎汤，3 ~ 9 g；或浸酒。

虎耳草科 Saxifragaceae 梅花草属 *Parnassia*

突隔梅花草
Parnassia delavayi Franch.

| 药 材 名 | 肺心草（药用部位：全草或根）。

| 形态特征 | 多年生草本，高 12 ~ 35 cm。根茎形状多样，上部有褐色鳞片，下部有不甚发达的纤维状根。基生叶 3 ~ 4（~ 7），具长柄；叶片肾形或近圆形，先端圆，带凸起的圆头或急尖头，基部弯缺甚深，呈深心形；叶柄长（3 ~）5 ~ 16 cm；托叶膜质，灰白色。茎 1，中部以下或近中部具 1 茎生叶。花单生于茎顶，直径 3 ~ 3.5 cm；萼筒倒圆锥形；萼片长圆形、卵形或倒卵形；花瓣白色，长圆状倒卵形或匙状倒卵形，长（1 ~）1.2 ~ 2.5 cm，宽 6 ~ 9 mm，先端圆或急尖，基部渐窄成长约 5 mm 之爪；子房上位，先端扁球形，花柱长约 1.8 mm，通常伸出退化雄蕊之外，偶有不伸出者，柱头 3 裂，

裂片倒卵形，花后反折。蒴果 3 裂；种子多数，褐色，有光泽。花期 7 ~ 8 月，果期 9 月。

| **生境分布** | 生于海拔 1 800 ~ 2 000 m 的冷杉林和杂木林下、草滩湿处和碎石坡。分布于湖南湘西州（龙山）。

| **资源情况** | 野生资源较少。栽培资源较少。药材来源于野生和栽培。

| **采收加工** | 夏季采收，洗净，晒干或鲜用。

| **功能主治** | 清热润肺，解毒消肿。用于肺结核，喉炎，腮腺炎，淋巴结炎，热毒疮肿，跌打损伤。

| **用法用量** | 内服煎汤，6 ~ 12 g。外用适量，鲜品捣敷。

白耳菜 *Parnassia foliosa* Hook. f. et Thomson.

| 药 材 名 |

白耳菜（药用部位：全草）。

| 形态特征 |

多年生草本，高 15 ~ 30 cm，直立，较粗壮。根茎块状或稍伸长。基生叶 3 ~ 6，丛生，具长柄，叶片肾形，长 1.5 ~ 4（~ 5）cm，宽 2.4 ~ 6（~ 7）cm，先端圆，常有钝头，基部心形，叶柄长 5 ~ 8 cm，托叶膜质。茎 1 ~ 4，通常具 4 ~ 8 茎生叶；茎生叶肾形，稀卵状心形，先端带急尖头，基部心形，边薄而全缘，上面深绿色，下面淡绿色，脉弧形凸起。花单生于茎顶，直径 2 ~ 3 cm；萼片卵形至长圆形；花瓣白色，卵形至三角状卵形；雄蕊 5，花丝扁平，长约 6.5 mm，向基部逐渐加宽，退化雄蕊 5，全长 4 ~ 5 mm，下部扁，为主干，上部具 3 分枝，通常中间主枝较长，每枝先端具球形腺体；子房卵圆形。蒴果先端扁球形；种子褐色，有光泽。花期 8 ~ 9 月，果期 9 月。

| 生境分布 |

生于海拔 1 100 ~ 2 000 m 的山坡、水沟边或路边潮湿处。分布于湖南长沙（浏阳）等。

资源情况	野生资源较少。栽培资源较少。药材来源于野生和栽培。
采收加工	夏、秋季采集，洗净，晒干或鲜用。
功能主治	润肺止咳，凉血解毒。用于久咳，咯血，便血，血痢，带下，疔疮。
用法用量	内服煎汤，6 ~ 12 g，鲜品 30 ~ 60 g。外用适量，鲜品捣敷。

虎耳草科 Saxifragaceae 扯根菜属 Penthorum

扯根菜 *Penthorum chinense* Pursh

| 药 材 名 |

赶黄草（药用部位：全草）。

| 形态特征 |

多年生草本，高 40 ~ 65（~ 90）cm。根茎分枝。茎不分枝，稀基部分枝，具多数叶，中下部无毛，上部疏生黑褐色腺毛。叶互生，无柄或近无柄，披针形至狭披针形，长 3 ~ 12 cm，宽 0.4 ~ 1.2 cm，先端渐尖，边缘具细重锯齿，无毛。聚伞花序具多花，长 1.5 ~ 4 cm，花序分枝与花梗均被褐色腺毛；苞片小，卵形至狭卵形；花梗长 1 ~ 2.2 mm；花小型，黄白色；萼片 5，革质，三角形，长约 1.5 mm，宽约 1.1 mm，无毛，单脉；无花瓣；雄蕊 10，长约 2.5 mm；雌蕊长约 3.1 mm，心皮 5（~ 6），下部合生，子房 5（~ 6）室，胚珠多数，花柱 5（~ 6），较粗。蒴果红紫色，直径 4 ~ 5 mm；种子多数，卵状长圆形，表面具小丘状突起。花果期 7 ~ 10 月。

| 生境分布 |

生于海拔 90 ~ 2 000 m 的林下、灌丛、草甸及水边。湖南各地均有分布。

| **资源情况** | 野生资源丰富。栽培资源较少。药材来源于野生和栽培。

| **采收加工** | 夏季采收，扎把，晒干。

| **药材性状** | 本品根茎呈圆柱状，弯曲，具分枝，长约 15 cm，直径 3 ～ 8 cm，表面呈红褐色，密生不定根。茎圆柱形，直径 1 ～ 6 mm，红紫色，不分枝或基部分枝。叶膜质，易碎，完整者呈披针形或狭披针形，绿褐色，长 3 ～ 11.5 cm，宽 0.6 ～ 1.2 cm，先端长渐尖或渐尖，基部楔形，边缘具细锯齿；无柄或近无柄。有时枝端可见聚伞花序，花黄绿色，无花瓣。偶见红紫色果实，果实直径达 5 mm。

| **功能主治** | 利水除湿，活血散瘀，止血，解毒。用于水肿，小便不利，黄疸，带下，痢疾，闭经，跌打损伤，尿血。

| **用法用量** | 内服煎汤，15 ～ 30 g。外用适量，捣敷。

虎耳草科 Saxifragaceae 山梅花属 *Philadelphus*

山梅花 *Philadelphus incanus* Koehne

| **药 材 名** | 山梅花（药用部位：茎、叶）。

| **形态特征** | 灌木，高 1.5 ~ 3.5 m。二年生小枝灰褐色，表皮片状脱落，当年生小枝浅褐色或紫红色。叶卵形或阔卵形，长 6 ~ 12.5 cm，宽 8 ~ 10 cm，先端急尖，基部圆形；叶柄长 5 ~ 10 mm。总状花序有花 5 ~ 7 （~ 11），下部分枝有时具叶，花序轴长 5 ~ 7 cm，疏被长柔毛或无毛；花梗长 5 ~ 10 mm，上部密被白色长柔毛；花萼外面密被紧贴糙伏毛；萼筒钟形，裂片卵形，长约 5 mm，宽约 3.5 mm，先端渐尖；花冠盘状，直径 2.5 ~ 3 cm；花瓣白色，卵形或近圆形，基部急变狭，长 13 ~ 15 mm，宽 8 ~ 13 mm；雄蕊 30 ~ 35，长可达 10 mm；花盘无毛；花柱长约 5 mm，无毛，近先端稍分裂，柱头棒

形，长约 1.5 mm，较花药小。蒴果倒卵形，长 7 ~ 9 mm，直径 4 ~ 7 mm；种子长 1.5 ~ 2.5 mm，具短尾。花期 5 ~ 6 月，果期 7 ~ 8 月。

| **生境分布** | 生于海拔 1 200 ~ 1 700 m 的林缘、灌丛中。分布于湖南邵阳、张家界（武陵源）、永州（蓝山）、湘西州（保靖）。

| **资源情况** | 野生资源较少。栽培资源较少。药材来源于野生和栽培。

| **采收加工** | 夏季采集，扎把，晒干。

| **功能主治** | 清热利湿。用于膀胱炎，黄疸性肝炎。

| **用法用量** | 内服煎汤，3 ~ 6 g。

绢毛山梅花

Philadelphus sericanthus Koehne

| 药 材 名 | 白花杆（药用部位：根皮）。

| 形态特征 | 灌木，高 1 ~ 3 m。二年生小枝黄褐色，表皮纵裂，片状脱落，当年生小枝褐色，无毛或疏被毛。叶纸质，椭圆形或椭圆状披针形，先端渐尖，基部楔形或阔楔形，上面疏被糙伏毛，下面仅沿主脉和脉腋被长硬毛，3 ~ 5 叶脉稍离基；叶柄长 8 ~ 12 mm，疏被毛。总状花序有花 7 ~ 15（~ 30），下面 1 ~ 3 对分枝先端具 3 ~ 5 花，花呈聚伞状排列；花梗长 6 ~ 14 mm，被糙伏毛；花萼褐色，外面疏被糙伏毛，裂片卵形，先端渐尖，尖头长约 1.5 mm；花冠盘状，直径 2.5 ~ 3 cm；花瓣白色，倒卵形或长圆形，长 1.2 ~ 1.5 cm，宽 8 ~ 10 mm，外面基部常疏被毛，先端圆形；雄蕊 30 ~ 35，

长可达 7 mm，花药长圆形，长约 1.5 mm。蒴果倒卵形，长约 7 mm，直径约 5 mm；种子长 3 ～ 3.5 mm，具短尾。花期 5 ～ 6 月，果期 8 ～ 9 月。

| 生境分布 | 生于海拔 350 ～ 2 000 m 的林下或灌丛中。分布于湖南常德（澧县、石门）、张家界（慈利、桑植）、怀化（鹤城、麻阳）、湘西州（吉首、泸溪、永顺）等。

| 资源情况 | 野生资源较少。栽培资源较少。药材来源于野生和栽培。

| 采收加工 | 夏、秋季采收，洗净，晒干或鲜用。

| 功能主治 | 活血，止痛，截疟。用于扭挫伤，腰部疼痛，胃痛，头痛，疟疾。

| 用法用量 | 内服煎汤，9 ～ 24 g；或炖肉。外用适量，捣敷。

虎耳草科 Saxifragaceae 冠盖藤属 *Pileostegia*

星毛冠盖藤 *Pileostegia tomentella* Hand.-Mazz.

| 药 材 名 | 星毛冠盖藤（药用部位：根、茎）。

| 形态特征 | 常绿攀缘灌木，长达 16 m。嫩枝、叶下面和花序均密被淡褐色或锈色星状柔毛，星状毛常为 3 ~ 6 辐线。老枝圆柱形，近无毛，灰褐色。叶革质，长圆形或倒卵状长圆形，稀倒披针形，背卷，嫩叶上面疏被星状毛，后毛脱落，干时呈灰绿色或黄绿色，下面密被毛，其中叶脉上毛较密，每边具侧脉 8 ~ 13；叶柄长 1.2 ~ 1.5 cm。伞房状圆锥花序顶生；苞片线形或钻形，被星状毛；花白色；花梗长约 2 mm；萼筒杯状，高约 2 mm，裂片三角形，疏被星状毛；花瓣卵形，长约 2 mm，早落，无毛；花柱长约 1.5 mm，柱头圆锥状，4 ~ 6 裂，被毛。蒴果陀螺状，平顶，直径约 4 mm，被稀疏星状毛，

具宿存花柱和柱头，具棱，暗褐色；种子细小，连翅长约 2 mm，棕色。花期 3 ~ 8 月，果期 9 ~ 12 月。

| **生境分布** | 生于海拔 300 ~ 700 m 的山谷林中。分布于湖南郴州（桂阳）、永州（冷水滩）等。

| **资源情况** | 野生资源较少。栽培资源较少。药材来源于野生和栽培。

| **采收加工** | 全年均可采收，洗净，切片，晒干或鲜用。

| **功能主治** | 祛风除湿，散瘀止痛，消肿解毒。用于风湿痹痛，腰腿酸痛，跌打损伤，骨折，外伤出血，痈肿疮毒。

| **用法用量** | 内服煎汤，5 ~ 15 g。外用适量，捣敷。

虎耳草科 Saxifragaceae 冠盖藤属 Pileostegia

冠盖藤
Pileostegia viburnoides Hook. f. et Thoms.

| 药 材 名 | 青棉花藤（药用部位：根）、青棉花藤叶（药用部位：叶）。

| 形态特征 | 常绿攀缘状灌木，长达 15 m。小枝圆柱形，灰色或灰褐色，无毛。叶对生，薄革质，椭圆状倒披针形或长椭圆形，先端渐尖或急尖，基部楔形或阔楔形，全缘或边缘稍呈波状，常稍背卷，有时近先端有蜿蜒状稀疏齿缺，上面绿色或暗绿色，具光泽，无毛，下面干后呈黄绿色，无毛或主脉和侧脉交接处穴孔内有长柔毛，稀具稀疏星状柔毛；叶柄长 1 ~ 3 cm。伞房状圆锥花序顶生；苞片和小苞片线状披针形，长 4 ~ 5 cm，宽 1 ~ 3 mm，无毛，褐色；花白色；花梗长 3 ~ 5 mm；萼筒圆锥状，长约 1.5 mm，裂片三角形，无毛；花瓣卵形；花丝纤细，长 4 ~ 6 mm；花柱长约 1 mm，无毛，柱头

圆锥形，4 ~ 6 裂。蒴果圆锥形，具宿存花柱和柱头；种子连翅长约 2 mm。花期 7 ~ 8 月，果期 9 ~ 12 月。

| **生境分布** | 生于海拔 600 ~ 1 000 m 的山谷林中。湖南有广泛分布。

| **资源情况** | 野生资源一般。栽培资源一般。药材来源于野生和栽培。

| **采收加工** | 青棉花藤：全年均可采收，洗净，晒干或鲜用。
青棉花藤叶：全年均可采收，鲜用或晒干。

| **功能主治** | 青棉花藤：祛风除湿，散瘀止痛，消肿解毒。用于腰腿酸痛，手脚麻木，跌打损伤，骨折，外伤出血，痈肿疮毒。
青棉花藤叶：解毒消肿，敛疮止血。用于脓肿，疮疡溃烂，外伤出血。

| **用法用量** | 青棉花藤：内服煎汤，15 ~ 30 g。外用适量，捣敷。
青棉花藤叶：外用适量，鲜品捣敷；或研末调敷。

虎耳草科 Saxifragaceae 茶藨子属 Ribes

革叶茶藨子 *Ribes davidii* Franch.

| **药 材 名** | 石夹生（药用部位：全草。别名：石甲生、小活血、小石生）。

| **形态特征** | 常绿矮灌木，高 0.3 ~ 1 m。小枝灰色至灰褐色，皮稍条状或片状剥离，嫩枝短，褐色或红褐色，光滑无毛，无刺，枝顶常具叶 2 ~ 5；芽卵圆形或长卵圆形，长 3 ~ 6 mm，先端急尖至短渐尖，鳞片草质，外面无毛。叶倒卵状椭圆形或宽椭圆形，革质，长 2 ~ 5 cm，宽 1.5 ~ 3 cm，先端微尖或稍钝，具突尖头，基部楔形，上面暗绿色，有光泽，下面苍白色，两面无毛，不分裂，边缘自中部以上具圆钝粗锯齿，齿顶有突尖头，基部具明显三出脉；叶柄粗短，长 0.5 ~ 1.5 cm，具腺毛。花单性，雌雄异株，形成总状花序；雄花序直立，长 2 ~ 4 cm，具花 5 ~ 18；雌花序常腋生，长 2 ~ 3 cm，

具花 2 ~ 3，稀达 7；果序具果 1 ~ 2；花序轴具柔毛和腺毛；花梗长 3 ~ 6 mm，幼时被稀疏柔毛和腺毛，逐渐脱落至老时无毛；苞片椭圆形或宽椭圆形，长 7 ~ 9 mm，宽 3 ~ 5 mm，先端微尖或稍钝，无毛，边缘常疏生短腺毛，具单脉；花萼绿白色或浅黄绿色，外面无毛；萼筒盆形，长 2 ~ 4 mm，宽 5 ~ 7 mm；萼片宽卵圆形或倒卵状长圆形，长 2.5 ~ 4 mm，宽 2 ~ 3 mm，先端钝；花瓣楔状匙形或倒卵圆形，长约为萼片的 1/2，先端截形或圆状截形；雄蕊短于或约与花瓣近等长，花药圆形，雌花中的雄蕊几无花丝，花粉不育；子房光滑无毛，雄花无子房；花柱先端 2 裂，柱头头状。果实椭圆形，稀近圆形，长 8 ~ 11 mm，宽 6 ~ 8 mm，紫红色，无毛，具 20 ~ 25 细小种子。花期 4 ~ 5 月，果期 6 ~ 7 月。

| 生境分布 | 生于海拔 900 ~ 2 000 m 的山坡阴湿处、路边、岩石上或林中石壁上。分布于湖南邵阳（新宁）等。

| 资源情况 | 野生资源稀少。药材来源于野生。

| 采收加工 | 夏、秋季采收，切段，晒干。

| 药材性状 | 本品根细长，灰褐色，直径 1 ~ 2 mm，有多数侧根及须根，质脆，易断，断面红棕色。茎多分枝，直径 1 ~ 2 mm，褐色或红棕色，节部有环状托叶痕和叶痕，以及多数不定根或根痕，节间长约 1.5 cm；有的茎基具有鲜黄绿色的小鳞叶，芒状，质脆，易断。叶片卵形，长 3 ~ 7 cm，宽 1.5 ~ 2 cm，边缘有浅锯齿，棕红色或浅红褐色，革质。气微，味苦、涩。

| 功能主治 | 涩、苦，微温。归肝、脾、肾经。祛风利湿，活血止痛。用于风湿性关节炎，月经不调，经闭腰痛，产后腹痛，痢疾。

| 用法用量 | 内服煎汤，9 ~ 15 g。

虎耳草科 Saxifragaceae 茶藨子属 Ribes

冰川茶藨子 *Ribes glaciale* Wall.

| 药 材 名 |

冰川茶藨根（药用部位：根。别名：燕子树、冰川茶藨）。

| 形态特征 |

落叶灌木，高 2 ~ 3 m。小枝深褐灰色或棕灰色，皮长条状剥落，嫩枝红褐色，无毛或微具短柔毛，无刺；芽长圆形，长 4 ~ 7 mm，先端急尖，具鳞片数枚，草质，褐红色，外面无毛。叶长卵圆形，稀近圆形，长 3 ~ 5 cm，宽 2 ~ 4 cm，基部圆形或近截形，上面无毛或疏生腺毛，下面无毛或沿叶脉微具短柔毛，掌状 3 ~ 5 裂，顶生裂片三角状长卵圆形，先端长渐尖，比侧生裂片长 2 ~ 3 倍，侧生裂片卵圆形，先端急尖，边缘具粗大单锯齿，有时混生少数重锯齿；叶柄长 1 ~ 2 cm，浅红色，无毛，稀疏生腺毛。花单性，雌雄异株，组成直立总状花序；雄花序长 2 ~ 5 cm，具花 10 ~ 30；雌花序短，长 1 ~ 3 cm，具花 4 ~ 10；花序轴和花梗具短柔毛和短腺毛；花梗长 2 ~ 4 mm；苞片卵状披针形或长圆状披针形，长 3 ~ 5 mm，宽 1 ~ 1.5 mm，先端急尖或微钝，边缘有短腺毛，具单脉；花萼近辐状，褐红色，外面无毛；萼筒浅杯形，长

1 ～ 2 mm，宽大于长；萼片卵圆形或舌形，长 1 ～ 2.5 mm，宽 0.7 ～ 1.3 mm，先端圆钝或微尖，直立；花瓣近扇形或楔状匙形，短于萼片，先端圆钝；雄蕊稍长于花瓣或几与花瓣近等长，花丝红色，花药圆形，紫红色或紫褐色，雄花中子房退化；雌花的雄蕊退化，长约 0.4 mm，花药无花粉，子房倒卵状长圆形，无柔毛，稀微具腺毛，花柱先端 2 裂。果实近球形或倒卵状球形，直径 5 ～ 7 mm，红色，无毛。花期 4 ～ 6 月，果期 7 ～ 9 月。

| **生境分布** | 生于海拔 900 ～ 1 800 m 的山坡或山谷丛林及林缘或岩石上。分布于湖南湘西州（古丈）、张家界（桑植、永定）、常德（石门）等。

| **资源情况** | 野生资源稀少。药材来源于野生。

| **功能主治** | 清虚热，调经止痛。

虎耳草科 Saxifragaceae 茶藨子属 Ribes

宝兴茶藨子
Ribes moupinense Franch.

| 药 材 名 | 宝兴茶藨根（药用部位：根。别名：山麻子、穆坪茶藨子、穆坪醋栗）。

| 形态特征 | 落叶灌木，高 2 ~ 3 m。小枝暗紫褐色，皮稍呈长条状纵裂或不裂，嫩枝棕褐色，无毛，无刺；芽卵圆形或长圆形，长 4 ~ 5 mm，宽 2 ~ 3 mm，先端稍钝，具数枚棕褐色鳞片，外面无毛。叶卵圆形或宽三角状卵圆形，长 5 ~ 9 cm，宽几与长相似，基部心形，稀近截形，上面无柔毛或疏生粗腺毛，下面沿叶脉或脉腋间具短柔毛或混生少许腺毛，常 3 ~ 5 裂，裂片三角状长卵圆形或长三角形，顶生裂片长于侧生裂片，先端长渐尖，侧生裂片先端短渐尖或急尖，边缘具不规则的尖锐单锯齿和重锯齿；叶柄长 5 ~ 10 cm，沿槽微具柔毛，或近基部有少数腺毛。花两性，开花时直径 4 ~ 6 mm；总状花序长 5 ~ 10 cm，下垂，具 9 ~ 25 疏松排列的花；花序轴具短柔

毛；花梗极短或几无，稀稍长；苞片宽卵圆形或近圆形，长 1.5 ～ 2 mm，宽几与长相似，全缘或稍具小齿，无毛或边缘微具睫毛，位于花序下部的苞片较狭长，长卵圆形或披针状卵圆形，长可达 4 mm，先端微尖；花萼绿色而有红晕，外面无毛；萼筒钟形，长 2.5 ～ 4 mm，宽稍大于长；萼片卵圆形或舌形，长 2 ～ 3.5 mm，宽 1.5 ～ 2.2 mm，先端圆钝，不内弯，边缘无睫毛，直立；花瓣倒三角状扇形，长 1 ～ 1.8 mm，宽短于长，下部无突出体；雄蕊几与花瓣等长，着生在与花瓣同一水平上，花丝丝形，花药圆形；子房无毛；花柱短于雄蕊，先端 2 裂。果实球形，几无梗，直径 5 ～ 7 mm，黑色，无毛。花期 5 ～ 6 月，果期 7 ～ 8 月。

| 生境分布 | 生于海拔 1 400 ～ 1 800 m 的山坡路边杂木林下、岩石坡地及山谷林下。分布于湖南湘西州（古丈）、娄底（新化）、常德（石门）等。

| 资源情况 | 野生资源稀少。药材来源于野生。

| 功能主治 | 祛风除湿，活血调经。

虎耳草科 Saxifragaceae 茶藨子属 Ribes

细枝茶藨子 *Ribes tenue* Jancz.

| 药 材 名 | 细醋栗（药用部位：根。别名：三升米、茶刺果树）。

| 形态特征 | 落叶灌木，高 1 ~ 4 m。枝细瘦，小枝灰褐色或灰棕色，皮长条状或薄片状撕裂，幼枝暗紫褐色或暗红褐色，无柔毛，常具腺毛，无刺；芽卵圆形或长卵圆形，长 4 ~ 6 mm，先端急尖，具数枚紫褐色鳞片。叶长卵圆形，稀近圆形，长 2 ~ 5.5 cm，宽 2 ~ 5 cm，基部截形至心形，上面无毛或幼时具短柔毛和紧贴短腺毛，成长时逐渐脱落。下面幼时具短柔毛，老时近无毛，掌状 3 ~ 5 裂，顶生裂片菱状卵圆形，先端渐尖至尾尖，比侧生裂片长 1 ~ 2 倍，侧生裂片卵圆形或菱状卵圆形，先端急尖至短渐尖，边缘具深裂或缺刻状重锯齿，或混生少数粗锐单锯齿；叶柄长 1 ~ 3 cm，无柔毛或具稀疏腺毛。

花单性，雌雄异株，组成直立总状花序；雄花序长 3 ~ 5 cm，生于侧生小枝先端，具花 10 ~ 20；雌花序较短，长 1 ~ 3 cm，具花 5 ~ 15；花序轴和花梗具短柔毛和疏腺毛；花梗长 2 ~ 6 mm；苞片披针形或长圆状披针形，长 4 ~ 7 mm，宽 1 ~ 2.5 mm，先端急尖，褐色，边缘常具短腺毛，老时脱落，具单脉；花萼近辐状，红褐色，外面无毛；萼筒碟形，长 1 ~ 1.5 mm，宽大于长；萼片舌形或卵圆形，长 2 ~ 3.5 mm，先端钝，直立；花瓣楔状匙形或近倒卵圆形，长约 1 mm 或稍长，先端圆钝，暗红色；雄蕊短，几与花瓣等长或稍短，花丝约与花药等长，花药近圆形，白色带粉红色，雌花的花药不发育；子房光滑无毛，花柱先端 2 裂；雄花中花柱退化成短棒状，子房败育。果实球形，直径 4 ~ 7 mm，暗红色，无毛。花期 5 ~ 6 月，果期 8 ~ 9 月。

| 生境分布 | 生于海拔 1300 ~ 1 800 m 的山坡和山谷灌丛或沟旁路边。分布于湖南岳阳（平江）、张家界（桑植）、常德（石门）等。

| 资源情况 | 野生资源稀少。药材来源于野生。

| 功能主治 | 清虚热，调经止痛。用于虚热，乏力，月经不调，痛经。

虎耳草科 Saxifragaceae 虎耳草属 Saxifraga

红毛虎耳草

Saxifraga rufescens Balf. f.

| 药 材 名 | 红毛虎耳草（药用部位：全草）。

| 形态特征 | 多年生草本，高 16 ~ 40 cm。根茎较长。叶均基生，叶片肾形、圆肾形至心形，先端钝，基部心形，裂片阔卵形，两面和边缘均被腺毛；叶柄长 3.7 ~ 15.5 cm，被红褐色长腺毛。花葶密被红褐色长腺毛；多歧聚伞花序圆锥状；花序分枝纤细；花梗长 0.6 ~ 3.5 cm，被腺毛；苞片线形，长 2.3 ~ 6 mm，宽 0.5 ~ 1.1 mm，边缘具长腺毛；萼片在花期开展至反曲，卵形至狭卵形，先端钝或短渐尖，腹面无毛，背面和边缘具腺毛，3 脉于先端会合；花瓣白色至粉红色，具 3（~ 7）脉，为弧曲脉序，其中 1 花瓣最长，披针形至线形，长 9.6 ~ 18.8 mm，宽 1.3 ~ 4.6 mm，先端钝或渐尖，边缘多少具

腺睫毛，基部具长 0.8 ~ 1 mm 之爪，3 ~ 9 脉，通常为弧曲脉序；雄蕊长 4.5 ~ 5.5 mm，花丝棒状；子房上位，卵球形。蒴果弯垂。

| 生境分布 | 生于海拔 1 000 ~ 2 000 m 的林下、林缘、灌丛、高山草甸及岩壁石隙。分布于湖南郴州（汝城）、湘西州（保靖）等。

| 资源情况 | 野生资源较少。药材来源于野生。

| 采收加工 | 夏季采收，洗净，晒干，

| 功能主治 | 清热祛风，镇痛。用于疮肿，烫伤，蛇虫咬伤。

| 用法用量 | 内服煎汤，9 ~ 15 g。外用适量，捣敷。

虎耳草科 Saxifragaceae 虎耳草属 Saxifraga

虎耳草 *Saxifraga stolonifera* Curt.

| 药 材 名 |

虎耳草（药用部位：全草）。

| 形态特征 |

多年生草本，高 8 ～ 45 cm。匍匐枝细长，密被卷曲长腺毛，具鳞片状叶。茎被长腺毛，具 1 ～ 4 苞片状叶。基生叶具长柄，叶片近心形、肾形至扁圆形，先端钝或急尖，基部近截形、圆形至心形，裂片边缘具不规则牙齿和腺睫毛，腹面绿色，被腺毛，背面通常呈红紫色，被腺毛，有斑点，具掌状达缘脉序，被长腺毛；茎生叶披针形。聚伞花序圆锥状；花序分枝长 2.5 ～ 8 cm，被腺毛，具 2 ～ 5 花；花梗细弱，被腺毛；花两侧对称；萼片在花期开展至反曲，卵形，先端急尖，边缘具腺睫毛，腹面无毛，背面被褐色腺毛；花瓣 5，白色，中上部具紫红色斑点，基部具黄色斑点；雄蕊长 4 ～ 5.2 mm，花丝棒状；花盘半环状，围绕于子房一侧。花果期 4 ～ 11 月。

| 生境分布 |

生于海拔 400 ～ 2 000 m 的林下、灌丛、草甸和阴湿岩隙。湖南各地均有分布。

| **资源情况** | 野生资源丰富。栽培资源丰富。药材来源于野生和栽培。

| **采收加工** | 全年均可采收，洗净，晾干。

| **功能主治** | 疏风清热，凉血解毒。用于风热咳嗽，肺痈，吐血，风火牙痛，风疹瘙痒，痈肿丹毒，痔疮肿痛，毒虫咬伤，烫伤，外伤出血。

| **用法用量** | 内服煎汤，10 ~ 15 g。外用适量，煎汤洗；或鲜品捣敷；或捣汁滴耳。

虎耳草科 Saxifragaceae 钻地风属 Schizophragma

白背钻地风 *Schizophragma hypoglaucum* Rehd.

| 药 材 名 | 散血藤（药用部位：茎藤。别名：钻地风、利筋藤）。

| 形态特征 | 木质藤本。小枝褐红色，无毛，具细纵条纹。叶纸质，长卵形，长8～15 cm，宽4～8 cm，先端长渐尖，基部圆形或阔楔形，稍不等侧，边缘略反卷，全缘或上部有稀疏细齿，上面深绿色，无毛，下面粉白色，干后略带黄色，在高倍放大镜下可见多数、密集的颗粒状腺体，无毛或有时脉腋间具髯毛；中脉在上面平坦或近基部稍凹入，在下面隆起，侧脉7～8对，弯拱，常有1～4与侧脉近等粗的二级分枝，在下面凸起，小脉网状，两面明显；叶长2～6 cm，上面具凹槽，无毛。伞房状聚伞花序顶生，花序轴及分枝近无毛；不育花萼片单生，长圆形、长卵形或披针形，长2～6 cm，宽1～3 cm，先端

钝，基部楔形；孕性花萼筒倒圆锥形，长 1 ~ 1.5 mm，萼齿卵状三角形，长约 0.5 mm；花瓣长圆形，长约 2 mm，宽 1 ~ 1.4 mm，先端略尖；雄蕊 10，不等长，开花时短的比花瓣略长，长的约长过花瓣 1 倍，花药近圆形，长、宽均约 0.5 mm；子房近下位，花柱和柱头长约 1 mm，柱头头状，稍大。蒴果狭倒圆锥形，全长 5 ~ 7 mm，宽 2.5 ~ 3 mm，具 10 棱，先端突出部分短圆锥形，长 0.5 ~ 1 mm；种子连翅狭纺锤形，稍扁，长 2.5 ~ 3 mm，宽约 0.4 mm，先端的翅长约 1.5 mm，较狭。花期 6 ~ 7 月，果期 9 ~ 10 月。

| 生境分布 | 生于海拔 1 000 ~ 1 200 m 的山坡密林中或旷地岩石旁。分布于湖南邵阳（绥宁）、张家界（桑植）等。

| 资源情况 | 野生资源稀少。药材来源于野生。

| 功能主治 | 祛风湿，解热毒。用于瘀血凝滞，筋骨风痛，疮毒红肿。

虎耳草科 Saxifragaceae 钻地风属 Schizophragma

钻地风 *Schizophragma integrifolium Oliv.*

| **药 材 名** | 钻地风（药用部位：根、藤茎）。

| **形态特征** | 木质藤本或藤状灌木。小枝褐色，无毛，具细条纹。叶纸质，椭圆形、长椭圆形或阔卵形，上面无毛，下面沿脉有时被稀疏短柔毛，后近无毛，脉腋间常具髯毛；叶柄长 2 ~ 9 cm，无毛。伞房状聚伞花序密被褐色、紧贴短柔毛，结果时毛稀少；不育花萼片单生或 2 ~ 3 萼片聚生于花梗上，卵状披针形、披针形或阔椭圆形，黄白色；孕性花萼筒陀螺状；花瓣长卵形，先端钝；雄蕊近等长，花盛开时雄蕊长 4.5 ~ 6 mm，花药近圆形，长约 0.5 mm；子房近下位，花柱和柱头长约 1 mm。蒴果钟状或陀螺状，较小，长 6.5 ~ 8 mm，宽 3.5 ~ 4.5 mm，基部稍宽，阔楔形，先端凸出部分短圆锥形，长约

1.5 mm；种子褐色，连翅呈纺锤形或近纺锤形，两端的翅近相等，长 1 ~ 1.5 mm。
花期 6 ~ 7 月，果期 10 ~ 11 月。

| **生境分布** | 生于山谷密林、山坡林缘或山顶疏林下，常攀缘于乔木或石壁上。分布于湖南
邵阳（隆回）、常德（澧县）、郴州（宜章）、永州（江华）、湘西州（永顺）、
湘潭（湘乡）、怀化（溆浦）等。

| **资源情况** | 野生资源一般。栽培资源较少。药材来源于野生和栽培。

| **采收加工** | 全年均可采收，去净泥土，切片，晒干。

| **功能主治** | 舒筋活络，祛风活血。用于风湿筋骨痛，四肢关节酸痛。

| **用法用量** | 内服煎汤，9 ~ 15 g；或浸酒。外用适量，煎汤洗。

虎耳草科 Saxifragaceae 钻地风属 Schizophragma

粉绿钻地风

Schizophragma integrifolium Oliv. var. *glaucescens* Rehd.

| 药 材 名 | 粉绿钻地风（药用部位：根皮）。

| 形态特征 | 木质藤本或藤状灌木；小枝褐色，无毛，具细条纹。叶纸质，椭圆形或长椭圆形或阔卵形，长 8 ～ 20 cm，宽 3.5 ～ 12.5 cm，先端渐尖或急尖，具狭长或阔短尖头，基部阔楔形、圆形至浅心形，全缘或上部或多或少具仅有硬尖头的小齿，上面无毛，下面呈粉绿色，脉腋间常有髯毛；侧脉 7 ～ 9 对，弯拱或下部稍直，在下面凸起，小脉网状，较密，在下面微凸；叶柄长 2 ～ 9 cm，无毛。伞房状聚伞花序密被褐色、紧贴短柔毛，结果时毛渐稀少；不育花萼片单生或偶有 2 ～ 3 花萼片聚生于花梗上，卵状披针形、披针形或阔椭圆形，结果时长 3 ～ 7 cm，宽 2 ～ 5 cm，黄白色；孕性花萼筒陀螺状，长1.5 ～ 2 mm，宽 1 ～ 1.5 mm，基部略尖，萼齿三角形，长约 0.5 mm；

花瓣长卵形，长 2 ~ 3 mm，先端钝；雄蕊近等长，盛开时长 4.5 ~ 6 mm，花药近圆形，长约 0.5 mm；子房近下位，花柱和柱头长约 1 mm。蒴果钟状或陀螺状，较小，全长 6.5 ~ 8 mm，宽 3.5 ~ 4.5 mm，基部稍宽，阔楔形，先端突出部分短圆锥形，长约 1.5 mm；种子褐色，连翅呈纺锤形或近纺锤形，扁，长 3 ~ 4 mm，宽 0.6 ~ 0.9 mm，两端的翅近相等，长 1 ~ 1.5 mm。花期 6 ~ 7 月，果期 10 ~ 11 月。

| **生境分布** | 生于海拔 200 ~ 2 000 m 的山谷密林或山坡林缘或山顶疏林下，常攀缘于乔木或石壁上。分布于湖南永州（东安）、邵阳（新宁）等。

| **资源情况** | 野生资源稀少。药材来源于野生。

| **功能主治** | 祛风活血，止痛。用于风湿脚气，四肢关节酸痛。

虎耳草科 Saxifragaceae 黄水枝属 Tiarella

黄水枝
Tiarella polyphylla D. Don

| 药 材 名 |

黄水枝（药用部位：全草）。

| 形态特征 |

多年生草本，高 20 ~ 45 cm。根茎横走，深褐色，直径 3 ~ 6 mm。茎不分枝，密被腺毛。基生叶具长柄，叶片心形，长 2 ~ 8 cm，宽 2.5 ~ 10 cm，先端急尖，基部心形，掌状 3 ~ 5 浅裂，边缘具不规则浅齿，两面密被腺毛；叶柄长 2 ~ 12 cm，基部扩大，呈鞘状，密被腺毛，托叶褐色；茎生叶通常 2 ~ 3，与基生叶同形，叶柄较短。总状花序长 8 ~ 25 cm，密被腺毛；花梗长达 1 cm，被腺毛；萼片在花期直立，卵形，长约 1.5 mm，宽约 0.8 mm，先端渐尖，腹面无毛，背面和边缘具短腺毛，3 脉至多脉；无花瓣；雄蕊长约 2.5 mm，花丝钻形；心皮 2，不等大，下部合生，子房近上位，花柱 2。蒴果长 7 ~ 12 mm；种子黑褐色，椭圆状球形，长约 1 mm。花果期 4 ~ 11 月。

| 生境分布 |

生于海拔 980 ~ 2 000 m 的林下、灌丛和阴湿地。分布于湘西等。

资源情况	野生资源一般。栽培资源一般。药材来源于野生和栽培。
采收加工	4 ~ 10 月采收，洗净，晒干或鲜用。
功能主治	清热解毒，活血祛瘀，消肿止痛。用于疔疮肿毒，肝炎，咳嗽气喘。
用法用量	内服煎汤，9 ~ 15 g；或浸酒。外用适量，鲜品捣敷。

海桐花科 Pittosporaceae 海桐花属 Pittosporum

短萼海桐
Pittosporum brevicalyx (Oliv.) Gagnep.

| 药 材 名 | 山桂花（药用部位：全株）。

| 形态特征 | 常绿灌木或小乔木，高达 10 m。小枝无毛，或幼嫩时有微毛。叶簇生于枝顶，二年生，薄革质，倒卵状披针形，稀为倒卵形或矩圆形，先端渐尖，或急剧收窄而长尖，基部楔形，上面深绿色，发亮，下面幼时有微毛，后毛脱落，侧脉 9 ～ 11 对，在上面明显，在下面略凸起；边缘平展；叶柄长 1 ～ 1.5 cm，有时更长。3 ～ 5 伞房花序生于枝顶叶腋内，花序梗长 1 ～ 1.5 cm，花梗长约 1 cm，苞片狭窄披针形，长 4 ～ 6 mm，被微毛；萼片长约 2 mm，卵状披针形，被微毛；花瓣长 6 ～ 8 mm，分离；子房卵形，被毛，花柱往往被微毛，侧膜胎座 2，胚珠 7 ～ 10。蒴果近圆球形，压扁，直径 7 ～

8 mm，2 片裂开，果片薄，胎座位于果片下半部；种子 7 ~ 10，长约 3 mm，种柄极短。

| **生境分布** | 生于海拔 700 ~ 2 000 m 的落叶阔叶林中。分布于湖南郴州（桂阳、宜章、嘉禾、临武）、永州（道县、新田）、株洲（渌口）等。

| **资源情况** | 野生资源较少。栽培资源较少。药材来源于野生和栽培。

| **采收加工** | 全年均可采收，鲜用或晒干。

| **功能主治** | 祛风活血，消肿止痛，解毒。用于小儿惊风，腰痛，跌打损伤，疮疡肿毒，毒蛇咬伤。

| **用法用量** | 内服煎汤，15 ~ 30 g。外用适量，研末敷。

光叶海桐 *Pittosporum glabratum* Lindl.

| 药 材 名 | 广枝仁（药用部位：种仁）、光叶海桐叶（药用部位：叶）、光叶海桐根（药用部位：根或根皮）。

| 形态特征 | 常绿灌木，高 2 ~ 3 m。叶聚生于枝顶，薄革质，窄矩圆形或倒披针形，先端尖锐，基部楔形，上面绿色，发亮，下面淡绿色，无毛，侧脉 5 ~ 8 对。花序伞形，1 ~ 4 枝簇生于枝顶叶腋，多花；苞片披针形，长约 3 mm；花梗长 4 ~ 12 mm，有微毛或秃净；萼片卵形，长约 2 mm，通常有睫毛；花瓣分离，倒披针形，长 8 ~ 10 mm；雄蕊通常长 6 ~ 7 mm，有时仅长 4 mm；子房长卵形，无毛，花柱长 3 mm，柱头略增大，侧膜胎座 3，每胎座约有胚珠 6。蒴果椭圆形或长筒形，椭圆形者长 2 ~ 2.5 cm，长筒形者长达 3.2 cm，3 片裂开，

果片薄，革质，每片约有种子 6，种子均匀分布于纵长的胎座上；种子大，近圆形，长 5 ~ 6 mm，红色，种柄长 3 mm；果柄短而粗壮，有宿存花柱。

| **生境分布** | 生于林间阴湿地、山坡、溪边。湖南有广泛分布。

| **资源情况** | 野生资源丰富。栽培资源丰富。药材来源于野生和栽培。

| **采收加工** | 广枝仁：秋季采摘果实，晒干，击破果壳，取出种子，除去种皮，再晒干。
光叶海桐叶：全年均可采收，鲜用或晒干。
光叶海桐根：全年或秋季挖取根，或剥取根皮，除去泥土，切段，晒干。

| **功能主治** | 广枝仁：清热利咽，止泻。用于虚热心烦，口渴，咽痛，泄泻，痢疾。
光叶海桐叶：消肿解毒，止血。用于毒蛇咬伤，痈肿，烫火伤，外伤出血。
光叶海桐根：祛风除湿，活血通络，止咳，涩精。用于风湿痹痛，腰腿疼痛，跌打损伤，骨折，头晕，失眠，虚劳咳喘，遗精。

| **用法用量** | 广枝仁：内服煎汤，9 ~ 15 g；或研末，1.5 ~ 3 g。
光叶海桐叶：内服煎汤，9 ~ 15 g；或浸酒。外用适量，捣敷；或研末敷；或煎汤洗；或浸酒涂。
光叶海桐根：内服煎汤，15 ~ 30 g。

海桐花科 Pittosporaceae 海桐花属 Pittosporum

狭叶海桐

Pittosporum glabratum Lindl. var. *neriifolium* Rehd. et Wils.

| 药 材 名 | 金刚口摆（药用部位：全株或果实）。

| 形态特征 | 常绿灌木，高 1.5 m。嫩枝无毛。叶带状或狭窄披针形，长 6 ～ 18 cm 或更长，宽 1 ～ 2 cm，无毛；叶柄长 5 ～ 12 mm。伞形花序顶生，有多花；花梗长约 1 cm，有微毛；萼片长 2 mm，有睫毛；花瓣长 8 ～ 12 mm；雄蕊比花瓣短；子房无毛。蒴果长 2 ～ 2.5 cm，子房柄不明显，3 片裂开；种子红色，长 6 mm。

| 生境分布 | 生于海拔 800 ～ 1 200 m 的山地林中或林边。分布于湖南邵阳（隆回）、张家界（永定）、郴州（北湖）、湘西州（龙山）等。

| 资源情况 | 野生资源较少。栽培资源较少。药材来源于野生和栽培。

| 采收加工 | 秋季采收全株或果实，晒干。

| 功能主治 | 清热利湿。用于湿热黄疸。

| 用法用量 | 内服煎汤，15 ~ 30 g。

海桐花科 Pittosporaceae 海桐花属 Pittosporum

海金子

Pittosporum illicioides Makino

| 药 材 名 | 山栀茶（药用部位：根或根皮）。

| 形态特征 | 常绿灌木，高达 5 m。叶生于枝顶，3 ~ 8 叶簇生，呈假轮生状，薄革质，倒卵状披针形或倒披针形，侧脉 6 ~ 8 对，在上面不明显，在下面稍凸起，网脉在下面明显，叶边缘平展，或略折皱；叶柄长 7 ~ 15 mm。伞形花序顶生，有花 2 ~ 10；花梗长 1.5 ~ 3.5 cm，纤细，无毛，常向下弯；苞片细小，早落；萼片卵形，长 2 mm，先端钝，无毛；花瓣长 8 ~ 9 mm；雄蕊长 6 mm；子房长卵形，被糠秕或有微毛，子房柄短，侧膜胎座 3，每胎座有胚珠 5 ~ 8，胚珠生于子房内壁的中部。蒴果近圆形，长 9 ~ 12 mm，多少三角形，或有纵沟 3，子房柄长 1.5 mm，3 爿裂开，果爿薄木质；种子 8 ~ 15，

长约 3 mm，种柄短而扁平，长 1.5 mm；果柄纤细，长 2 ～ 4 cm，常向下弯。

| **生境分布** | 生于山沟边、岩石旁及山坡杂木林中。湖南有广泛分布。

| **资源情况** | 野生资源丰富。栽培资源较少。药材来源于野生和栽培。

| **采收加工** | 全年均可采挖根，除去泥土，切片，晒干；或剥取根皮，切段，晒干或鲜用。

| **功能主治** | 活络止痛，宁心益肾，解毒。用于风湿痹痛，骨折，胃痛，失眠，遗精，毒蛇咬伤。

| **用法用量** | 内服煎汤，15 ～ 30 g；或浸酒。外用适量，鲜品捣敷。

海桐花科 Pittosporaceae 海桐花属 Pittosporum

小果海桐

Pittosporum parvicapsulare Chang et Yan

| 药 材 名 | 小果海桐（药用部位：根、叶、种子）。

| 形态特征 | 灌木，高2 m。嫩枝无毛，纤细，干后呈暗褐色，老枝暗黑色，有稀疏的灰色皮孔。叶簇生于枝顶，二年生，革质，矩圆形或矩圆状卵形，长3.5 ~ 6 cm，宽1.3 ~ 2.3 cm，先端渐尖，基部楔形，上面深绿色，发亮，下面淡绿色，无毛，干后带褐色，侧脉7 ~ 8对，与网脉在上面稍下陷，在下面稍凸起，叶边缘平展；叶柄长5 ~ 7 mm，纤细。花未见。伞状果序生于枝顶，有蒴果2 ~ 5，果柄长约1 cm，纤细，无毛；蒴果椭圆形，长6 ~ 8 mm，宽4 ~ 5 mm，被褐色柔毛，子房柄不明显，宿存花柱长2 ~ 2.5 mm，3片裂开，稀为2片，果爿薄，厚不及1 mm，内侧无明显横格；种子9 ~ 12，长2 ~

2.5 mm，种柄极短。

| **生境分布** | 生于山坡杂木林中或溪边林下。分布于湖南永州（道县）、衡阳（衡东）等。

| **资源情况** | 野生资源较少。栽培资源较少。药材来源于野生和栽培。

| **采收加工** | 秋季采收根、叶或种子，晒干。

| **功能主治** | 消肿解毒，利湿，活血。用于痈疮，蛇咬伤，湿疹，皮肤瘙痒，关节疼痛，跌
打损伤。

| **用法用量** | 内服煎汤，15 ~ 30 g。

少花海桐

Pittosporum pauciflorum Hook. et Arn.

| 药 材 名 | 少花海桐（药用部位：全株）。

| 形态特征 | 常绿灌木。嫩枝无毛，老枝有皮孔。叶散布于嫩枝上，有时呈假轮生状，革质，狭窄矩圆形或狭窄倒披针形，长 5 ~ 8 cm，宽 1.5 ~ 2.5 cm，先端急锐尖，基部楔形，上面深绿色，发亮。3 ~ 5 花生于枝顶叶腋内，呈伞形；花梗长约 1 cm，秃净或有微毛；苞片线状披针形，长 6 ~ 7 mm；萼片窄披针形，长 4 ~ 5 mm，有微毛，边缘有睫毛；花瓣长 8 ~ 10 mm；雄蕊长 6 ~ 7 mm；子房长卵形，被灰绒毛，子房柄短，花柱长 2 ~ 3 mm，有侧膜胎座 3，有胚珠约 18。蒴果椭圆形或卵形，长约 1.2 cm，被疏毛，3 爿裂开，果爿阔椭圆形，厚约 1 mm，木质，胎座位于果爿中部，各有种子 5 ~ 6；种子红色，

长 4 mm，种柄长 2 mm，稍压扁。

| **生境分布** | 生于山地常绿林中。分布于湖南郴州（临武）等。

| **资源情况** | 野生资源较少。栽培资源较少。药材来源于野生和栽培。

| **采收加工** | 秋季采收，晒干。

| **功能主治** | 用于跌打损伤，风湿痹痛，胃痛，毒蛇咬伤。

| **用法用量** | 内服煎汤，15 ～ 30 g。

柄果海桐

Pittosporum podocarpum Gagnep.

| 药材名 | 寡鸡蛋树皮（药用部位：树皮）、寡鸡蛋树根（药用部位：根）、寡鸡蛋树叶（药用部位：叶）。

| 形态特征 | 常绿灌木，高约 2 m。叶簇生于枝顶，薄革质，倒卵形或倒披针形，先端渐尖或短急尖，基部收窄，楔形，常向下延伸，上面绿色，发亮，干后变为黄绿色，下面无毛；叶柄长 8 ~ 15 mm。1 ~ 4 花生于枝顶叶腋内；花梗长 2 ~ 3 cm，无毛；苞片细小，早落；萼片卵形，长 3 mm，无毛或有睫毛；花瓣长约 17 mm，宽 2 ~ 3 mm；雄蕊长 10 ~ 14 mm；雌蕊长 1 cm，子房长卵形，密被褐色柔毛，花柱长 3 ~ 4 mm，无毛，具侧膜胎座 3，有时具心皮 2、胎座 2，有胚珠 8 ~ 10。蒴果梨形或椭圆形，长 2 ~ 3 cm，子房柄长 5 mm，

最长可达 8 mm，3 爿裂开，有时 2 爿裂开，果爿薄，革质，外表粗糙，内侧有横格，每爿有种子 3 ~ 4；种子长 6 ~ 7 mm，扁圆形，干后呈淡红色，种柄长 3 ~ 4 mm。

| **生境分布** | 生于海拔 800 ~ 2 000 m 的溪边、林下或灌丛中。分布于湖南长沙（望城）、邵阳（邵阳、新宁）、郴州（宜章、汝城）、永州（道县、蓝山）、怀化（芷江）、娄底（冷水江）、湘西州（吉首、古丈）、常德（石门）、张家界（桑植）等。

| **资源情况** | 野生资源较少。栽培资源较少。药材来源于野生和栽培。

| **功能主治** | **寡鸡蛋树皮：**收敛止血，消肿止痛，解毒。用于吐血，崩漏，外伤出血，风湿痹痛，腰腿疼痛，跌打损伤，无名肿痛，毒蛇咬伤。

寡鸡蛋树根：补肺肾，祛风湿，活血通络。用于虚劳咳喘，遗精，早泄，失眠，头晕，高血压，风湿关节痛，小儿瘫痪。

寡鸡蛋树叶：消肿解毒。用于毒蛇咬伤。

| **用法用量** | **寡鸡蛋树皮：**内服煎汤，15 ~ 30 g；或浸酒。外用适量，鲜品捣敷；或干品研末撒。

寡鸡蛋树根：内服煎汤，9 ~ 15 g。外用适量，捣敷。

寡鸡蛋树叶：外用适量，鲜品捣敷；或干品研末撒。

海桐花科 Pittosporaceae 海桐花属 *Pittosporum*

线叶柄果海桐

Pittosporum podocarpum Gagnep. var. *angustatum* Gowda

| 药 材 名 | 线叶柄果海桐（药用部位：根皮、叶、果实）。

| 形态特征 | 灌木，高 2 m。嫩枝无毛。叶簇生于枝顶，带状或狭窄披针形，长 8 ～ 15 cm，宽 1 ～ 2 cm，无毛。伞形花序顶生，有花 4 ～ 18；苞片卵形，长 2 mm；花梗长 1 ～ 2 cm，无毛；萼片卵形，有睫毛，长 2 mm；花瓣长 11 ～ 14 mm；雄蕊长 4 ～ 9 mm；子房被毛，花柱无毛，有侧膜胎座 3，有胚珠 15 ～ 20。蒴果梨形或椭圆形，长 2 ～ 2.5 cm，3 片裂开，果片薄，革质，有种子 6；种子红色，长 5 ～ 6 mm，种柄长 3 mm。

| 生境分布 | 生于山地密林或灌丛中。分布于湖南湘西州（古丈）等。

| **资源情况** | 野生资源较少。药材来源于野生。 |

| **采收加工** | 秋季采收，晒干。 |

| **功能主治** | 镇静，退热，补虚，定喘。用于哮喘，肾虚，遗精。 |

| **用法用量** | 内服煎汤，15 ～ 30 g。 |

海桐花科 Pittosporaceae 海桐花属 Pittosporum

海桐

Pittosporum tobira (Thunb.) Ait.

| 药 材 名 | 海桐枝叶（药用部位：枝叶）。

| 形态特征 | 常绿灌木或小乔木，高达 6 m。叶聚生于枝顶，二年生，革质，倒卵形或倒卵状披针形，长 4 ~ 9 cm，宽 1.5 ~ 4 cm。伞形花序、伞房状伞形花序顶生或近顶生，密被黄褐色柔毛；花梗长 1 ~ 2 cm；苞片披针形，长 4 ~ 5 mm；小苞片长 2 ~ 3 mm，均被褐色毛。花初为白色，芳香，后变为黄色；萼片卵形，长 3 ~ 4 mm，被柔毛；花瓣倒披针形，长 1 ~ 1.2 cm，离生；雄蕊 2 型，退化雄蕊的花丝长 2 ~ 3 mm，花药近不育，正常雄蕊的花丝长 5 ~ 6 mm，花药长圆形，黄色；子房长卵形，密被柔毛，有侧膜胎座 3，胚珠多数。蒴果圆球形或三角形，直径 12 mm，多少有毛，子房柄长 1 ~ 2 mm，

3 片裂开，果片木质，厚 1.5 mm，内侧黄褐色；种子多数，长 4 mm，多角形，红色，种柄长约 2 mm。

| **生境分布** | 多栽培于庭园。湖南有广泛分布。

| **资源情况** | 野生资源丰富。栽培资源丰富。药材来源于野生和栽培。

| **采收加工** | 全年均可采收，晒干或鲜用。

| **功能主治** | 解毒，杀虫。用于疥疮肿毒。

| **用法用量** | 外用适量，煎汤洗；或捣烂涂敷。

海桐花科 Pittosporaceae 海桐花属 Pittosporum

棱果海桐
Pittosporum trigonocarpum Lévl.

| 药 材 名 | 棱果海桐子（药用部位：种子）。

| 形态特征 | 常绿灌木。嫩枝无毛，嫩芽有短柔毛，老枝灰色，有皮孔。叶簇生于枝顶，二年生，革质，倒卵形或矩圆状倒披针形，侧脉约6对。伞形花序3～5枝顶生，花多数；花梗长1～2.5 cm，纤细，无毛；萼片卵形，长2 mm，有睫毛；花瓣长1.2 cm，分离，或部分连合；雄蕊长8 mm；雌蕊与雄蕊等长，子房有柔毛，侧膜胎座3，胚珠9～15。蒴果常单生，椭圆形，干后呈三角形或圆形，长2.7 cm，有毛，子房柄短，长不过2 mm，宿存花柱长3 mm，果柄长约1 cm，有柔毛，3片裂开，果爿薄，革质，表面粗糙，每爿有种子3～5；种子红色，长5～6 cm，种柄长2 mm，压扁，散生于纵长的胎座上。

| 生境分布 | 生于海拔 600 ～ 2 000 m 的山谷，沟边，山麓杂木林下、林缘或灌丛中。分布于湖南邵阳（邵东）、永州（双牌）、湘西州（龙山）等。 |

| 资源情况 | 野生资源较少。栽培资源较少。药材来源于野生和栽培。 |

| 采收加工 | 8 ～ 9 月采摘成熟果实，除去果壳，取出种子，晒干。 |

| 功能主治 | 收敛止泻，清热除烦。用于腹泻，痢疾，心烦不眠，咽痛。 |

| 用法用量 | 内服煎汤，9 ～ 15 g。 |

海桐花科 Pittosporaceae 海桐花属 Pittosporum

崖花子

Pittosporum truncatum Pritz.

| **药 材 名** | 崖花子（药用部位：种子）、菱叶海桐（药用部位：全株）。

| **形态特征** | 常绿灌木，高 2 ～ 3 m。多分枝，嫩枝初有灰毛，不久毛脱落。叶簇生于枝顶，硬革质，倒卵形或菱形，长 5 ～ 8 cm，宽 2.5 ～ 3.5 cm，中部以上最宽，先端宽而短急尖，有时有浅裂，中部以下急剧收窄而下延，上面深绿色，发亮，下面初时有白毛，不久毛脱落，侧脉 7 ～ 8 对，在上面明显，在下面稍凸起，网脉在上面不明显，在下面明显；叶柄长 5 ～ 8 mm。花单生或数朵聚成伞状，生于枝顶叶腋内；花梗纤细，无毛或略有白绒毛，长 1.5 ～ 2 cm；萼片卵形，长 2 mm，无毛，边缘有睫毛；花瓣倒披针形，长 8 mm；雄蕊长 6 mm；子房被褐色毛，卵圆形，侧膜胎座 2，胚珠 16 ～ 18。蒴

果短，椭圆形，长 9 mm，宽 7 mm，2 片裂开，果片薄，内侧有小横格；种子 16 ~ 18，种柄扁而细，长 1.5 mm。

| 生境分布 | 生于海拔约 800 m 的山谷林中、灌丛或石崖上。分布于湖南邵阳（邵东、武冈）、永州（双牌、新田）、怀化（辰溪、会同、洪江）、娄底（新化）、张家界（慈利）等。

| 资源情况 | 野生资源较少。栽培资源较少。药材来源于野生和栽培。

| 采收加工 | 崖花子：秋、冬季采摘成熟果实，除去果壳，取出种子，晒干。

| 功能主治 | 崖花子：清热，生津，利咽，止泻。用于口渴，咽痛，泻痢。
菱叶海桐：散瘀止痛，祛风活络。用于胁痛，风湿关节痛。

| 用法用量 | 崖花子：内服煎汤，3 ~ 9 g。
菱叶海桐：内服煎汤，15 ~ 30 g。外用适量，捣敷。